BUNTOWNICY
BEZ GRANIC

Marc Vachon
współpraca François Bugingo

BUNTOWNICY
BEZ GRANIC

Przełożyła Małgorzata Tryc-Ostrowska

 MUZA SA

Tytuł oryginału
Rebelle sans frontières

Projekt okładki i stron tytułowych
Krzysztof Kaczmarek

Redaktor prowadzący
Bożena Zasieczna

Opracowanie graficzno-techniczne
Piotr Trzebiecki

Korekta
Zespół

ISBN 978-83-7495-146-3

MUZA SA
Warszawa 2007

Dla Émilie, Jacqueline, Claudii, Nadii

Pan Hamil to wielki człowiek,
ale okoliczności nie pozwoliły mu nim zostać.

ROMAIN GARY, *Życie przed sobą*

Wstęp

Wielu chciało osądzać Marca Vachona. Jednak dotąd nikt nie potrafił oddać mu sprawiedliwości.

Przypisywano mu wiele grzechów: gangster, Hell's Angel[1], narkoman, żigolak, diler, alfons, poszukiwacz przygód, szpieg... Żaden z tych zarzutów nie jest w stu procentach bezpodstawny. Ale też żadne z tych określeń nie przybliża nas – nawet o krok – do poznania prawdy. Bo ten chłopiec, którego życie rzuciło na dno, ten nastolatek skazany na walkę o przetrwanie, ten mężczyzna, który musiał kąsać i bić, by ujść z życiem, jest istotą obdarzoną jednocześnie przez naturę czystą duszą, ogromną wrażliwością i niezrównaną wprost szlachetnością.

Zechciejcie cokolwiek z tego zrozumieć panowie prokuratorzy! Oto ten, którego wielokrotnie słusznie karaliście, ten, którego kazaliście szukać po jego ucieczce, by go przymknąć, ten człowiek staje dziś przed wami bogatszy o piętnaście lat nieustającego oddania najuboższym wszędzie tam w świecie, gdzie toczyły się wielkie działania wojenne.

Nie wiem, czy Vachona można porównać do doktora Schweitzera czy do Matki Teresy. W każdym razie jest w nim coś z Jeana Valjeana i hrabiego Monte Christo.

Jak mogło dojść do takiej metamorfozy? Ta książka pozwala to zrozumieć. Już samo to wystarczy, by uczynić z niej niezwykle interesujący dokument.

---

[1] *Hell's Angels* (ang. Anioły z Piekła) – nazwa jednego z przestępczych gangów motocyklowych, które terroryzowały Quebec. (Wszystkie przypisy w niniejszej książce pochodzą od tłumacza.)

9

Tym, którzy mają ochotę zwątpić w rodzaj ludzki (a czyż każdy z nas nie odczuwa od czasu do czasu takiej pokusy?), ta opowieść przynosi kontrargument niezwykłej wprost świeżości. Pozornie jest to historia pewnego odkupienia. Cudowna biografia młodego mieszkańca Quebecu, porzuconego przez ubogich rodziców, który potrafi się podźwignąć, odnosi zwycięstwo nad własnym przeznaczeniem i zwraca ku najuboższym, by podzielić się z nimi tą odrobiną, jaką zdołał wyszarpnąć życiu. Istna bajka...

Z tym że Marc Vachon jest ostatnią osobą, która wierzyłaby w bajki, zarówno w tę, jak w jakąkolwiek inną. Opowiedziana tu historia, to jego życie. Koniec. Kropka. A jeśli zaczniecie mu mówić o zmartwychwstaniu, to po prostu roześmieje się wam w nos.

Zapewne przez wstydliwość. Nie szukajcie u niego cech anioła, heroicznych postaw, moralizatorskiej mowy-trawy. Dawno zastąpił to wszystko dużym poczuciem humoru, zamiłowaniem do futbolu i wyraźną słabością do dobrze schłodzonego piwa.

Nie oznacza to jednak, że ta spowiedź była łatwa. Asystowałem przy narodzinach tego projektu i mogę zaświadczyć, że miał mnóstwo oporów, które musiał przełamać. Pierwszy wydawca zaproponował Marcowi nagrywanie kaset. Te kasety gdzieś zaginęły, a ja podejrzewam, że on sam przyczynił się do ich zniknięcia, tak bardzo zbulwersowało go to nagranie. Wtedy pierwszy raz widziałem tego dużego głuptasa płaczącego.

Kilka lat później pojawił się François Bugingo, któremu zawdzięczamy ten tekst. Kiedy go przeczytałem, zrozumiałem, co tak poruszyło Marca za pierwszym razem. Gdy znalazł się sam przed mikrofonem, nie był w stanie przeżyć w komforcie wspomnień tego, co musiał znosić w swoim prawdziwym życiu. Ból był szczególnie silny, gdy przywoływał dzieciństwo. Jakby sam zmierzył dopiero teraz, z opóźnieniem – miarą człowieka, jakim życie pozwoliło mu się stać – jak ogromnej niesprawiedliwości doświadczył, będąc dzieckiem. Oto dlaczego ta książka wbrew pozorom nie opisuje odkupienia, ale raczej rehabilitację. To nie jest historia złego dziecka, które stało się dobre, ale bolesne wspomnienie o cudownym chłopcu, przepełnionym czułością, radością życia i pragnieniem dzielenia się z innymi, któremu życie ofiarowało wyłącznie przemoc i zdradę. To dziecko zagubione, zgwałcone, pozostawione odłogiem, musiało długo ukrywać swe skarby w sercu w obawie, że zostanie ograbione.

Po długiej nieobecności Marc zaryzykował trzy lata temu powrót do Montrealu i tam spotkałem się z nim któregoś wieczora. Pokazał mi ulice, po których włóczył się kiedyś ze swoją bandą. Czuło się, że to wszystko jest bardzo dalekie, a zarazem całkiem dla niego bliskie. Oddychał głośniej, rozglądał się w prawo i w lewo, jakby nagle miał się pojawić konkurencyjny gang. Wietrzył niebezpieczeństwo jak Indianin, łowca bizonów. Ta książka trochę przypomina takie tropienie: podążając śladami Marca, zanurzamy się – ryzykując zawrót głowy – w naszej epoce, od zapomnianych wojen Trzeciego Świata po brutalne noce północnoamerykańskich metropolii. Poznałem Marca w Kurdystanie pod koniec pierwszej wojny nad Zatoką Perską. Byłem wówczas wiceszefem Lekarzy bez Granic. Nie traciłem go z oczu przez wszystkie te lata, gdy bez przerwy jeździł z jednej misji humanitarnej na drugą po wszystkich krajach w stanie wojny: Bośni, Ruandzie, Sudanie, Afganistanie, Mozambiku itp. W każdym z tych miejsc Marc Vachon dał się poznać jako człowiek niezwykle oddany. To określenie może wprowadzić w błąd. Być oddanym, nie oznacza dla niego poświęcenia, a tym bardziej eksponowania swoich wysiłków i cierpień. Być oddanym znaczy po prostu być użytecznym dla innych. Założyć obóz dla uchodźców w ciągu kilku godzin, dostarczyć wody pitnej masom ludzkim, które wojna zmusiła do exodusu, przeprowadzić konwoje z żywnością przez najbardziej niebezpieczne punkty kontrolne, udaremnić zasadzki walczących milicji – oto co oznacza być użytecznym w tych okolicznościach. I co Marc Vachon potrafi robić lepiej niż ktokolwiek inny. Wykazał w tym zawodzie rzadkie, naturalne zdolności, będące niewątpliwie dziedzictwem jego kryminalnej przeszłości. Zwracały się do niego największe organizacje humanitarne, powierzając mu ważne zadania. Jego opowieść o latach działalności humanitarnej jest wyjątkowo bogata w wydarzenia, bo niewielu wolontariuszy ma na koncie tyle misji, w dodatku tak niebezpiecznych. Mogę zaświadczyć, że nic tu nie zostało zmyślone. Wprost przeciwnie, trzeba było nawet uciec się do pewnych uproszczeń, by nie znużyć czytelnika.

Jako jedyny w swoim rodzaju dokument opowiadający o tych konflik-
tach, książka ta jest jednocześnie portretem człowieka. Marc Vachon prze-
żył swe życie na opak. Zaczął jako człowiek stary, jak starzy są wszyscy
ci, którzy nie mogą sobie pozwolić na bycie niewinnymi i słabymi. Potem
dorósł i – wraz z upływem lat – zmiękł, nabrał zaufania; wreszcie, w tej
książce, całkowicie się otworzył.

Na wybrzeżach Ligurii przekwalifikowani rybacy zabierają turystów ło-
dzią kilka kabli od brzegu. Tam dają im maskę i zachęcają, by zajrzeli pod
wodę. W ten sposób – pod czarną powierzchnią fal – turyści odkrywają
świetlistą otchłań, w głębi której stoi Chrystus z brązu wyciągający ku nim
ramiona. Nie wiadomo, czy chce ich wciągnąć w głębinę, czy prosi, by wy-
dobyć go na światło dzienne. Ta książka oferuje Wam podobne emocje: re-
lacjonuje tragiczne i brutalne wydarzenia, ale pod ich wzburzoną, mrocz-
ną powierzchnią, pozwala dojrzeć zadziwiająco czystą postać bohatera,
który wyciąga do Was ramiona.

Vachon nie powinien czytać tego wstępu, bo strasznie się rozgniewa.
„Rany Boskie, co też on o mnie wygaduje!". Kiedy jest zażenowany, prze-
sadnie eksponuje swój akcent z Quebecu, z Saint-Henri, ubogiej dzielnicy,
gdzie się urodził. A potem zmienia temat, mówi o drużynie piłkarskiej Pa-
ris Saint-Germain, której z zapałem kibicuje, a jeśli chce naprawdę wpra-
wić wszystkich w dobry humor, stroi sobie niewinne żarty z Chiraca. Na
koniec zacznie śmiać się tak głośno, że trzeba będzie zamknąć okno, żeby
nie zaalarmować sąsiadów.

Albo nie, co tam, tym razem zostawcie okno otwarte. Niech się zgorszą
ci dobrzy ludzie, niech napuszczą na nas dozorczynię, nawet gliny. Teraz
będziemy już wiedzieli, co dać im do przeczytania, by wreszcie zrozumieli,
z kim mają do czynienia.

„Hej! Ty tam, duży, z tatuażem na ramionach i skrętem za uchem, jak
się nazywasz?".

„Vachon, panie władzo. Marc Vachon. Proszę zapamiętać moje nazwisko.
Kiedyś będzie je nosił Tom Cruise".

Jean-Christophe Rufin

ROZDZIAŁ PIERWSZY

Dziecko niczyje

Nazywam się Marc Vachon.

Urodziłem się 27 października 1963 roku. W Montrealu. W Kanadzie. Gdzieś w pobliżu Saint-Henri, biednej, robotniczej dzielnicy w południowo-zachodniej części miasta. Tam otrzymałem chrzest trzynaście dni po przyjściu na świat. W kościele św. Kunegundy. Jako bardzo małe dziecko zostałem porzucony pod drzwiami opieki społecznej. Kiedy dokładnie? Tego nie wie nikt.

Moje życie zaczęło się, gdy miałem siedemnaście miesięcy. U Fortierów, pod numerem 2363 na ulicy Bercy w Hochelaga-Maisonneuve, innej ubogiej dzielnicy. To oni są moimi prawdziwymi rodzicami. Byli moją siódmą rodziną zastępczą. Tak w każdym razie kierownik opieki społecznej powiedział mojej matce. Sześciu pierwszych sobie nie przypominam. Poinformował ją, że moje pełne nazwisko brzmi Marc Gérard Stéphane Vachon. I że nigdy nie będę mógł zostać adoptowany, bo moja biologiczna matka zapomniała podpisać odpowiednie papiery.

Dopiero w szkole zdałem sobie sprawę, że coś jest nie tak: moja matka nazywała się Fortier, a ja Vachon. Zadałem parę pytań. Wyjaśniono mi: moja biologiczna matka zachorowała, musiała się mnie pozbyć. Miała na imię Jacqueline. To wszystko, co o niej wiem. Nauczyłem się z tym żyć.

Teraz znam nazwisko mojego biologicznego ojca, niejakiego pana Vachona. Wiem, że mam dwóch braci, ale to mnie już nie interesuje. Moja matka to kobieta, która mnie wychowała. Kiedy chorowałem, to ona się mną opiekowała. Byłem astmatykiem, wyobrażam więc sobie, ile bezsennych nocy musiała spędzić przy moim łóżku. Kiedy miałem grypę, rozpieszczała mnie. Moja matka to Jeanne Fortier.

Ojciec był blacharzem w Macdonald Tobacco. Przepracował tam całe życie. Fortierowie żyli skromnie, mieli czworo innych dzieci, starszych ode mnie. Pierwsza urodziła się Micheline, potem Daniel, Huguette i Lise. To byli dobrzy ludzie.

Moja matka miała taaakie wielkie serce. Pilnowała dzieci, których rodzice musieli chodzić do pracy. Małych Arabów, paru czarnych, dzieci imigrantów, którzy imali się rozmaitych niewdzięcznych robót. Wyrosłem w wesołym otoczeniu dzieci wszystkich ras i kultur.

Moje starsze siostry, białe jak śnieg, chodziły z Haitańczykami, których poznały na Wystawie Światowej w Montrealu w 1967 roku. Brat Daniel spotykał się z Włoszką, córką sąsiadki z domu, który stał tuż za naszym.

Cała ta dzieciarnia pakowała się do metra, które kosztowało 10 centów, żeby pojechać na wyspę Świętej Heleny i popluskać się w basenie.

Montreal był wówczas tylko dużą sympatyczną mieściną. Problem stanowiło nie miasto, lecz epoka. Kobiety się wyzwalały. Słuchało się Beatlesów, Rolling Stonesów, Césara i jego Rzymian. Odkrywało się marychę i mocniejsze narkotyki, jak LSD. Wszystko to przyszło naraz, za szybko.

W wieku siedmiu lat byłem normalnym chłopakiem, który chodził grzecznie do szkoły Saint-Anselme znajdującej się pomiędzy ulicami Hochelaga i de Rouen, w niebezpiecznej dzielnicy. Paliło się tam marnej jakości heroinę, wąchało klej. W wieku ośmiu czy dziewięciu lat próbowało się papierosów, zwijało skręty, wszystko po to, by wyglądać na twardziela.

W Quebecu była to epoka spodni w kratę i eksplozji rodzimej muzyki. Kiedy zespół Beau Dommage śpiewał *Bluesa metropolii*, opowiadał o mojej ulicy. To była epoka świetności grupy Harmonium, czas Offenbacha. Przeżywaliśmy niepodległościową gorączkę, powrót do tkanych pasów quebeckich. Byliśmy dumni, że urodziliśmy się w Quebecu.

To właśnie wtedy moja matka wpadła na świetny pomysł, by pójść w ślady sąsiadki, która wysyłała swego czternasto- czy piętnastoletniego syna do szkoły z internatem, aby odciągnąć go od złego towarzystwa z dzielnicy. Nie chciała, bym skończył jako opryszek.

Nie zalewałem się łzami, opuszczając dom. Miałem zaledwie osiem lat, ale byłem mężczyzną, wyjeżdżałem z misją. Ojciec, matka i siostry stały na schodach przed domem. Wypiąłem pierś; byłem twardzielem z ulicy Bercy w Montrealu. Szkoły się nie bałem, tym bardziej że mój sąsiad, który też odgrywał twardziela, obiecał nade mną czuwać.

Dalszego ciągu nie zrozumiałem.

Jechaliśmy dwie i pół godziny bez przerwy. Pan Paquin, odpowiedzialny za mnie pracownik opieki społecznej, zatrzymał samochód przed wiejskim domem, przed którym stał buldożer, w pobliżu zaś bawiła się piątka dzieciaków. Jakieś małżeństwo wyszło nam na powitanie.

Nie wiedząc o tym, właśnie przybyłem do mojej ósmej rodziny zastępczej. To był straszliwy szok. W miejscowości Rawdon nie było nawet asfaltu ani chodnika. Moje pierwsze pytanie brzmiało: „To gdzie tu się można pobawić?". Nie było nic prócz czarno-białego telewizora.

Byłem trzecim dzieckiem przygarniętym przez tę rodzinę. Matka powiedziała mi, że lekcje zaczną się dopiero za tydzień. Co rano będzie przyjeżdżał po mnie autobus. Nie bardzo rozumiałem, gdzie się znalazłem.

– Jeśli mam wracać na weekendy do Montrealu, czeka mnie niezły szmat drogi, no nie?

– Już nie wrócisz do Montrealu.

– Jak to nie? Muszę chyba wracać do mojego domu, no nie?

– Zapomnij o twoim domu, nie ma już żadnego twojego domu. Rodzice cię porzucili.

Nie uwierzyłem jej. Chociaż byłem dzieciakiem. Chociaż – w głębi duszy – miałem trochę, dużo żalu do mojej matki, nie chciałem płakać. Postanowiłem zgrywać dzielnego chłopaczka, twardego jak kamień.

Pięć miesięcy później pan Paquin wrócił, by zmienić mi dom. Wyjechałem bez żalu, bo w tej rodzinie doznałem przemocy, z jaką nie zetknąłem się nigdy wcześniej. Za byle głupstwo obrywałem po gębie. A kiedy miałem czelność płakać, spadała na mnie nowa seria policzków; po każdym zataczałem się jakbym tańczył walca. Ojciec ryczał: „Przestaniesz beczeć, przeklęty bękarcie?".

Przestałem płakać.

Potrzeba mi było dużo czasu, by znów zacząć.

Mój nowy dom, dziewiąty, znajdował się niedaleko stąd, w Chertsey. Zostałem tam zawieziony razem z dwojgiem dzieci, które również były w Rawdon. Plus jeszcze jedno. Mieszkało nas czterech w malutkim pokoiku. Jedynymi meblami w tym pomieszczeniu były dwa piętrowe łóżka. Kazano nam leżeć z rękami na kołdrze, nie miałem pojęcia dlaczego.

A to był dopiero początek bardzo długiej serii złych doświadczeń. Zmieniałem rodziny zastępcze z coraz większą częstotliwością, nie rozumiejąc dlaczego tak się dzieje. Nikt nie zadał sobie trudu, by mi to wyjaśnić.

Prawdą jest, że w 1972 roku nikt nie chciał mieć dzieci plączących się pod nogami. Moje miejskie pochodzenie niepokoiło wieśniaków, burzyło ich przyzwyczajenia. Pewnego dnia, w pewnej rodzinie, kobieta powiedziała mi:

– Jak będziesz grzeczny, to zabierzemy cię na Expo...

Dlaczego trzeba być grzecznym, żeby iść na Expo? Moja matka posyłała mnie tam, żeby mieć święty spokój.

Wróciłem do Montrealu w wieku dziesięciu lat. Trafiłem do małżeństwa około pięćdziesiątki. Chwila radości: ja, Marc, chodziłem do szkoły Saint--Marc.

Dostałem własny pokój, a małżeństwo, które nigdy nie miało własnego dzidziusia, traktowało mnie jak dziecko, o jakim zawsze marzyło. Byłem królem. Doczekałem się pierwszych łyżew Daoust 10. Na Boże Narodzenie dostałem grę elektroniczną.

Zgubił mnie głupi drobiazg. Małżeństwo umówiło się z sąsiadką, że będę przychodził do niej w południe, a ona da mi jeść. Ponieważ miałem klucz od domu, mogłem wracać tam po posiłku, by obejrzeć w telewizji kolejny odcinek programu *Capitaine Bonhomme* czy *Flintstonów*. Pewnego dnia zadzwonił telefon. Miałem zwyczaj odbierać. Odpowiedziałem. Rozmówca poprosił, bym przekazał słuchawkę komuś dorosłemu.

– Nie ma ich w domu.

– A kto mówi?

– Marc...

– Tu pan Paquin. Wiesz, kim jestem?

– Tak, tym wysokim panem.

– Jesteś zupełnie sam w domu?

– Tak.

– Co robisz?

– Oglądam *Flintstonów*.

– Jak wszedłeś do domu?

– Drzwiami. Mam klucz.

Rozłączył się.

Nazajutrz przyjechał po mnie samochód. Małżeństwu zarzucono, że zostawiło mnie samego, wystawiając na niebezpieczeństwo.

Ten wyjazd był najbardziej rozdzierający ze wszystkich. Czepiałem się desperacko prętów łóżka. Kiedy poznało się nieszczęście, potrafi się rozpoznać szczęście, zwłaszcza że wie się, iż nigdy nie puka ono do drzwi dwa razy. Tym bardziej w przypadku bękarta...

To wtedy poznałem moją najgorszą rodzinę.

A przecież była to dobra rodzina. W Richelieu, około trzydziestu kilometrów na południe od Montrealu. Matka cieszyła się uznaniem za działalność humanitarną i charytatywną. Do dziś widzę ten wielki dyplom zawieszony dumnie na ścianie obok flagi Quebecu. Rodzina H... dała schronienie dwadzieściorgu dzieciom cierpiącym na zespół Downa.

Dom był ogromny. Za nim, na dziedzińcu otoczonym wysokim ogrodzeniem, trzymali w ciągu dnia te upośledzone. Jeździły na rowerach, grały w piłkę. Za małym placem zabaw stała przyczepa.

Przypominam sobie moje przybycie. Jak pani H. oprowadzała nas po swoim obejściu. Przyczepa. Piękny dom. Ogromny pokój z widokiem z jednej strony na pola, z drugiej na podwórze. Ekstaza.

Zachwycony, zacierałem ręce, patrząc, jak podpisuje dokumenty o przejęciu nade mną opieki. Pan Paquin wręczył jej torbę z nowymi ubraniami, jakie dawano nam zawsze, kiedy zmienialiśmy dom.

Ledwie ten człowiek wyszedł, zdjęła moją marynarkę, która leżała na wspaniałym łóżku i zaprowadziła mnie do pralni. Za pralkami stało składane łóżko. „Oto twój pokój!" – rzuciła. Nigdy nie rozpakowałem walizki. A przecież pozostałem tam prawie osiem miesięcy. Miałem zaledwie dziesięć lat.

Sprzątałem, kosiłem trawnik. Wykorzystywali mnie do robienia wszystkiego, co chcieli. A kiedy mówię wszystkiego, mam na myśli naprawdę wszystko.

Okrucieństwo tej kobiety nie miało granic. Jeden z jej synów wymyślił sobie zabawę, która polegała na tym, że kręcił się po podwórzu na łyżwach i najeżdżał na mnie. Przysługiwało mi tylko jedno prawo: do inkasowania ciosów. Pewnego dnia miałem dość, odskoczyłem i chłopiec skończył jazdę na płocie. Roześmiałem się, widząc, jak krzywi się z bólu.

Wieczorem, gdy szedłem do mojego pokoju, znienacka spadł na mnie cios. Siła uderzenia uniosła mnie z podłogi i rzuciła w dół. Spadłem kilka schodków niżej. Ciężka głowa, zaćmione widzenie.

– Nigdy więcej nie chcę słyszeć, jak śmiejesz się z mojego syna!

Innego wieczoru, chcąc nauczyć mnie jeść jak ludzie cywilizowani, posadziła mnie obok siebie na kanapie z nożem i widelcem w rękach. Od pierwszych ruchów zaczęły na mnie spadać ciosy. Łup, nie tak trzyma się nóż. Łup-łup za szybko otworzyłeś usta. Łup-łup-łup, nie przeżuwa się z otwartymi ustami.

– Jesteś synem kurwy. Jesteś synem kurwy, Marc. Czy znasz definicję kurwy? To twoja matka. Już ja cię wychowam!

Przypominam sobie także wigilię Bożego Narodzenia. Całe miasteczko przygotowywało się do niej gorączkowo. Festony zawalały wejście do domu. Wielka choinka iskrzyła się na środku salonu. Pod drzewkiem było pełno prezentów zapakowanych w błyszczący papier. Moje nazwisko widniało wypisane na małej paczuszce. Coś mi mówiło, że to zegarek. Times – byłem o tym przekonany. Nic nie mogło odebrać mi tej pewności. W takiej chwili, kiedy ma się dziesięć lat, zapomina się o wszystkim, wszystko się wybacza. Dokuczanie, ciosy, zniewagi. Ma się serce przepełnione radością i oczy utkwione w tajemniczym pudełeczku. Pani H. wydała mi się nagle piękna i ludzka.

Przyszła cała wielka rodzina. Nie widziałem jej, bo mnie przed nią schowano. Koktajl odbywał się w przybudówce za domem. Przed kominkiem. Ja w tym czasie szykowałem stoły i przygotowywałem dużą salę do posiłku. Goście rzucili się na jedzenie.

Pani H. dyskretnie poprosiła mnie, bym spotkał się z nią w przyczepie. Powiedziała mi z konspiracyjną miną, że ma dla mnie zadanie najwyższej wagi: czuwanie nad żarem w kominku.

– Płomienie wkrótce zgasną, zostanie żar. Pilnuj, by nie zapalił się od niego dom. Kiedy całkowicie zgaśnie, dołącz do nas!

Usadowiłem się przed wielkim oszklonym oknem. Widziałem cały świętujący naprzeciwko klan. Muzyka grała głośno, ludzie tańczyli. A ja siedziałem sam w tym opuszczonym kącie i czuwałem nad żarem.

Zrozumiałem. Dałem się nabrać. Przez głowę przeszła mi myśl, żeby kogoś zamordować albo coś podpalić.

W końcu zasnąłem pod oknem.

Nazajutrz, gdy się obudziłem, z kominka wydobywała się jeszcze cienka smużka dymu. Włożyłem palto i wszedłem do sali biesiadnej. Podłoga była zasłana papierami i butelkami. Pobiegłem prosto do drzewka i wziąłem mój prezent. Znowu o wszystkim zapomniałem, oddając się całkowicie radości z zegarka, którym będę mógł teraz szpanować.

Pani H. usłyszała moje kroki i zeszła do mnie. Byliśmy sami w pokoju. Obdarzyła mnie promiennym uśmiechem.

– Wesołych świąt Bożego Narodzenia mój Marcu. Przykro mi, że trzeba było tyle czasu, by żar wygasł. Ale wykonałeś dobrą robotę! Możesz rozpakować twój prezent.

Nie trzeba mi było tego powtarzać, rozdarłem papier z opakowania. To nie był zegarek. To było mydło.

Wybuchnęła śmiechem:

– Będziesz się mógł umyć, mój ty mały bękarcie!

Kiedy miałem 22 lata, przyszło mi do głowy, żeby ją zabić, by przestała nękać mnie po nocach. Pewnego dnia wsiadłem na harleya i pojechałem do Richelieu. Z pistoletem w tylnej kieszeni spodni. Zatrzymałem się przed domem. Nie było już płotu otaczającego podwórze, na którym trzymała swoich chorych podopiecznych; wywnioskowałem z tego, że już się nimi nie zajmuje.

Wyobraziłem sobie, jak pukam do drzwi. Przychodzi mi otworzyć. Nie daję jej czasu na wypowiedzenie choćby jednego słowa. Z bliska opróżniam cały magazynek. Widziałem, jak osuwa się niezgrabnie, bez życia na ziemię. Daję przez nią krok, biorę motor i wracam do miasta. Czuję prawie rozkosz.

Czas się zatrzymał. Spotkanie twarzą w twarz mojego harleya z tymi drzwiami, które przypominały mi tyle cierpień, trwało wieczność. Nie zsiadłem z motoru. Powiedziałem sobie, że już nie warto. Załatwiła mnie. Udało się jej mnie zniszczyć. Nie musiałem jej zabijać, żeby zrozumieć, że właśnie to wychowanie, jakie mi zapewniła, zrobiło ze mnie męta, którym się stałem. Trzymając pistolet w ręku wiedziałem, że wygrała na całej linii. Nie wyświadczę jej na dodatek tej grzeczności, że zmarnuje mi następne 25 lat. Nacisnąłem na gaz i odjechałem do Montrealu. Pozbyłem się broni w przydrożnym rowie.

ROZDZIAŁ DRUGI

Dryfujący małolat

W wieku dwunastu lat mimo woli byłem już twardzielem. Doskonale wiedziałem, że nie jestem takim samym chłopcem jak inni. Moi kumple z klasy dbali zresztą, bym o tym pamiętał. Przy każdej zmianie rodziny byłem „nowym" w sfatygowanym odzieniu. Z pieniędzy otrzymanych z pomocy społecznej rodzice, którzy mnie przygarniali, kupowali nowe ubrania swemu najstarszemu dziecku, a mnie dawali te, z których ono wyrosło.

Była też nieunikniona scena przedstawienia się klasie.

„Nazywam się Marc Vachon. Mieszkam u pana X".

Zawsze znajdował się ktoś, kto rzucał: „A gdzie jest twój prawdziwy ojciec?". Za każdym razem cios był celny.

Dopiero później nauczyłem się odpowiadać na upokorzenia przemocą.

Przybycie do domu pani Longpré było jak balsam dla mojego obitego serca i ciała. Mężczyzna, który mnie wcześniej gościł, zachorował, ale nim pozwolił mi wyjechać, powiedział, że mogę go od czasu do czasu odwiedzać. Pan Paquin tak to wytłumaczył pani Longpré: „Marc zmienił dom, ponieważ jego opiekun jest chory. Jeśli sobie tego życzy i jeśli pani nie ma nic przeciwko temu, może pani mu pozwolić odwiedzać rodzinę w weekendy".

W następną sobotę pani Longpré dała mi pieniądze. Wsiadłem do autobusu i pojechałem.... pod numer 2363 na ulicę Bercy. Zapukałem do drzwi. Otworzyła mi moja matka.

– Czy pani mnie poznaje?

Nie odpowiedziała, zaczęła płakać, ściskając mnie do utraty tchu w ramionach. Potem przeparadowałem po okolicy. Powrót syna marnotrawnego. Nazajutrz, kiedy moja matka odwiozła mnie do pani Longpré, byłem świadkiem niesamowitego spotkania dwóch kobiet o wielkich sercach. Dwóch niezamożnych pań, które przez 20 lat przygarniały dzieci – w większości chłopców z problemami – porzucone przez ich rodziny. Człowieczeństwo tych kobiet było wprost gigantyczne. Natychmiast się rozpoznały, na niuch.

W tygodniu pani Longpré zadzwoniła do biura pomocy społecznej i postawiła sprawę jasno. Kiedy odłożyła słuchawkę, po prostu mi powiedziała:

– Marc, kiedy tylko zechcesz, będziesz spędzał weekendy u Fortierów.

– Ale dlaczego, pani Longpré?

– Bo twoja matka jest porządną kobietą.

Od tej chwili regularnie wracałem do mojej rodziny na ulicę Bercy. Spędzałem tam co drugi weekend, a także święta Bożego Narodzenia. Latem mogłem zostawać na dłużej.

Sposobem bycia naśladowałem starszych chłopców. Paliłem. Duży Harold, który mieszkał u pani Longpré, poczęstował mnie papierosem już w dniu mojego przybycia. Ale stałem się na powrót dzieciakiem, kiedy tylko odnalazłem tę serdeczną atmosferę wśród braci, w ich towarzystwie. W sumie było tam kilkunastu chłopców z opieki społecznej.

Mogłem zacząć marzyć o przyszłości. Widziałem się doskonale w roli strażaka. Ale nie wojskowego. Trochę przez kokieterię. Wstąpiłem do kadetów, ale trzeba było dać sobie obciąć dość krótko włosy. A w latach 70. był to raczej obciach. Toteż gdy instruktor ochrzanił mnie za gadanie, skorzystałem z okazji, by trzasnąć drzwiami. Z powodu mojej złej reputacji nie chcieli przyjąć mnie do skautów.

W wolnych chwilach grałem w baseballa albo w hokeja. Przypominam sobie mecze baseballa na ulicy Bercy, wśród samochodów, z moimi przyjaciółmi.

Czasem jeździłem na rowerze. Żadnych lektur. Nie chodziłem też do kościoła. Zrozumiałem, że pan Bóg nie tworzy swych dzieci wolnymi i równymi. A od czasów pani H. Kościół uosabiał dla mnie siedlisko fałszywych pozorów i hipokryzji dorosłych.

Nauczyłem się liczyć upływające dni i nigdy nie oczekiwać niczego od jakiejkolwiek siły wyższej. Rozkoszować się maksymalnie szczęśliwymi chwilami i szybko zapominać o złych. Nigdy nie musieć żałować straconych okazji.

Miałem właśnie skończyć czternasty rok życia, gdy zdarzył się dramat: umarł szwagier pani Longpré. Niby nic bardziej banalnego. Tyle że to do niego należał dom, w którym mieszkaliśmy. Zapisał go w spadku jednej z córek pani Longpré, a ta postanowiła nas wyrzucić.

Pani Longpré próbowała negocjować z notariuszem. Wszystko, co udało się jej uzyskać, to prawo do zachowania strychu, dwóch psów, kota i jednego dziecka. Wybrała mnie.

Jej córka Mireille nie czekała, aż skończy się żałoba po jej wuju, by wprowadzić się z mężem i trójką dzieci.

Zostałem z nimi przez rok. Rok prawie normalny. Jadałem do syta, a jej mąż uczył mnie technik konstrukcyjnych i rzemiosł budowlanych. Dzieliłem pokój z ich synem Martinem. Ale nie było już tak jak przedtem. Nie czułem się już u siebie. Wiedziałem dobrze, że zawadzam, że przeszkadzam rodzinie poczuć się naprawdę jak we własnym domu.

Zmieniłem szkołę, poszedłem do Calixa-Lavallée w północnym Montrealu, średniej szkoły, gdzie edukacja na poziomie ogólnokształcącym połączona była z nauką zawodu. Natychmiast w sposób brutalny dotknąłem dna: haszysz…

Wybrałem kierunek budowlany. Stracony rok. Profesor przyszedł raz na początku roku, potem wziął zwolnienie lekarskie. Jeden z jego zastępców, Anglik z długimi włosami, musiał palić jeszcze więcej od nas, bo zaczynał wykłady opowiadając nam o Himalajach i wędrówkach po Nepalu. Takie to były czasy: długie włosy, Led Zeppelin, Rolling Stonesi…

W mojej klasie była banda wykolejeńców, miejscowi palacze skrętów. Prześladowała nas potrzeba zdobycia pieniędzy. Żeby mieć na marihuanę i nadążać za modą. To była epoka spodni Lois, skórzanych butów ze szwem na wierzchu. Koszul w kratę i skąpych wdzianek bez rękawów. Zacząłem chodzić na skróty. Mój pierwszy cel: sklepy. Trzeba było wsunąć dwie pary spodni pod poncho, kolejną owinąć wokół talii. A przy tym być rozluźnionym i gotowym wziąć nogi za pas, nie pytając o nic, gdy tylko ktoś podszedłby do mnie i spojrzał podejrzliwie.

Potem wystarczyło już tylko puścić w obieg informację, że odstąpię za połowę ceny dżinsy sprzedawane po 30 dolarów w sklepie. Nigdy nie brakowało mi klientów. Nikt mnie nie zatrzymał. Nikt mnie nie ostrzegł, że się staczam w niebezpiecznym kierunku.

Jeśli chodzi o buty, kiedy był czas je zmienić na nowe, szedłem do Yellow. Mierzyłem nowe buty i – jeśli mi się spodobały – zostawałem w nich. Kumple odwracali uwagę sprzedawcy, a ja wykorzystywałem ten moment, by się ulotnić.

Zacząłem przyjmować zamówienia: chcesz torbę? Poproś tego poczciwego Marca, to pójdzie do Zellersów i przyniesie ci ją za jedną czwartą ceny.

Za zebrane w ten sposób pieniądze mogłem zaopatrywać się w papierosy i haszysz.

W wieku piętnastu lat byłem w cugu przez większość dnia.

A ponieważ dzieci nieszczęścia zawsze w końcu się rozpoznają, spędzałem czas z dzieciakami rozwodników i sierotami. Po narkotykach był alkohol. Dyskretnie podprowadzona butelka brandy wystarczyła, by nas przymulić na całe popołudnie.

W pobliżu nie znalazł się żaden dorosły, który mógłby nas powstrzymać. To był okres wielkich strajków w transporcie, w szkołach. Pokolenie '68 kompletnie olewało dzieci, które stopniowo się zatracały.

Próbowałem się ustatkować, roznosząc gazety. Kiedy przyszedł czas inkasowania pieniędzy, okazało się, że rachunki mi się nie zgadzają, więc sięgnąłem do kolekcji monet dużego Harolda, zwiniętych w rulony po 50 centów każdy. Ponieważ brakowało mi 11 dolarów, ukradłem mu 22 rulony. Oczywiście dałem się nakryć i w domu zrobił się z tego dramat.

Szkoła była dla mnie stracona, poszedłem na dno. Po haszu przeszedłem na meskalinę. Przypominam sobie mój pierwszy odlot na kwasie z „przyjaciółmi" z północnego Montrealu. Połknąłem różową pigułkę w parku. Pół godziny później zacząłem się niecierpliwić, że nie odczuwam żadnych efektów. Postanowiłem wrócić do matki, na ulicę Bercy. I właśnie w drodze powrotnej coś zaczęło nie kontaktować w mojej głowie. Przypominam sobie, że widziałem trzy osoby wsiadające do autobusu, resztę przesłania mgła.

W domu ojciec siedział na balkonie. Próbowałem rzucić mu pewnym tonem: „Cześć Tato!".

Poszedłem prosto do mojej siostry Huguette, która mieszkała na pierwszym piętrze. Miałem halucynacje. Widziałem wieloryby.

Ale mi się to spodobało. I się pogrążyłem.

W Montrealu wchodził właśnie na rynek nowy narkotyk. To była żółta pigułka nazywana THC. Jej efekt był taki, że robiłeś się po niej jeszcze bardziej niezrównoważony. Psychodeliczny. Kosztowała pięć dolarów za sztukę, ale można było załatwić sobie trzy za dziesięć dolarów.

Od rzemyczka do koniczka, kupiłem moje pierwsze „ćwierć uncji" haszyszu. Kroiłem to na osiem części, które następnie odsprzedawałem. Zachowując jedną dla siebie. Nie zarabiałem kroci, akurat tyle, by zapewnić sobie tygodniową konsumpcję. Wiadomość szybko się rozeszła, stałem się zaopatrzeniowcem drobnych konsumentów.

Człowiek nie zdaje sobie sprawy, że się stacza. Ma wrażenie, że jeszcze wszystko kontroluje. Czuje się trochę bossem. Myśli, że poznał sztuczki, dzięki którym nie da się nakryć policji, a zwłaszcza rodzinie. Sądzi, że dobrze zna ludzi, którzy są w tym biznesie, bo wprasza się na ich imprezy i stawiają mu kolejki w barach. W wieku piętnastu lat zadajesz się z typami, którzy noszą wąsy, i to wystarczy, byś miał złudzenie, że sam jesteś dorosły.

Prawdą jest, że nie byłem jeszcze wtedy wielkim dystrybutorem, zaledwie małym pryszczem ze szkolnego podwórka. Podwórka szkoły pozostawionej samej sobie. Miałem pełny asortyment: hasz, THC, meskalinę. I alkohol, ile dusza zapragnie. Dzieliłem czas pomiędzy przyczepę, w której córka pani Longpré pozwoliła mi mieszkać na podwórku swojego domu, i mieszkanie mojej siostry Huguette na ulicy Bercy.

Pod koniec tego kompletnie zmarnowanego roku szkolnego, musiałem coś postanowić. Nie podjąłem dobrej decyzji, wprost przeciwnie. Po sklepach, zabrałem się za domy. Robiłem to, żeby zdobyć telewizor, radio, rower, motorower. Nie zawsze zdawałem sobie sprawę z powagi moich czynów, bo tryb życia, jakie wiodłem, działał jak miód na moje serce i pochlebiał mojemu ego. Bywałem w Evêché, słynnym barze na starym mieście w Montrealu, miejscu spotkań rockersów. Wszyscy byli wtedy do siebie podobni: hippisi, nędzarze i palacze marychy. Ja też miałem długie włosy, a jeśli chodzi o finanse, to radziłem sobie raczej nieźle. Nie miałem wrażenia, że zszedłem na złą drogę. Dobrze się bawiłem. To było *cool*[2]. Lato wykorzystałem na odkrycie wszystkich innych rodzajów narkotyków: morfiny, heroiny itp. Nic nie było już mi obce.

W następnym roku formalnie zacząłem piątą klasę szkoły średniej, ale praktycznie byłem w czwartej, tyle miałem materiału do nadrobienia. Jeśli chodzi o angielski – nawet dopiero w trzeciej. Kończyłem kurs budownictwa, ale byłem jeszcze za młody, by wejść na rynek pracy. Zapisałem się na kurs gotowania. Moi przyjaciele z klasy budownictwa poszli w moje ślady.

I znowu wszystko potoczyło się bardzo źle. Profesor nigdy nie przychodził: był w trakcie rozwodu i popijał. Ja zaś brałem silne narkotyki bez żadnego umiaru. Rano, przychodząc do szkoły, byłem już często naćpany THC.

To głupie, bo dziś dostrzegam mnóstwo dróg, których mogłem spróbować. Niektórzy nauczyciele we mnie wierzyli. Inni wycisnęli na mnie piętno. Był na przykład taki jeden nauczyciel francuskiego. Niesamowity. Chudy i wysoki jak tyczka, potrafił znaleźć we mnie to, co najlepsze.

---

[2] *Cool* (ang.) – W porządku.

Z nim udawało mi się pisać poprawnie. Przez kilka godzin zaliczałem się do tych dobrych. Zastanawiam się, co by się ze mną stało, gdybym posłuchał jego rad. Zostałbym może reporterem albo dziennikarzem.

Ale było za późno, żeby mnie uratować. Wszystko co robiłem, miało mnie jeszcze bardziej pogrążyć. Zmawialiśmy się, by oblać nawet testy IQ, którym nas poddawano. Wszystko po to, by zostać w zawodówce.

Razem z moim przyjacielem Danielem Marier postanowiliśmy zmienić nasze życie. Zainspirowani piosenką zespołu Beau Dommage chcieliśmy jechać na Florydę. Jak w piosence zamierzaliśmy wyjechać, podnieść kotwicę, bo tam, daleko, życie było z pewnością lepsze, a kiedy wrócilibyśmy do Montrealu, wszyscy by na nas czekali.

Włożyliśmy do toreb po parze dżinsów, po dwa podkoszulki, kilka drobiazgów i mapę Stanów Zjednoczonych z narysowaną trasą łączącą Plattsburgh z Miami. Kupiliśmy bilety autobusowe w jedną stronę do granicy amerykańskiej.

Zaczepił nas gruby amerykański celnik:

– *Where are you going*?[3]

– Plattsburgh.

– Co będziecie tam robić?

– Odwiedzimy przyjaciela.

– Podajcie mi jego adres.

Ups! Facet otworzył nasze torby i od razu natknął się na mapę. Wytyczona ołówkiem trasa wskazywała jasno nasz cel. Próbowaliśmy lawirować.

– Ile pieniędzy macie przy sobie?

Ja miałem sto osiemdziesiąt dolarów, Daniel dwieście pięćdziesiąt.

Celnik nas nie przepuścił, odesłał nas do Montrealu. Przeszliśmy na drugą stronę drogi, by wsiąść do autobusu jadącego w odwrotnym kierunku. W piosence Beau Dommage przygoda nie kończyła się tak szybko.

Był to powrót do punktu wyjścia.

---

[3] *Where are you going?* (ang.) – Dokąd jedziecie?

Daniel Marier, który był ode mnie młodszy, zostawił mnie i wrócił do swoich rodziców. Ale ja nie mogłem już wrócić do pani Longpré, bo wyjeżdżając, powiedziałem jej, że znalazłem pracę i że będę mieszkał z kolegami.

Na ulicy Viger stała wielka zniszczona kamienica, w której pokój kosztował trzydzieści pięć dolarów tygodniowo. Wynająłem sobie jeden. Zostało mi sto dwadzieścia dolarów. Zarezerwowałem go na dwa tygodnie. Miałem skromne lokum pełne karaluchów.

Poszedłem do matki. Moja siostra Micheline właśnie straciła męża w wypadku samochodowym i miała kupę forsy z ubezpieczenia. Pomogła mi, kupując mi mój pierwszy, czarno-biały telewizor oraz parę najpotrzebniejszych artykułów gospodarstwa domowego.

Aby przeżyć, powróciłem do jedynego zajęcia, w którym kiedyś celowałem: do kradzieży w sklepach. I odprzedawania skradzionych towarów. Często na zamówienie. W okradaniu mieszkań nie miałem sobie równych. Stałem się mistrzem w sztuce włamywania się do nawet najlepiej zabezpieczonych domów.

Były też chude tygodnie. Stawałem się coraz bardziej znany. W sklepach strażnicy mieli mnie na oku. Interes podupadał. Ponieważ nie byłem w stanie zapłacić czynszu, zostałem wyrzucony z pokoiku. Było to w środku lutego. Panował syberyjski ziąb. Gdy się ma przemarznięte palce, nie sposób być wystarczająco zwinnym, by kraść. Nie mogłem zgłosić się do Armii Zbawienia; byłem jeszcze wtedy nieletni. Kompletny upadek.

W takich okolicznościach traci się powoli orientację i godność. Jedynym mistrzem pozostaje instynkt przetrwania. Idzie się za szpital Świętego Łukasza pogrzebać w śmietnikach.

Nagle, w pewnej chwili staje się to nie do zniesienia. Jest się wtedy gotowym na każde szaleństwo.

Biegnie się, wyrywa komuś torebkę. Mam wielkie szczęście, nie tylko nikt mnie nie łapie, ale w dodatku, nie wiedzieć dlaczego, ta pani ma przy sobie prawie 600 dolarów w gotówce. Ogromna suma w tamtych czasach.

Pozwoliło mi to wrócić do pokoju. I odzyskać rzeczy, które właściciel mi skonfiskował.

W moim nieszczęściu, często miewałem szczęście; nigdy nie dałem się przyłapać. Oprócz tego jednego razu. Ukradłem budzik. Ponieważ musiałem wstawać wcześnie, by chodzić do pracy, którą udało mi się dostać. Widziałem zbliżającego się do mnie strażnika. Pobiegłem do ubikacji, by schować budzik w koszu na śmieci. Położył mi rękę na ramieniu. Chciałem zaprotestować. Ale kamery wszystko zarejestrowały. Przyjechała policja. Sąd w Westmount skazał mnie na 75 dolarów grzywny.

ROZDZIAŁ TRZECI

Twardziel

Przez wszystkie te lata żyłem z dnia na dzień. Dwadzieścia cztery godziny spędzone przyjemnie i z pełnym brzuchem to był dla mnie ogromny sukces.

Przypadkowo trafiłem do branży restauracyjnej. Skłamałem odnośnie do mojego wieku, by dostać pracę kelnera w restauracji Chez Queux. Znalazłem tam nową grupę, nowy klan. Klub twardzieli, osiłków, ale równych facetów. Lubiłem ich towarzystwo.

Moja siostra Micheline zaczęła przepuszczać w barach z nagimi tancerzami majątek otrzymany po śmierci męża z ubezpieczenia. Ciągała za sobą w miasto swą młodszą siostrę Huguette. Obie nie były zbyt urodziwe, ale w ramionach wszystkich tych pięknych ogierów śniły, że są księżniczkami.

Ulubiony goguś Micheline nazywał się Marco. Była w nim zakochana na zabój. Co wieczór zostawiała mu fortunę. Od niej dowiedziałem się, że klub potrzebuje kelnera, zaproponowałem moje usługi.

Odkryłem nowy świat, świat uwodzenia, odrażający, zaludniony przez kobiety podniecone do szaleństwa na widok ciał mężczyzn. Pierwszy raz zetknąłem się – wśród tancerzy – z prawdziwymi homoseksualistami. Ale przede wszystkim przekonałem się, co to jest łatwy pieniądz. Taki, który wpada do kieszeni bez konieczności uciekania się do przestępstw.

Po tym barze dostałem się do najbardziej prestiżowego z lokali istniejących w tym czasie w Montrealu: Limelight. Spotkałem tam bajeczną dziewczynę. Nazywała się Maria. Wtedy jeszcze o tym nie wiedziałem, ale miała bardzo sławnego brata kierującego grupą przestępczą motocyklistów, do której należał także jej młodszy brat. Maria nie miała nic wspólnego z ich działalnością.

Kiedy zaproponowała mi, żebym się do niej wprowadził, powiedziałem „tak". Mieszkała na ulicy Versailles w zachodniej części Montrealu.

Kilka tygodni później jej brat, którego nazywano Grubym, wyszedł z więzienia. Wróciwszy do domu zastał chłopaka leżącego w łóżku jego siostry. Mógł mnie zatłuc od razu, na miejscu, o nic nie pytając, zgodnie z owym typowo włoskim zwyczajem obrony honoru rodziny. Ale stał się raczej moim przyjacielem, obecnym w mym życiu do czasu aż skończyłem dwadzieścia pięć lat.

Poznałem go i czytałem, jak inni, gazety. Podczas pobytu w mamrze był podejrzewany o zabicie jednego faceta kijem baseballowym. Czy się go bałem? Oczywiście. Zwłaszcza że nie miał nic z Adonisa. I był wpływowy. Po jego wyjściu z więzienia ustawił się długi ogonek kumpli, którzy przychodzili składać mu wiernopoddańcze przysięgi i życzyć szczęścia z okazji powrotu. Bractwo. Przyczepiłem się do nich. To proste, czepiałem się wszystkiego, co wydawało się uosabiać rodzinę.

Wiedziałem, że to banda mętów. Takich jak ja. Różniliśmy się już tylko szczegółami: byli starsi i wszyscy mieli harleye-davidsony. Ale nie mogłem żyć pod ich dachem, nie biorąc udziału w kombinacjach. Widziałem ich w akcji, jak odjeżdżali i przyjeżdżali. Brat Marii nie dawał mi brudnej roboty. Byłem jeszcze za młody, by zostać wtajemniczony w sekrety Panów.

Wkrótce potem rzuciłem Marię. Bez awantur. Obydwoje zrozumieliśmy, że przestało nam się ze sobą układać. Gruby nie miał mi tego za złe.

Ktoś zadzwonił do mnie, by zaproponować mi pracę w Bud's, klubie w miasteczku gejowskim w Montrealu. Zgodziłem się, ale miałem pietra. Żeby uchronić się przed dotykiem zbłąkanych rąk, trzymałem mocno przed sobą skrzynkę piwa. Znałem kierownika, wiedział, że nie jestem gejem. Ta sytuacja go bawiła.

Jeden ze stałych klientów powiedział mi, że otwiera bar. Zostawił mi wizytówkę. Jego lokal miał się nazywać KOX. Nazajutrz poszedłem do niego. To był w rzeczywistości tylko duży garaż. Przy przebudowie pracowało pięciu czy sześciu robotników. Dołączyłem do nich w oczekiwaniu na otwarcie tego przybytku, w którym miałem zostać barmanem.

Obsługiwałem gości w dniu otwarcia KOX, jednego z największych gejowskich barów w Montrealu. Zostałem tam trzy miesiące. Trzy miesiące dużego szmalu i dużych przyjemności. Każdego wieczora przychodziłem przebrany za kogoś innego: jednego za majtka, drugiego za strażaka. Odkryłem urok dbania o własne ciało. To właśnie w tym czasie zrobiłem sobie pierwsze tatuaże.

Koledzy zaczęli mi zazdrościć, twierdzili, że niektórzy klienci czują się zażenowani, że obsługuje ich hetero. Mogłem walczyć, ale zaproponowano mi przejście do Saint-Sulpice, baru mieszanego, jednego z najsłynniejszych na ulicy Saint-Denis. Do dziś gdy wchodzi się do Saint-Sulpice, łatwo zauważyć, że półki są umieszczone za wysoko dla barmanów przeciętnego wzrostu. Zostały zrobione specjalnie dla mnie. Miałem dobrą, bardzo zróżnicowaną klientelę. Studentów z pobliskiego Uniwersytetu Quebecu w Montrealu, ich profesorów dyskutujących o filozofii, którzy ocierali się o punków. Zupełnie inny świat niż ten od gołych tancerzy.

Poznałem tam ludzi, którzy pozostali mi bliscy. Mégota, piękną Chantal...

To właśnie w Saint-Sulpice spotkałem Andrée. Miała 24 lata, o dwa więcej niż ja. Była wspaniała, omotałaby każdego. Nigdy nie dowiedziałem się, czym dokładnie się zajmowała, w każdym razie wydawała się nieźle sobie radzić.

Przyszła do baru. Zauważyłem, że zerka na mnie kątem oka. Niemal od razu postanowiliśmy zamieszkać razem. Mogłem sobie na to pozwolić. Na urodziny podarowałem jej nawet skuter.

Z Andrée co wieczór zaprawiałem się koksem. Byłem wówczas bardziej konsumentem niż dilerem. Nie brałem też już tak naprawdę udziału w skokach. Przestałem się zadawać z braćmi Marii. Teraz ja kupiłem sobie wielkiego harleya-davidsona. Wydawało się nam, że tworzymy idealną parę: ona na swoim skuterze, ja na moim harleyu.

W wieku szesnastu lat, gdy zasuwałem jeszcze w barze Chez Queux, poznałem młodą Francuzkę imieniem Sophie, której ojciec – kucharz – właśnie wyemigrował z Francji do Kanady. Przespałem się z nią trzy albo cztery razy, po czym ona odeszła, nie zostawiwszy mi adresu. Była prawdopodobnie o rok młodsza ode mnie. Zobaczyłem ją ponownie kilka miesięcy później z zaokrąglonym brzuchem, powiedziała, że to moja sprawka. Żyłem wtedy jeszcze niemal na ulicy. Nazajutrz poszedłem do niej. Otworzył mi jej ojciec.

– Czy mogę się zobaczyć z Sophie?
– Kim pan jest?
– Przyjacielem.
– Nie ma jej tu!

I łup, zamknął mi drzwi przed nosem.

Pewnego wieczora przed pięciu laty spotkałem Sophie w barze. Długo na mnie patrzyła. Nie powiedziała nic, wstała i wyszła.

Przeprowadziłem wywiad i dowiedziałem się, że urodziła córkę.

Wiodłem tak naprawdę podwójne życie: wieczorami pracowałem w barach, a w dzień na budowach. Pewnego dnia miałem dość takiej egzystencji i wynikającej z niej niepewności. Postanowiłem wrócić do szkoły, skończyć mechanikę konserwacyjną. Sądziłem, że podjąłem mocne postanowienie; nie zdawałem sobie sprawy jak bardzo już zasmakowałem w zepsuciu.

W Pipeline, kolejnym barze, poznałem tę, która stała się powodem mojego nieszczęścia: Nathalie. Tancerkę o ciele wartym grzechu. Nathalie właśnie wystąpiła w *Penthouse Magazine*. Była podobna do Sandry Bullock, ale jeszcze ładniejsza. Blondynka, z długimi włosami, luksusowa lala. Zdobyć ją, to było kretyńskie wyzwanie dla każdego faceta.

Miałem z nią przygodę. Andrée dowiedziała się o tym, nie wiem jakim cudem, i nic już nie układało się między nami jak dawniej. Nigdy już nie miała do mnie zaufania. Całkowicie oddała się narkotykom. Nie byłem zupełnie świadomy, jak ciężki jest nasz stan. Mówiłem sobie, że jeśli wrócę do szkoły, zdołamy się wydobyć z tego bagna.

Znalazłem pracę w sali automatów do gry Boule d'Or na ulicy Ontario. Za ladą zastałem Grubego, mojego byłego szwagra, który właśnie odkupił ten biznes. Kiedy ścisnął mnie w ramionach, bardzo zadowolony, że mnie znów widzi, poczułem, że moje marzenia o zbawieniu właśnie odfrunęły, że nie wrócę do szkoły.

Od razu zaproponował mi, bym stanął za ladą w Boule d'Or. To był dobry interes.

Stopniowo odnowiłem kontakty ze środowiskiem. Zacząłem od czegoś, co określano jako *stash*: ukrywania towaru u siebie w domu. Najpierw pół funta koksu, potem pięć funtów haszyszu. Banda wzięła na siebie opłacanie mojego czynszu. Nie zdając sobie z tego sprawy, powróciłem na łono rodziny, którą znałem jak zły szeląg.

Staczałem się coraz szybciej: dwa kilogramy koksu, dziesiątki opakowań meskaliny. Potem do mojego mieszkania trafiły pierwsze sztuki broni palnej. Byłem świadomy, że pnę się w górę w hierarchii dilerów, ale mówiłem sobie, że im szybciej stanę się bogaty, tym szybciej się z tego wykaraskam, skończę szkołę, odnajdę Andrée i będę wiódł spokojny żywot.

Tymczasem z każdym dniem coraz bardziej ją traciłem. W grudniu przedawkowała i musiała przejść kurację odwykową. Kiedy wyszła, wolała zamieszkać z jedną ze swoich koleżanek, niż wrócić do nas. To był mój największy miłosny dramat.

Do dziś czuję ból.

Był monumentalny. Kolosalny. Niszczycielski.

Andrée odeszła pewnego grudniowego dnia. Myślałem, że oszaleję. Jedenaście miesięcy później jej koleżanka zadzwoniła do mnie i spytała, czy może ostatnio gdzieś ją widziałem. Odpowiedziałem, że nie. Poszedłem do niej, ale jej nie zastałem. Na łóżku leżał portfel ze wszystkimi kartami. Ale ani śladu Andrée. Zniknęła. Już nigdy jej nie zobaczyliśmy. Jeszcze dziś zastanawiam się, co jej się przydarzyło. Czy nie żyje? A może była to sztuczka, którą wymyśliła jej banda, żeby mnie od niej odsunąć? Po *stashu* zaproponowano mi inną łatwą pracę: dostawę. Tu pół kilo koksu, tam kilo PCP. Dopóki nie dasz się złapać, życie jest piękne. Trzeba tylko uważać, żeby nie orżnąć żadnego z klientów, bo to narwańcy gotowi z byle powodu nacisnąć spust.

Organizacja, która mnie wtedy zatrudniała, była dość mroczna. Nie znałem jej głównego szefa. Albo nikogo takiego nie było, albo uznano, że jestem za młody na wtajemniczenie.

W tym czasie brat Marii był blisko związany z Hell's Angels. Członkowie Hell's, gangu, który powstał w Chicago w 1959 roku, przybyli do Montrealu w 1977 roku. Osiem lat później kontrolowali ponad 75 procent dystrybucji narkotyków w mieście. Kumple brata Marii, a więc pośrednio i moi, nosili przydomki w rodzaju Mom Boucher czy Beef Hamel. Różniłem się od nich, ale początkowo banda nie zwracała na mnie zbytniej uwagi. Byłem tylko dzieciuchem, protegowanym Grubego. Zauważyli mnie, kiedy kupiłem harleya. Wtajemniczyli mnie w strukturę organizacji i funkcje wszystkich tych ludzi, którzy kręcili się wokół nich: *strikers, prospects* (badacze rynku) itp. Miałem ogoloną głowę i jeździłem na czarnym jak noc harleyu--davidsonie. Nosiłem martensy i spodnie wojskowe, zamiast paradować w levisach i długich botach z łańcuchami po bokach. Udając się na spotkania motocyklistów brałem szelki i piżamę ojca. Miałem świadomość, że należę do grupy wyjętych spod prawa. Bardziej antyskinhead niż członek gangu motorowego. Tak naprawdę byłem redskinem. Po pierwsze – w martensach miałem czerwone sznurówki. Po drugie – my, redskini, przeciwstawialiśmy się hasłu wyższości białych. Uciskani, czarni, Żydzi, to ich broniliśmy. Zero litości dla ich prześladowców, rzucaliśmy się na nich. Naszą dewizą było: „Jeden za wszystkich, wszyscy na tego samego!".

W środowisku motocyklistów wyczuwało się już wtedy napięcie. W 1985 roku pięciu Hell's Angels z grupy Laval zostało straconych z zimną krwią przez ich kompanów z Montrealu, którzy podejrzewali ich o sprzeniewierzenie wspólnych dochodów. Gruby uznał, że Hell's dopuścili się najgorszej zbrodni, mordując „towarzyszy broni". W 1986 roku założył nowy ruch o nazwie Rock Machine, podczas gdy Mom Boucher stanął na czele Hell's.

Dziesięć lat później wybuchła słynna wojna pomiędzy Hell's i Rock Machine, która w ciągu sześciu i pół roku spowodowała około stu sześćdziesięciu ofiar i trwała do roku 2001, kiedy to policja zatrzymała ponad pięć tysięcy osób. Ja sam nie brałem udziału w tej wojnie, bo wyjechałem wcześniej. Ale gdybym został, stałbym po stronie komórki założycielskiej Rock Machine.

Tego lata pracowałem dla typka, który nazywał się Christian. To był król koksu. Przykrywką dla dostaw narkotyków była jego firma meblarska. Dostawy materaców czy foteli nie były więc nigdy niewinne. Grał w najważniejszej lidze. Zaopatrywał się w Nowym Jorku. To zresztą stamtąd przyjechali zabójcy, którzy sprzątnęli go w Outremont pięcioma kulami wystrzelonymi z bliskiej odległości. Byłem jego kierowcą, dostawcą, bodyguardem i człowiekiem do wszystkiego. Musiałem przede wszystkim być do jego dyspozycji dwadzieścia cztery godziny na dobę. Nieźle mnie wykorzystywał. Od strony fizycznej nie był specjalnie pociągający: gruby, mały, miał kręcone włosy. Chodził co wieczór oglądać gołe tancerki. I był kokainistą. Ale opłacał mnie hojnie, tysiąc dolarów tygodniowo – wtedy był to majątek – i torebka koksu. Co więcej, stawiał mi cały czas kolejki drinków i narkotyków.

Choć był herszdem bandy, Christian miał wielkopańskie upodobania. Zaraził mnie pasją do sztuki. Van Gogh, Monet. Nie przypominał innych motocyklistów, których rozmowy były żałośnie przewidywalne. Krytykuję ich, ale wtedy nie byłem więcej wart. Czytałem *Journal de Montréal* od końca, od stron sportowych. Nie byłbym w stanie znaleźć na mapie Paryża. Nigdy nie czytałem książek. Byłem kompletnym analfabetą. Christian mnie wykształcił.

Na moje szczęście nie byłem na służbie, kiedy został zabity przez bandę Kolumbijczyków. To był szok. Znałem i wcześniej ludzi, którzy umarli, ale z nim rozmawiałem jeszcze tamtego ranka. To już nie była zabawa.

*

Nigdy się nie dowiedziałem, jak wysoko wspiąłem się w hierarchii bandy. Wiedziałem jednak, że robię się ważny. Ponieważ stałem za barem w centrum miasta, odgrywałem rolę pośrednika w przekazywaniu informacji. Nie znałem ich treści. Byłem kimś, kogo nazywali w swym żargonie *handmanem*, kimś bez określonej przynależności, a więc mogącym być wszędzie jednocześnie. Ponieważ na początku mieszkałem z bratem Marii i z Włochami, a następnie z nim i z motocyklistami, miałem wstęp do anglojęzycznych dyskotek w centrum i w zachodniej części Montrealu. Miałem także dojście do podziemnego światka ulic Saint-Denis i Saint-Laurent, do którego nie udało się przeniknąć rockersom. Przede wszystkim z powodu ich zakazanych gąb.

Moja facjata – dobra na każdą okazję – sprawiała, że łatwiej otwierały się przede mną drzwi. To pozwalało mi odgrywać rolę pośrednika. W rezultacie zarabiałem tyle samo pieniędzy, przedstawiając jednego faceta drugiemu, co odsprzedając narkotyki. Stale nadstawiałem ucha, znałem więc potrzeby jednych i oferty drugich. Aranżowałem spotkania i pobierałem prowizje.

Interes szedł tak świetnie, że moje życie się odwróciło: teraz to mnie dzieciaki przynosiły kradzione telewizory i wieże stereo.

Byłem częścią układu. Wydawało mi się, że jest mi dobrze. Byłem młody. Byłem przystojny. Miałem kobiety. Miałem pieniądze. Miałem mojego harleya. I przez większość czasu byłem naćpany.

Problem polega na tym, że krąg narkotykowy szybko pochłania tego, kto się w nim znajdzie. Człowiek się do tego przyzwyczaja albo staje się uzależniony. Nie jest już w stanie żyć inaczej. Jeśli chce się pracować w budownictwie czy imać się innych drobnych robót, trzeba sobie kazać płacić na czarno, bo nie ma się konta w banku. A żeby żyć, potrzeba pieniędzy. Pozostaje więc tylko dalej grzęznąć. Siatka powoli się powiększa, a zwierzyną stajesz się ty. Nie zdajesz sobie sprawy, że jesteś ugotowany. Jeszcze nie. Masz za to wrażenie, że jesteś paniskiem, trochę za bardzo rozpieszczonym.

Z konsumenta, a następnie pasera koksu, stałem się sprzedawcą. Dostawałem meskalinę lub inne produkty, które mieszałem z czymś innym, żeby potroić ich ilość. Do meskaliny dodawałem cukier lodowy. Kiedy miałem jej dużo, robiłem mieszankę w wannie. Koks „chrzciłem" tylokrotnie, ile życzyli sobie dostawcy, ale ponieważ byłem na początku łańcucha, towar był wystarczająco czysty, abym mógł sobie pozwolić na zwinięcie paru gramów z myślą o moim własnym czarnym rynku.

Jednak w tym świecie przestępczym sprawy rzadko układają się dobrze. Straciłem Andrée. Wplątałem się też w rozmaite paskudztwa, z powodu których utraciłem pracę w dyskotekach. Moje interesy nie przynosiły już zysków. A moje zapotrzebowanie na koks nadal było ogromne.

To był początek ostatecznego upadku.

Nie widywałem już moich rodziców ani rodziny, zarówno dlatego, że mi na tym nie zależało, jak i z obawy, że ich rozczaruję.

Miałem także paru domniemanych i rzeczywistych wrogów. Byłem zamieszany w mnóstwo rozrób. Kiedy pracowałem jako portier, uczestniczyłem w niezliczonych bójkach. Zresztą każdy wie, że jeśli chce się handlować narkotykami na głównych ulicach Montrealu, lepiej umieć się posługiwać pięściami. To lepsze niż rewolwer. A wszyscy dilerzy zaczynają na ulicy, nim zdobędą dostęp do tego, co w środowisku nazywane jest podwórkiem, to znaczy do tawern, barów z branży. Każdy zaś róg ulicy miał właściciela, który stawiał tam swojego człowieka. Kiedy ty pojawiałeś się w okolicy, to po to, by zająć jego miejsce. Zwłaszcza na ulicy Saint-Denis położonej blisko lukratywnego rynku uniwersyteckiego. Oczywiście już pierwszego wieczora dwóch typów zaczepiało cię ordynarnie i próbowało zastraszyć, żebyś poszedł robić interesy gdzie indziej. Miałeś wybór pomiędzy posłuchaniem ich, a wysunięciem silnych argumentów, wystarczająco przekonujących, by już więcej nie wrócili zawracać ci dupę. Rozstrzygało się to najczęściej przy użyciu pięści i noża, to zaś nie służyło nawiązywaniu trwałych przyjaźni.

ROZDZIAŁ CZWARTY

Głęboka będzie przepaść

Moja matka Jeanne umarła miesiąc po zabójstwie Christiana. Wracałem z baru o trzeciej nad ranem. Znalazłem lakoniczną notkę wsuniętą pod drzwi przez mojego brata: „Zadzwoń do mnie jutro, to superpilne. Daniel".

Od razu zrozumiałem.

Na stole stała skrzynka z narzędziami; rzuciłem nią w telewizor. Rozwaliłem akwarium.

Umarła moja matka. Nie nosiła mnie w brzuchu, ale mnie wychowała. I nawet kiedy zszedłem na złą drogę, nadal mi ufała i mówiła ze wstydem tym, którzy pytali, co u mnie słychać: „Jakoś sobie radzi". Może miała wyrzuty sumienia, że posłała mnie do piekła zamiast do college'u. Ale nigdy jej nie uchybiłem i nie miałem do niej żalu. Nigdy z nią zresztą o tym nie rozmawiałem. Wiedziałem, że nie zdołam jej wykiwać; była prawdziwą córką Montrealu. Wiedziała, że zadaję się z hołotą. Miała tylko nadzieję, że nie znajdzie pewnego ranka na pierwszej stronie *Journal de Montréal* zdjęcia mojej twarzy podziurawionej kulami. Mimo ponurego widoku, jaki sobą przedstawiałem, chciała wierzyć, że kiedyś się z tego wydobędę. To była moja matka.

Umarła tak jak zawsze żyła, na stojąco, usługując innym. Ojciec miał problemy ze zdrowiem, musiał chodzić z laską. Kiedy matka wysiadła z samochodu, by podnieść drzwi garażu, zwaliła się na ziemię. Zawał.

Totalna niesprawiedliwość; to ojciec chorował. Właśnie dochodził do siebie. Rodzina przeżywała jedną z rzadkich chwil szczęścia w małym domku w Repentigny. Zasługiwali na to. Cholerna śmierć, która atakuje bez umówionego spotkania.

Nazajutrz, nie czekając aż wytrzeźwieję, poszedłem załatwić formalności. Niczego nie rozumiałem. Otrzymałem brutalny cios i nadal słaniałem się na nogach. Nie pomagało pięć gramów koksu, które brałem średnio dziennie.

Zacząłem kombinować z powierzonymi mi zapasami. Podejmowałem coraz większe ryzyko, sprzedając to, co nie należało do mnie, jeszcze bardziej fałszując koks. Osierocony przez Christiana, mojego ojca chrzestnego, ponownie nawiązałem kontakt z bandą na motorach. Byli teraz silniejsi.

Tak naprawdę to nie ocknąłem się dzięki jakiemuś jednemu konkretnemu szokowi. Przeżyłem całą serię małych dramatów, które w końcu mnie wyczerpały.

Ojciec umarł w styczniu. Tego było za wiele. Przeszedłem na siedem, osiem gramów koksu dziennie. Nie dotykałem już ziemi. Zadłużałem się, oszukiwałem. Przestałem panować nad czymkolwiek w moim życiu.

Marzeniem Andrée było pojechać kiedyś do Francji. Przyszło mi do głowy, że mógłbym spełnić je zamiast niej: za nią, ale także za moich rodziców, którzy nigdy nie mogli sobie pozwolić choćby raz na taką podróż, i za Christiana. Opuścić na jakiś czas Quebec.

Dostałem paszport w ciągu niespełna 24 godzin i natychmiast kupiłem bilet na samolot. Moje czerwone oczy narkomana zmyliły zarówno pracowników biura paszportowego, jak i konsulatu Francji: uwierzyli mi, kiedy im powiedziałem, że przeżywam straszliwy dramat rodzinny.

Dwa dni po pochowaniu ojca, 14 stycznia 1989 roku, wsiadłem do samolotu lecącego do Francji.

Paryż.

Wchodząc na pokład byłem tak naćpany, że mówiłem sobie, iż wykrywacze narkotyków oszaleją i zostanę zawrócony na cle. Przybyłem do Paryża nazajutrz rano po nocy krzepiącego snu.

Zostałem tam cztery dni. Pojechałem na trzy dni do Amsterdamu i znowu spędziłem trzy dni w Paryżu przed powrotem do Ameryki. Nie robiłem absolutnie nic innego, tylko chodziłem. Chodziłem, chodziłem. Czterdzieści kilometrów dziennie. Wchłaniając świat i wypluwając świństwo, które krążyło w moich żyłach. Tydzień we Francji, w czasie którego nie zwinąłem ani jednego skręta, nie wciągnąłem nawet kreski koksu. Odkrywałem stolicę Francji z mapą, jak wszyscy wieśniaccy turyści. Ale chodziłem bez umiaru. Jak gdybym bał się, że później moje nogi odmówią posłuszeństwa. Chodziłem, jak gdyby był to ostatni spacer skazanego na śmierć. Chodziłem trochę tak, jakby odgłos moich kroków miał przywrócić bicie mojego serca. Poszedłem pieszo aż do Wersalu. Czułem jak smoła i narkotyki opuszczają moją krew i wychodzą przez pory skóry. Chodziłem. Bez celu.

Czułem się naprawdę obcy. Ja, członek bandy motorowej, były redskin, kokainista z akcentem tak twardym, że można go było kroić nożem. A wokół wszyscy ci dobrze ubrani ludzie, dyskutujący o polityce i o futbolu, tematach bardzo dalekich od tego, co znałem. Opowiadałem, że pracuję w branży budowlanej i że jestem tu, ot tak, żeby zobaczyć to i owo. Musieli brać mnie za debila.

Wpadałem w zachwyt na widok paryskiej architektury. Miałem wrażenie, że jestem w muzeum pod gołym niebem, a Christian nauczył mnie uwielbiać muzea.

W Amsterdamie przeżyłem innego rodzaju szok. Odkryłem, że wolno zapalić dżointa w coffee-shopie, nie łamiąc prawa. Ale także towarzyszący temu savoir-vivre: nie zwija się skręta stojąc na przykład przed dziedzińcem szkoły.

Kiedy wsiadłem do samolotu lecącego do Montrealu było dla mnie jasne, że kończę z koksem. Skoro zdołałem obyć się bez niego przez dziesięć dni, dlaczego miałbym zejść z tej dobrej drogi? Mówiłem sobie, że potrzebuję tylko miesiąca w Montrealu, by załatwić rachunki, uzupełnić tabletki, które ukradłem z zapasów, wszystko uporządkować i zniknąć. Zobaczyłem, że można żyć gdzie indziej i inaczej niż w Montrealu.

Na lotnisku czekał na mnie przyjaciel. Znowu zanurkowałem. W nocy zrobiliśmy rundkę po barach. Tylko alkohol ani grama koksu. Potem pojechaliśmy do Superseksu. I kto był na scenie? Nathalie! W głębi duszy czułem, że to nie skończy się dobrze. Podeszła do mojego stolika. Piękna, diablica. Postanowiła zabrać mnie do siebie. Nie powiedziałem nie. Po drodze zgarnęliśmy parę gramów koksu od jej dostawcy.

Kolejny okres próżności w moim życiu. „Chrzciłem" narkotyki, interes szedł – dziękować – dość dobrze, wyglądałem piekielnie groźnie w moim wielkim chromowanym buicku z przyciemnianymi szybami albo na harleyu z laską z *Penthouse'a* u boku, z pieniędzmi niemieszczącymi się w portfelu i pistoletem dużego kalibru niedbale wetkniętym za pasek. Miałem w domu siedem sztuk broni palnej, w tym jeden AK-47. Do niczego nie były mi potrzebne, ale musiałem je mieć ze względu na mój wizerunek.

Nie byłem niczyim protegowanym. Lubiłem żyć w stanie zawieszenia jako wschodzący wyrzutek społeczeństwa. Ulica Saint-Laurent należała do mnie. Szlifowałem jej bruk od dziesięciu lat. Długo, jeśli przeliczyć to na liczbę pożartych hot-dogów.

W rzadkich chwilach, gdy przytomniałem, wracałem myślą do Paryża. A zwłaszcza do jednego niesamowitego zdarzenia, które mnie tam spotkało.

Z czarno-białego filmu o d'Artagnanie dowiedziałem się o istnieniu Bastylii. Powiedziałem sobie, że byłoby zabawne pójść zobaczyć więzienie, skoro skończę w jednym z nich w Montrealu. Poszedłem do matki Mégota, która mieszkała przy placu Republiki i zapytałem, gdzie znajduje się ten słynny gmach. Powiedziała mi, żebym po wyjściu poszedł prosto bulwarem: „Na końcu będzie Bastylia".

Doszedłem do placu, pośrodku którego znajdowała się kolumna z małym duszkiem na szczycie. Rozejrzałem się w lewo i w prawo, żadnego więzienia. Była tylko Opera.

– Szukam Bastylii – zwróciłem się do jednego z przechodniów.

– To tu proszę pana, dokładnie naprzeciwko.

Wróciłem na plac, ale więzienie nie wyrosło w sposób magiczny z ziemi. Zaczynałem się denerwować. Z nieba lało się jak spod ogona krowy. Jak to w styczniu w Paryżu.

Popatrzyłem w kierunku ulicy de la Roquette, która prowadziła do starej części Paryża. Logicznie rzecz biorąc – powiedziałem sobie – stare więzienie powinno znajdować się w starej części miasta. Ulicą de la Roquette dochodzi się do ulicy Saint-Sabin. A przy tej ostatniej w ścianach domów były małe otwory, jakby więzienne okienka.

Zaszyłem się pod arkadami, żeby przeczekać deszcz. Za mną stały krzesła, ekspres do kawy i logo, które mgliście przypominało mi znak Czerwonego Krzyża.

Dochodziła godzina 11. Byłem zmoczony, przemarznięty. Pomyślałem sobie, że kawa nieźle by mi zrobiła. Wszedłem. W chwili, gdy miałem już zacząć rozkoszować się kawą, od tyłu podeszła do mnie jakaś dziewczyna i zagadnęła w sposób zupełnie naturalny:

– Dzień dobry. Nazywam się Catherine.

– Cześć!

– Dopiero co przybyłeś, czy się wynosisz?

– Wynoszę się – odpowiedziałem, myśląc, że wyrzuca mnie za drzwi.

– A dokąd się wybierasz?

– Na zewnątrz.

– Nie o to mi chodzi, dokąd się wybierasz?

– Przyjechałem. Jestem z Kanady. Zatrzymałem się tu, żeby wypić kawę i przeczekać deszcz. Ale proszę się nie niepokoić, zaraz się stąd wyniosę. Szukam Bastylii.

– Wychodząc, proszę pójść w lewo.

Jakiś facet, który też tam był, wmieszał się do rozmowy i zapytał mnie, co robię w Kanadzie.

– Pracuję w budownictwie.

– A mówisz po angielsku?

– Tak, trochę.

43

– Pozwól, że zajmę ci dwie minuty. Szukamy logistyka do programu odbudowy przychodni w Zimbabwe.

Nie zamierzałem dać się dłużej nabierać. Szukałem ukrytych kamer. Czułem się skrępowany: w Montrealu ludzie, którzy nosili takie koszule jak on, nie odzywali się do mnie. Na szczęście miałem akurat nastrój do rozmowy. Zapytałem:

– A co to jest logistyk, co to jest przychodnia i co to jest Zimbabwe?

Wyznałem mu, że jestem tylko przejazdem we Francji, że wracam do Montrealu, gdzie czeka na mnie moje życie, moja robota i cała moja przeszłość.

– Pomyśl o tym – nalegał. A jeśli cię to skusi, wróć do nas, bo szukamy ludzi takich jak ty, którzy robili w budownictwie i mają doświadczenie w kierowaniu personelem.

Zanim stamtąd wyszedłem, zapytałem dziewczynę, kim są:

– Przecież jesteś u Lekarzy bez Granic!

Nie chciałem wiedzieć, co to znaczy.

Marzenia szybko zastąpiła rzeczywistość. Z Nathalie było coraz gorzej. Nie wiedziałem, jak to się skończy. Kulą w głowie? Może napadem z bronią w ręku na bank, żeby spłacić wszystkie długi, których się nazbierało? Kiedy moi partnerzy zauważą braki w zapasach? Nie zostało mi już nic. Nie miałem prawie nic do jedzenia. Był jeszcze tylko mój harley, do którego często brakowało benzyny.

Aż do 7 lipca 1989 roku, kiedy wszedłem do pizzerii z lustrem za ladą. Było tam trzech szesnastoletnich chłopaczków grających w bilard. Kiedy mnie zobaczyli, podeszli i zaczęli klepać mnie po plecach.

– Cześć Marc. Wszystko w porządku?

Podali mi rękę tak jak to robią czarni raperzy.

– W porządku, obleci.

– Gdyby można było u ciebie zarobić, to by nas urządzało.

– Powiem wam, jeśli nadarzy się jakaś okazja.

– Dzięki stary.

Wrócili do swojej gry. Stałem z hot-dogiem w ręku, patrząc na nich i widziałem siebie dziesięć lat wcześniej, zaczepiającego w taki sam sposób dorosłych.

Popatrzyłem na siebie w lustrze i obrazy zaczęły się tłoczyć w mojej głowie: moja pierwsza koszula w kwiaty, czarni i ich afro, kurwy z cekinami, alfonsy o tłustej cerze, pierwsze ciosy noża, gang motocyklistów, ulica Saint-Laurent. Wszystko to przewijało się tak szybko, że nie mogłem powstrzymać tego strumienia. I dokładnie w tym momencie naszła mnie chęć na zmianę. Pomyślałem sobie, że chciałbym, by dzieci zaczepiały mnie z innych powodów niż ten. Chciałem być inny.

Popatrzyłem jeszcze na moją twarz w lustrze i sam się siebie przestraszyłem.

Zapłaciłem rachunek, odprowadziłem Nathalie do jej domu i wróciłem do mojego mieszkania posprzątać. Pozbyłem się broni palnej wrzucając ją do rzeki. Rozdałem w okolicy brown sugar, a raczej tę odrobinę, która mi została. Byłem winien pieniądze kumplom, spłaciłem długi gramami koksu.

8 lipca wieczorem rozpocząłem moją ostatnią noc wdychania kokainy. Robiłem to do rana. Nie czułem już nic; koks zmasakrował mi nos.

Nazajutrz o godzinie dziewiątej, jak wtedy, gdy miałem piętnaście lat, wziąłem torbę, dżinsy i dwie koszulki. Na dworcu Windsor poprosiłem o bilet na pociąg do miejscowości położonej na najdalej wysuniętym na zachód skrawku Kanady. Miałem w kieszeni osiemset dolarów. Myślałem może o Kalifornii. Urzędnik poradził mi, bym pojechał do Vancouveru i tam wsiadł do autobusu. Ale nie było bezpośredniego połączenia z kanadyjskim Dalekim Zachodem. Musiałem jechać do Sudbury w prowincji Ontario i tam poczekać na odjazd do Vancouveru.

Nie mogłem się już cofnąć. Od dwóch dni nie dawałem znaku życia Nathalie. Nie widziano mnie w żadnym barze. Do nikogo nie zadzwoniłem. To było niebezpieczne.

Wsiadłem więc do pociągu do Sudbury. Przypominam sobie, że przeszedłem przez cały dworzec, by wskoczyć do ostatniego wagonu. Widziałem, jak znikał za mną Montreal. A kiedy miasto było już niewidoczne, wziąłem trzy tabletki valium i spałem jak zabity. Pozbawiona snów noc dziecka bez przyszłości.

ROZDZIAŁ PIĄTY

Przede wszystkim
nie oglądać się za siebie

Wiedziałem, że to, co robię, jest niebezpieczne. Że nie będę już mógł wrócić. Musiałem odtąd patrzeć w przód, wierzyć, że przyszłość jest możliwa. Nie stchórzyć, bo nie pozostawiałem za sobą samych zadowolonych ludzi.

Piętnaście godzin snu ściągnęło mnie na ziemię.

Sudbury, miasto bez wyrazu, jak setki innych w Kanadzie. Nikogo tam nie znałem. Dowiedziałem się, że na zachodzie jest ogromny park krajobrazowy. Poszedłem do sklepu sieci Canadian Tire. Kupiłem sobie pomarańczowy namiot, śpiwór, mały garnek i podstawowe wyposażenie potrzebne do życia na kempingu. W sklepie spożywczym nabyłem kilkadziesiąt puszek wołowiny i kiełbasek.

Pobyt w parku kosztował trzy dolary dziennie, zapłaciłem za cały miesiąc.

Szedłem przez kilka godzin. Zdjąłem martensy i włożyłem buty sportowe. Już od pierwszych kroków zacząłem się potykać i rozwaliłem sobie duży palec u nogi. Znalazłem uroczy strumyk w ustronnym miejscu. Woda wydawała się przejrzysta, las przyjemny. Rozbiłem namiot i usiadłem. Wyjąłem z torby ostatnie gramy haszyszu, które mi zostały.

Trzeciego dnia wszystko zbrzydło. Nie mogłem spać. Straszliwy ból rozdzierał mi ciało i głowę, które domagały się codziennej racji narkotyków. Oszczywałem się i obsrywałem. Ile dni pozostałem w namiocie, który śmierdział gównem i wymiocinami? Nie potrafię powiedzieć. To było piekło. Miałem takie halucynacje, że chciałem ze sobą skończyć, podciąć sobie żyły.

Do wyjścia z parku miałem kilometry. I okrwawiony palec, z powodu którego dojście do Sudbury zajęłoby mi godziny. Nie znałem tam zresztą nikogo, kto dałby mi koksu. Przecież nie mogłem poprosić policji, żeby odpaliła mi trochę z zapasów, które skonfiskowała. Nie można było nic zrobić.

W myślach ponownie przeżywałem pogrzeb mojej matki. Nareszcie płakałem, pierwszy raz od czasu, gdy miałem dziesięć lat. Płakałem, a jednocześnie się śmiałem, bo łzy łaskotały mnie w nos i to wydawało mi się bardzo śmieszne.

Siódmego dnia wreszcie wyszedłem z namiotu. Cuchnąłem gorzej niż miejskie wysypisko śmieci. Musiałem wszystko wyprać w strumieniu. A pomyślałem o wszystkim, tylko nie o mydle. Ubrania nie od razu wyschły, byłem więc zmuszony spać nago na plastiku. Marzłem.

W parku zostałem jeszcze czternaście dni. Nie robiłem nic innego, tylko piłem wodę i sikałem. To było moje główne zajęcie. Miałem też straszne rozwolnienie. Moje ciało pozbywało się nagromadzonych nieczystości.

Byłem czujny. Rozstawiłem namiot tak, by móc obserwować szlak wycieczkowy na wypadek, gdyby motocykliści postanowili wysłać za mną ekspedycję karną. Obawiałem się również, że – ponieważ wyjechałem – jakiś anonimowy informator zadzwoni na policję i oskarży mnie o wszystkie zabójstwa dokonane w Montrealu w ciągu ostatniego roku. W środowisku to była zwykła praktyka stosowana wobec uciekinierów.

Zdradziłem. Kod honorowy mówił jasno, że jesteśmy braćmi aż do śmierci. W moim wieku nie brało się nóg za pas. Około pięćdziesiątki można było chyba pomyśleć o czymś w rodzaju emerytury, ale dla człowieka w moim wieku nie było innego wyjścia, jak nogami do przodu.

Znałem za dużo ludzi, wiedziałem o zbyt wielu rzeczach. Szefowie nie mogli sobie pozwolić na to, by taki potencjalny informator jak ja wałęsał się po kraju.

Nic się jednak nie stało. Nikt mnie nie zadenuncjował. A przecież długo mnie szukali. Zmusili nawet Mégota, by otworzył im moje mieszkanie w nadziei, że znajdą tam swoje zapasy koksu. Powiedział im, że wątpi, bym kiedykolwiek wrócił. Dali mu spokój.

*

Kiedy z palca zeszła mi opuchlizna, byłem gotowy wyruszyć w drogę. Mój nos znów zrobił się wrażliwy na zapachy i inne bodźce. Po wyjściu z parku spędziłem dwie godziny na rozmyślaniu. Mogłem przejść na drugą stronę drogi, wsiąść do autobusu i wrócić do Montrealu. Mimo wszystko. Mimo długów, mimo milczenia, mimo nieobecności. Mimo mojej nowej gęby odtrutego faceta. Poszedłbym spotkać się z byłymi kolegami i porozmawiałbym z nimi jak przyjaciel. W bandzie motocyklistów byliśmy oczywiście wszyscy mętami, ale to nam nie przeszkadzało żywić do siebie nawzajem trochę uczuć. Poprosiłbym ich, aby rozłożyli mi spłaty. Zgodziliby się. Lepiej było podjąć to ryzyko, niż mieć na karku całą kanadyjską policję z licznymi oskarżeniami o zabójstwa, których nie popełniłem. Mógłbym. Wiedziałem o tym.

Skierowałem się na zachód.

Z Winnipeg wysłałem list do Grubego. Wytłumaczyłem mu, że musiałem wyjechać. Że miałem po dziurki w nosie tego życia. Że zdałem sobie sprawę, iż zmierzam prosto ku własnej śmierci i nie chciałem do tego dopuścić. Że nie powinien mieć do mnie o to pretensji, bo wiem, że nie zawsze był w stosunku do mnie w porządku. Czyż nie próbował przelecieć mojej dziewczyny, podczas gdy ja broniłem cnoty jego panny, kiedy był w więzieniu? Jak to bywa między braćmi, może się i nawzajem krzywdziliśmy, ale proszę, by mi wybaczył, albo przynajmniej zapomniał. Włożyłem do koperty papiery mojego harleya-davidsona oraz list zaświadczający, że odtąd motor należy do niego. Uważałem, że jesteśmy kwita.

Na dworcu autobusowym w Winnipeg, ktoś kto znalazł się obok mnie poradził, bym spróbował w Banff, gdzie jest mnóstwo hoteli i restauracji poszukujących kelnerów. Poszedłem do biura zatrudnienia. Trzy dni później miałem pracę w restauracji. Marc Vachon, dawny twardziel z Montrealu, stał się pomywaczem w Banff Centre for Continuing Education[4].

---

[4] Banff Centre for Continuing Education (ang.) – Ośrodek Kształcenia Ustawicznego w Banff.

Przyroda była piękna. Góry imponujące. Banff Centre to miejsce spotkań malarzy, pisarzy i wszelkiego rodzaju artystów. Atmosfera była bardzo cool. I odprężająca.

Powiedziałem facetowi, który odbył ze mną rozmowę kwalifikacyjną, że właśnie wyszedłem z odwyku i chcę odzyskać kontrolę nad własnym życiem.

– Podoba mi się twoja uczciwość – odpowiedział mi. – Angażuję cię!

Poza robotą, Banff Centre zapewnił mi pokój. Moja pierwsza wypłata nie przetrwała nawet jednego wieczoru. Wszedłem do baru i – po pierwszym piwie – wydało mi się, że jestem tak bogaty jak w Montrealu. Postawiłem wszystkim kolejkę. Rachunek wyniósł sto czterdzieści dolarów, podczas gdy zarobiłem sto osiemdziesiąt dwa. Ale nie bardzo się tym przejąłem. Byłem zdrowy. Oddychałem czystym powietrzem. Nie brałem już koksu.

W Banff poprawiłem mój angielski. Nauczyłem się rozmawiać z ludźmi z różnych środowisk. Dziewczyny były przystępne i rozkoszne.

Pamiętam moje 26 urodziny. W październiku już był mróz. Poszedłem na ślizgawkę jedenaście lat po włożeniu ostatni raz łyżew na nogi. Kiedy postawiłem nogę na lodzie, w mojej głowie rozległy się dźwięki słynnej melodii zapowiadającej *Wieczór Hokeja* w Radiu-Kanada. Czułem się jak dziecko. Nie byłem szybki, a lód wydawał się o wiele mniej przerażający niż w moich wspomnieniach z dzieciństwa, ale miałem naprawdę wrażenie, że rozpoczynam od nowa moje życie, tym razem lepiej.

Odkryłem świat schronisk młodzieżowych. Dzieciaki wprawiały mnie w zachwyt, gdy opowiadały mi, że biorą plecak i jadą spędzić miesiąc w Tajlandii albo w Europie. Zostałem harleyowcem właśnie po to, by móc rozwinąć żagle; wybrałem po prostu tylko zły kierunek.

W głębi duszy czułem, że nie jestem jeszcze u kresu podróży. A przeszłość nie była znowu tak bardzo odległa. Cały czas się bałem. Każdy autobus, który przybywał z nowym transportem turystów, budził we mnie straszliwy niepokój. Rzadko jeździłem do miasta ze strachu, że natknę się na dwóch wąsatych facetów w podróży służbowej. Kiedy dostałem grudniową wypłatę, postanowiłem poszukać szczęścia na północy Kolumbii Brytyjskiej, jako *skiders*. To zawód, który polegał na podsuwaniu łańcuchów pod ścięte drzewa, by mogły ześlizgnąć się po zboczach do miejsc załadunku na ciężarówki. Najmniejszy fałszywy ruch i można było zostać zmiażdżonym przez pnie drzew. Było to niebezpieczne, ale dobrze płatne.

W Vancouverze dowiedziałem się jednak, że przybywam o miesiąc za późno. Rekrutacja została zakończona. Postanowiłem zostać w mieście.

Miałem trochę pieniędzy, wynająłem sobie pokój. Mogłem przetrwać jeszcze trzy tygodnie. Obszedłem dziesiątki budów w poszukiwaniu pracy, ale wszędzie dostawałem tę samą odpowiedź: „Przykro nam, zamykamy 15 grudnia". Wakacje bożonarodzeniowe. Powrót do pracy w styczniu.

Niedobrze. Dostałem w kość tej zimy. Drugi raz w życiu znalazłem się na ulicy. Tydzień na Pacific Avenue, czas Bożego Narodzenia i Nowego Roku. Pod mostem.

Miałem 26 lat i chodziłem na darmowe zupki.

Kiedy wchodziłem do stołówki Armii Zbawienia czerwony ze wstydu, spuszczałem głowę. Były tam te wszystkie dziewczyny z dziećmi, karykaturalne uosobienie nędzy, nie mające do zaoferowania swym niemowlętom niczego innego jak ciepło ich wątłych ciał. Ich oczy były pełne łez. Szacowały – jak sądzę – własne upodlenie. Patrzyłem na nie, z trudem powstrzymując się od chęci popłakania razem z nimi.

Była też we mnie nienawiść. Mógłbym bez trudu zatłuc na ulicy sprzedawcę i ukraść mu pieniądze. Mógłbym nawet obrobić bank. Żeby przeżyć. Szybka akcja.

Wynajmowałem pokój w hotelu raz na cztery dni, żeby wziąć prysznic i poczuć przez jedną noc rozkosz snu w normalnym łóżku.

Nazajutrz po Bożym Narodzeniu wszedłem przypadkiem do kawiarni. Jakiś człowiek z Quebecu siedzący przy sąsiednim stoliku usłyszał, że szukam roboty w budownictwie. Przedstawił się jako Denis, powiedział mi, że montuje metalowe barierki w wysokich budynkach i że potrzebuje pracownika.

51

- Kiedy?
- Jutro.
- Naprawdę? Nie wszystko jest zamknięte?
- Mam zaległe umowy...
- OK, jestem człowiekiem, którego szukasz.

Nazajutrz zacząłem pracować dla niego za dziesięć dolarów za godzinę; płatne gotówką.

29 grudnia dostałem pierwszą wypłatę.

Na budowie spotkałem Laurenta, też pochodzącego z Quebecu. Od razu zostaliśmy kumplami.

Denisa nigdy nie było. Potem przychodził pijany jak bela. Kompletnie olewał swoje budowy. Przedsiębiorca stracił cierpliwość i zaproponował mnie i Laurentowi przejęcie kontraktu.

Z dnia na dzień zacząłem zarabiać ponad tysiąc pięćset dolarów tygodniowo. Zbyt piękne. Tyrałem od szóstej rano do zmierzchu, trzynaście dni na piętnaście; wypłata była raz na dwa tygodnie. Zdobyliśmy nowe kontrakty. Zatrudniliśmy pracowników. Teraz my płaciliśmy dziesięć dolarów za godzinę, na czarno.

W tym czasie mieszkałem jeszcze w hotelu, a Laurent z dwoma przyjaciółmi. Przyszło nam do głowy, by przeprowadzić się do własnego mieszkania. Mieliśmy teraz wystarczająco dużo pieniędzy, by móc sobie na to pozwolić. Laurent zapytał mnie, jaki zakątek miasta najbardziej mi pasuje. Nie wahałem się ani przez sekundę:

- Pacific Avenue!

Aby poddać egzorcyzmom wspomnienie dni, kiedy przemierzałem ten bulwar bez grosza w kieszeni. Wynajęliśmy olbrzymie mieszkanie na czwartym piętrze z niesamowitym widokiem na most. To tam spałem kilka tygodni wcześniej. Dużo pracowaliśmy. A raz na dwa tygodnie pozwalaliśmy sobie na wypad na miasto, by przepuścić forsę, której mieliśmy pełne kieszenie.

Wyglądałem już dużo lepiej: żadnych rozrób, żadnych twardych narkotyków, praca fizyczna i dobre wyżywienie zdołały przywrócić mi formę.

Pewnego lutowego wieczoru poszliśmy do Lover's, jednego z nocnych klubów. Były urodziny takiej jednej znajomej. Od razu zauważyłem śliczną blondyneczkę na środku parkietu. Ale gdy tylko spróbowałem do niej podejść, między nami stanęła rosła brunetka.

– Hello, mówię po francusku.

– To masz szczęście. Ale czy mogłabyś się przesunąć, zasłaniasz mi widok.

Dziewczyna wcale się nie speszyła.

– Nazywam się Karen.

– Jestem zachwycony, że mogłem cię poznać Karen, ja nazywam się Marc. Ale chwilowo jestem trochę zajęty, porozmawiamy innego dnia.

Mała blondynka uśmiechała się do mnie. Gapiliśmy się na siebie i czułem, że coś z tego będzie. Brunetka znów zaatakowała.

– Nauczyłam się francuskiego w Centrum Kultury...

Zrozumiałem, że się ode mnie nie odczepi, jeśli nie wygarnę jej bez ogródek, co o niej myślę. Ale kiedy skończyłem kazanie, ładna blondynka zniknęła. Ogarnęła mnie złość, zrezygnowany spędziłem wieczór z brunetką.

Przyglądając się jej bliżej, uświadomiłem sobie, że ona także była – w swoim typie – niezłą laską. 29 lat, metr osiemdziesiąt, eks-modelka, która została szefową butiku. Okazały wygląd.

Potem alkohol zaczął mącić mi wzrok. Pamiętam, że wstałem, zatrzymałem taksówkę i zabrałem ją do siebie. Niewiele spaliśmy. W końcu nie mam nic przeciwko anglojęzycznym Kanadyjkom.

Spotkałem się jeszcze z Karen. Zapytała, czy sądzę, że moglibyśmy zamieszkać razem, a ja odpowiedziałem, że nie. Czułem, że czegoś między nami brakuje. Chcąc powiedzieć „płomień", przetłumaczyłem to na angielski jako lightning, co znaczy „błyskawica". Nie zrozumiała. Ja też nie. Miała przecież wszystko: urodę, zdrowie, radość życia. Wszystko, co normalnie by mnie pociągało.

– Nic z tego nie będzie, Karen. Nie zamierzam tu zostać. Za kilka miesięcy pojadę do Europy, do Afryki. A jeśli pojechałabyś ze mną, brakowałoby ci twojego świata gwiazd, modelek, mody i miałabyś do mnie żal. Jestem tylko zwykłym budowlańcem. Potrzebujesz kogoś lepszego ode mnie!

W nadziei, że skłoni mnie do zmiany zdania, Karen zaproponowała mi układ:

– Zgoda, wyjedź kiedy zechcesz. Ale póki jesteś w Vancouverze, pozwól mi być twoją kochanką. Niczego nie będę żądać. Będziemy sobie dawać rozkosz. Tak po prostu.

Miała nieodparte argumenty: czarną minispódniczkę, bluzkę odpiętą na pełnych piersiach, zabójcze spojrzenie i równie zabójczy uśmiech. Przekonała jury. Nasz układ trwał przez cztery miesiące mojego pobytu w Vancouverze.

Karen prawie się udało. W któryś weekend – ku mojemu własnemu zaskoczeniu – poszedłem obejrzeć wielkie mieszkanie. Zrozumiałem, że muszę szybko stąd zwiewać.

Jeszcze tego samego dnia poszedłem do biura podróży i kupiłem bilet w jedną stronę Seattle-Londyn. Na placu budowy zostałem chłodno przyjęty przez moich pracowników. Ale oni wiedzieli. Zawsze im mówiłem, że żaden majątek nie zatrzyma mnie w tym mieście. Że mam ochotę zobaczyć coś innego, jak niegdyś, gdy wsiadałem na harleya i ruszałem w nieznane.

Laurent przyjął to bardzo źle. Stałem się dla niego dużym bratem. On także miał trudne dzieciństwo. Wieczorem poczekał na efekt działania trzech whisky, zanim rzucił:

– Mogę jechać z tobą?

Nie widziałem powodów, by mu w tym przeszkodzić.

Kilka dni później zostawiliśmy firmę, narzędzia, pracowników i wsiedliśmy do autobusu jadącego do Seattle. Mieliśmy kilka tysięcy dolarów w kieszeni.

Karen odprowadziła mnie na dworzec. Kiedy wezwano pasażerów do Seattle, ścisnąłem ją ze wzruszeniem. Świadomy, że chcąc stale wyruszać w nieznane, pozostawiam za sobą skarby.

Miałem już zniknąć w autobusie, gdy usłyszałem głos Karen:

– *I forgot to tell you something, Marc!*[5]

– Co, kochanie?

– Jestem od dwóch miesięcy w ciąży.

– Co?

Mój okrzyk zabrzmiał jak kraknięcie. Nie wiedziałem, co robić. Z jednej strony Greyhound, którego drzwi miały się właśnie zamknąć, z drugiej poczęte przeze mnie życie, pulsujące już w ciele tej kobiety, której nie kochałem, ale którą podziwiałem z całego serca. A między nimi moje dzieciństwo: rodzice, którzy opuszczają swoje dziecko, strach i nieznane.

Karen przyszła mi z pomocą:

– Nie chcę, żeby to wpłynęło na twoją decyzję. Jedź i bądź szczęśliwy. Zajmę się dzieckiem, będę je kochać z całego serca. Proszę cię tylko o jedno: pozwól dać mu twoje nazwisko. Zawsze marzyłam, żeby mieć dzidziusia z facetem takim jak ty. Szkoda, że masz inne powołanie życiowe. Ale chcę zachować dziecko na pamiątkę chwil szczęścia, które razem przeżyliśmy.

Nie byłem w stanie niczego powiedzieć.

Tego dnia w autobusie szczypały mnie oczy. Jakby miały ochotę zajść łzami.

Siedem miesięcy później Karen urodziła dziewczynkę. Dała jej na imię Jacqueline, tak jak nazywała się moja biologiczna matka. Zapamiętała to.

.

---

[5] *I forgot to tell you something, Marc!* (ang.) – Zapomniałam ci o czymś powiedzieć, Marc!

ROZDZIAŁ SZÓSTY

Dom French doctors[6]

Spędziliśmy kilka godzin w Londynie, potem w Amsterdamie. Gdy przybyliśmy do Paryża, nie byliśmy już bogaci. Laurent pojechał do swoich dziadków do Bordeaux. Ja – do Normandii, gdzie miałem wykonać drobne prace remontowe dla przyjaciela matki Mégota. Miesiąc później wróciłem do Londynu z trzema tysiącami franków w kieszeni: pilnie potrzebowałem pracy!

Wcześniej poszedłem do Lekarzy bez Granic (MSF) w Paryżu. Rozmowy z kandydatami i prezentacje działalności tej organizacji odbywały się co drugi wtorek.

Za pierwszym razem było nas około 20. Wyświetlono nam film pokazujący MSF w akcji. Po zakończeniu projekcji pani odpowiedzialna za rekrutację postanowiła spotkać się najpierw z tymi, którzy przybyli z daleka. Tak było ze mną – dosłownie i w przenośni.

Potrzebowała czasu, by przyzwyczaić się do mojego akcentu.

– Proszę mi dać pańskie CV – poprosiła. – Od razu rozpatrzę pana przypadek.

– Moje co?

– Pańskie curriculum vitae.

Nie miałem go. Nie wiedziałem nawet, co to znaczy. Streściłem jej w kilku słowach moją krótką karierę, kładąc nacisk na to, że moim atutem są wyjątkowe zdolności adaptacyjne.

---

[6] French doctors (ang.) – Francuscy lekarze.

Pani od rekrutacji obiecała, że zadzwoni do mnie do Londynu, jak tylko będą gdzieś uruchamiać jakiś projekt.

W Wielkiej Brytanii zostałem zatrudniony przez niemiecką firmę zajmująca się zamiataniem. Płacili mi pięć funtów za godzinę. Trzy tygodnie później porzuciłem miotłę i zarabiałem cztery razy więcej, z czego połowę na czarno. Stałem się pupilkiem szefa, bo brałem forsę za pracę, a nie za godzinę. Koledzy musieli mnie uznać za liżydupę.

Szef zapytał, czy znam kogoś równie skutecznego jak ja.

Tego wieczora zadzwoniłem do Bordeaux: „Cześć Laurent, mam dla ciebie robotę!"

Budowaliśmy dach na stacji Canon Street Station, konstrukcję całą ze szkła, podtrzymywaną przez żelazny szkielet.

Pieniądze wpływały. Było lato. Piękne lato, co w Londynie nie zdarza się często.

Mieszkałem w domu wielorodzinnym, administrowanym przez pewną Szwedkę, pełnym ludzi rozmaitego pochodzenia. Jeśli chodzi o wielokulturowość, Nowy Jork mógł się schować.

Dwa miesiące później zadzwonił telefon.

Z Londynu pojechałem do Lézignan w gminie Corbières, gdzie znajdował się należący do MSF ośrodek szkolenia w zakresie logistyki. Kazano mi tam zostać dwa tygodnie na stażu. Następnie miałem wrócić do Paryża i czekać na przydział.

Oglądaliśmy filmy dokumentalne o MSF w akcji i odbywaliśmy ćwiczenia praktyczne, które wydały mi się śmiesznie łatwe: zmienianie opon, naklejanie etykiet organizacji na samochody... Tymczasem – bez naszej wiedzy – byliśmy obserwowani. Chodziło o ocenę naszych zdolności do pracy zespołowej, do współpracy z różnymi partnerami. Dwa tygodnie później zostałem uznany za nadającego się do wyjazdu.

W Paryżu spodziewałem się, że zostanę wyekspediowany prosto na Czarny Ląd, ale wydaje się, że moja ocena nie została jeszcze zakończona.

Przydzielono mi zamiast wyjazdu problem ołowicy w Paryżu, ciężkiej choroby spowodowanej ostrym zatruciem ołowiem. Byłem logistykiem, podczas gdy François Callas, który wrócił właśnie z Mozambiku, kierował całym projektem.

Ołowicę spotykało się przede wszystkim w ubogich dzielnicach imigrantów: kamienice odbudowywane w latach 40. były malowane farbami zawierającymi znaczne ilości ołowiu. Wydobywający się ze ścian pył, przedostawał się do płuc. Ta choroba nie jest śmiertelna, ale może spowodować ślepotę lub poważne zaburzenia czynności wątroby.

MSF zajmowali się tą sprawą we współpracy z szefami okolicznych placówek służby zdrowia. Kiedy lekarz wykrywał tę chorobę u dziecka, które przyszło na szczepienie, kontaktował się z nami. Proponowaliśmy rodzinie, że pomalujemy na nowo jej mieszkanie. Dysponowaliśmy trzema domami na przedmieściach, do których byli przenoszeni nasi podopieczni. Oczyszczaliśmy ściany, naprawialiśmy drzwi, reperowaliśmy źle funkcjonujące ubikacje i – przy okazji – odszczurzaliśmy te rudery pełne rozmaitych obrzydliwych żyjątek. Kiedy materace były przegniłe od moczu dzieciaków, zastępowaliśmy je nowymi. Następnie rodzina wracała na stare śmiecie.

Moja rola polegała na upewnieniu się, że wszystkie prace zostaną wykonane na czas, że robotnikom nie zabraknie narzędzi, że magazyny, w których trzymaliśmy meble lokatorów, są dobrze strzeżone. A ponieważ prowadziliśmy roboty w trzech miejscach na raz, nie próżnowałem.

Nie zdawałem sobie jeszcze wtedy sprawy, że to jest właśnie działalność humanitarna. Zresztą nadal nie wiedziałem, co to znaczy. Ale czułem, że Afryka jest coraz bliżej.

Mieszkałem u matki Mégota, która brała ode mnie symboliczne komorne. MSF powierzyli mi stary samochód poczty francuskiej, żółte Renault 4L, z wielkimi samoprzylepnymi napisami „Lekarze bez Granic" na bokach.

Odkrywanie Paryża w 4L, kiedy jest się Kanadyjczykiem przyzwyczajonym do szpanowania harleyem-davidsonem, było po prostu niesamowite.

Uczyłem się prowadzić po parysku. Łokieć wystawiony za okno i przekleństwa szybkie jak błyskawice, gdy jakiś „pieprzony frajer" blokował mi drogę.

W razie potrzeby pełniłem rolę gońca dla MSF, dostarczałem pocztę, odbierałem wizy z ambasad. Czasami spotykałem pracowników organizacji humanitarnych wracających z misji lub na nie wyjeżdżających. Intrygowali mnie. Otaczała ich taka aura, że oczyma wyobraźni widziałem już jak i ja sam ogłaszam mój rychły wyjazd.

Koledzy z firmy widzieli we mnie uroczego cudzoziemca z ciężkim akcentem. Był tam tylko jeszcze jeden Kanadyjczyk, Sylvain Charbonneau, którego poznam dopiero kilka lat później.

W Lézignan spotkałem Guya Jacquiera. Szkolił się razem z nami, choć miał za sobą już jedną misję – w Kambodży. Były zegarmistrz ze Szwajcarii stał się naszym „Panem Komarem". W stosunku do mnie był przyjacielski i opiekuńczy. Raczył mnie opowieściami z terenu, ubarwionymi mnóstwem anegdot. Miałem o czym marzyć.

Po części dlatego odmówiłem przedłużenia kontraktu na zwalczanie ołowicy. Nie zatrudniłem się w firmie po to, by wykonywać w Paryżu tę samą robotę, co w Montrealu, Londynie i Vancouverze. Za cztery razy niższą pensję.

Dziewczyna od zasobów ludzkich zrozumiała, że niewiele brakuje, bym trzasnął drzwiami. Natychmiast mnie zapytała:

– Czy Malawi bardziej by cię rajcowało? Obóz dla uchodźców z Mozambiku. Jest ich prawie milion w całym kraju.

Szok. Szczęście. Wreszcie wyjazd w teren. Nie rozumiałem określenia *uchodźca*. Natomiast Malawi brzmiało w moich uszach jak Hawaje. Widziałem wyspę. Palmy i nagie dziewczyny. Wrzasnąłem: tak!

Nie mogłem się nadziwić. Miałem wyjechać do Afryki, podczas gdy zaledwie rok temu pędziłem jeszcze na harleyu-davidsonie po drogach zbrodni w Montrealu. Jechałem do Malawi. Z MSF. Nową rodziną. Do której przynależność napawała mnie tak wielką dumą. Dobrzy ludzie. Pielęgniarki. Analitycy polityczni.

Z wypiętą piersią udałem się do Centrum Louisa-Pasteura na szczepienia. Powtarzałem wszystkim, że wyjeżdżam do Malawi. Mając nadzieję, że nikt nie wpadnie na pomysł, by mnie zapytać, gdzie to jest. Wieczorem potrzebowałem godziny, by znaleźć ten malutki kraj na bardzo dużej mapie Afryki. Afryka mnie pasjonowała. Pobudzała moją dziecięcą wyobraźnię. To był Tarzan, Daktari. Taką Afrykę widziałem w marzeniach. Afrykę pięknych dziewczyn o białych zębach i idealnych kształtach.

Dni mijały bardzo szybko. Ledwo miałem czas zostać pobieżnie poinformowany o mojej misji. Fakt, że wszystko było dla mnie nowe. To była szkoła. Naturalnej wielkości. Zrozumiałem, że uchodźcy uciekali z Mozambiku przed niezwykle morderczą wojną domową pomiędzy marksistami z Frontu Wyzwolenia Mozambiku (FRELIMO), którzy wydarli niepodległość swego kraju Portugalii w 1974 roku, i prawicowym skrzydłem Narodowego Ruchu Oporu Mozambiku (RENAMO), uzbrojonym i popieranym przez RPA, ze Stanami Zjednoczonymi w tle.

Miałem zastąpić Jérome'a, który był tam od dwóch lat. Będę odpowiadał za logistykę i księgowość. Nadzorował budowę latryn, pryszniców, odbudowę ośrodków zdrowia, instalowanie lodówek na energię słoneczną. Zostanę czymś w rodzaju dozorcy. Ogromnego mieszkania, rozciągającego się na stu czterdziestu kilometrach. Logistyka to właśnie to, sztuka koordynowania szczegółów, które decydują o sukcesie lub fiasku misji. Miałem pracować z dwiema pielęgniarkami.

Lecieliśmy wielce nieprzewidywalnymi liniami Air Afrique. Maszyna zatrzymała się na środku pasa startowego i musieliśmy iść dalej pieszo po asfalcie. Gdy startowaliśmy z Paryża, padało; w Lilongwe temperatura wynosiła już 35 stopni. Błękitne niebo i rozżarzone słońce. To było fantastyczne. To była Afryka. Nie mogłem uwierzyć. Kontrola, pieczątka służby celnej. Wszystko działo się jak we śnie.

Kierowca, który na nas czekał, chciał wziąć moją torbę. Odepchnąłem go gwałtownie. Nie byłem jeszcze przyzwyczajony do tego, by ktoś nosił moje walizki.

Władowaliśmy się do samochodu. Kierunek Blantyre, 240 kilometrów drogi.

Powitała nas wiadomość o wybuchu epidemii cholery w obozie Niaminthutu na południu. To raczej tam niż w N'tcheu rozgrywał się dramat. Ludzie marli jak muchy. A zapowiadano jeszcze większy napływ uchodźców. Ta operacja stawała się największą misją MSF. W kulminacyjnym momencie tragedii będzie tu pracowało ponad pięćdziesięcioro cudzoziemców.

Jechaliśmy od pół godziny. Wystawiłem głowę, by móc wdychać zapach Afryki. Kierowca wskazał mi miejscowość Dedza w pobliżu granicy z Mozambikiem. To tu i na następnych 70 km miałem rozwinąć działalność. Po jednej stronie drogi – nic. Absolutnie nic. Jak w Nevadzie, suchej, ogołoconej. A po drugiej stronie mnóstwo afrykańskich domków. Uchodźcy osiedleni tu od lat.

Przejazd przez N'tcheu, miniaturową stolicę regionu, zabrał nam niespełna dwie minuty. Przybyliśmy do Blantyre. W dużych białych domach MSF ludzie biegali w tę i z powrotem, nie tracąc czasu na powiedzenie mi „dobry wieczór". Jak w filmach z Lézignan. Poczułem się nagle niezręcznie w moich martensach.

Natknąłem się na Guya Jacquiera, który był „watsanem" (od *Water Sanitation* – uzdatnianie wody). Powiedział mi, że wyrusza nazajutrz do Niaminthutu. Było tam już 40 tysięcy uchodźców, a co miesiąc przybywało 20 tysięcy nowych, czyli średnio 800 osób dziennie. Nie rozumiałem, co to dokładnie oznacza. Ale miałem mgliste przeczucie, że to tam rozgrywa się wielki show.

Tego samego wieczora facet, którego miałem zastąpić, przybył do miasta. Zaplanował, że spędzimy razem weekend w Mulanje, by mógł mi przekazać niezbędne informacje i oprowadzić po mieście. Ja zaś chciałem jak najszybciej zobaczyć akcję.

Do biura weszła szefowa misji Geneviève Begkoyian. Była to energiczna kobieta około trzydziestki. Piękna mimo niskiego wzrostu i bardzo komunikatywna. Szybko wzięła sprawy w swoje ręce.

Kiedy skończyła wydawać rozkazy, zapytałem nieśmiało, czy mogę towarzyszyć Guyowi do Niaminthutu. Mógłbym z pewnością się tam przydać, obiecałem zaś wrócić przed poniedziałkiem, by wyruszyć z moją grupą do N'tcheu. Mierzyła mnie wzrokiem przez kilka chwil. Potem uderzyła w stół i podniosła się: „Kupione!".

Postanowiliśmy od razu wyruszyć, chociaż była już 19. Pierwszy postój w Nsanje, trzy i pół godziny później. Jechaliśmy od godziny, kiedy dopadła nas tropikalna burza. Musieliśmy wysiąść i iść przed samochodem, by wskazywać drogę kierowcy. Wreszcie coś się działo. To mi się podobało.

W Nsanje spotkałem drugą ekipę Lekarzy bez Granic, tym razem tych z buszu. Prawdziwych. Twardzieli. Wystarczyło rozejrzeć się wokół, żeby zrozumieć dlaczego. Nsanje to było piekło. 38 stopni C w nocy. Wśród bagien. Już sam upał by wystarczył, żeby mieć przemoczone ubrania. Takie wyobrażenie ma się o Afryce, kiedy się nią rzyga. Było gorąco i wilgotno. Szarańcza latała nisko. W pobliskiej rzece prychały hipopotamy. W nocy psy skowyczały bez przerwy, jakby opowiadały sobie horrory.

Było to ostatnie miasto Malawi przed Mozambikiem, w przededniu wojny domowej. Wszyscy zagraniczni pracownicy organizacji humanitarnych, których tu spotkałem, wyglądali na skonanych, wycieńczonych. Ale przede wszystkim wyczułem w nich mnóstwo urazy. Dlatego, że cała uwaga była skupiona na Niaminthutu; jak gdyby w innych obozach ludzie nie umierali na serio. Organizacje humanitarne nie leżały wtedy na forsie. Pomoc kapała jak z kroplomierza. Naszymi narzędziami były kilofy i łopaty. Musieliśmy dokonywać rozdzierających wyborów. Ekipa była zdegustowana. Podkrążone oczy zdradzały bezsenne noce.

A z drugiej strony, w sąsiednim pokoju, który pachniał środkiem w sprayu przeciw komarom, radio wypluwające przeboje Boba Marleya. Butelki alkoholu pokrywały podłogę i przekazywano sobie skręta z rąk do rąk. To byli pracownicy organizacji humanitarnych, którzy odreagowywali, próbowali zapomnieć sceny apokalipsy, wówczas nie bardzo jeszcze wiedziałem jakie. Zrozumiem później, jak cenne są takie chwile wszelakich wybryków, szaleństwa, dziecinady i braku dyscypliny dla odzyskania sił i stworzenia przeciwwagi dla wizji piekła.

Ludzie mieli mnie w nosie. Przez pierwszych dziesięć minut – nie dłużej – uważali, że jestem zabawny z powodu mojego akcentu. W tle wyczuwałem odrobinę odrazy z tego prostego powodu, że to nie z nimi będę pracował.

Chociaż nie spałem od ponad 24 godzin, zaśnięcie zajęło mi godzinę.

Przykro zrobiło mi się dopiero nazajutrz.

Spotkałem niezwykłego człowieka: Luca Legranda. Czterdzieści lat, pielęgniarz, od kilkunastu lat był specjalistą MSF od cholery. Odwiedził wszystkie parszywe zakątki geopolityki humanitarnej. Przerażał mnie sposób, w jaki beształ pielęgniarki.

Kiedy zdarzał się przypadek krytyczny, żadna pielęgniarka nie ryzykowała. To Luc musiał robić zastrzyki. Wkładał całą swą energię w walkę, w której dysponował niezwykle skromnym arsenałem. Kiedy ktoś umierał, było to o jednego zmarłego za dużo. Facet robił wrażenie: był bardzo mały, bardzo chudy, ale emanowała z niego niewiarygodna wprost siła. Nigdy nie zdejmował rangersów i spodni z wielkimi kieszeniami naszytymi na bokach. I nie rozstawał się ze swoją siatką przeciw kurzowi, pamiętającą prawdopodobnie czasy jego pierwszej wojny w Czadzie. Nieco przerzedzone włosy odsłaniały grubą skórę zrytą przez słońce z piekła rodem. Niejedno w życiu widział.

Rano, kiedy wstałem, pił kawę. Gdy czekałem na Guya, ledwo do mnie zagadał. Wychodząc rzucił:

– Może zobaczymy się później w obozie!

Miałem towarzyszyć Guyowi cały dzień, by zobaczyć, jak przygotowywał się do koordynowania budowy toalet w obozie Niaminthutu. Zasada jest prosta: cholera to gówno. W porze deszczowej gówno spływa do rzek, skaża wodę i zaraża ludność, która ją pije.

Budowa toalet jest jedynym sposobem na przerwanie tego cyklu.

Poszliśmy w teren, gdy tylko Guy skończył swoją kawę. Obóz wydał mi się ogromny. Taki był naprawdę: stłoczono w nim 50 tysięcy osób. 50 tysięcy czarnych na raz, nigdy jeszcze tylu nie widziałem. Natychmiast rozpoznałem obrazki, które widziałem w telewizji. Te same błędne spojrzenia. Te same zdesperowane oczy, które przeszywają was z nadzieją. Szokująca nędza. Za dom i cały majątek – plastikowe namioty z oenzetowskiego Urzędu Wysokiego Komisarza ds. Uchodźców (UNHCR).

Droga przecinała obóz i prowadziła do domu na szczycie wzgórza – biura MSF. Doskonale widać było stamtąd całość: obóz żywieniowy, obóz chorych na cholerę, izbę chorych. Można było sobie także wyrobić pogląd na temat rozmiarów zadania. Horror. Kurz. Wszyscy ci ludzie chodzący na bosaka. Za obozem rzeka. A dalej Mozambik, odpowiedzialny za cały ten dramat. Kolejni przybysze na horyzoncie. Widziałem, jak powstaje miasto. I zrozumiałem, że logistyka to matematyka: trochę budowania i dużo logiki. Wszystko to sobie przyswajałem.

Ale na pierwszym planie był zapach. W telewizji go nie ma. A to on jest najważniejszy. Zapach, który chwyta za gardło, przenika całe ciało i już nie opuszcza.

Pierwszy raz w życiu byłem zdruzgotany. Poczułem się malutki. Prawie jak uzurpator, bo myślałem, że przyczynię się do rozwiązania tego kryzysu. Ale rozumiałem też, że spryt będzie moją najlepszą bronią. To mi w pełni odpowiadało, od odejścia ze szkoły niczego innego nie robiłem. Jeśli miałem cykora to dlatego, że zdawałem sobie sprawę, iż wszyscy ci ludzie na mnie liczą. W całym moim cygańskim życiu zawsze byłem odpowiedzialny tylko za jedną osobę: za mnie samego. A tu miałem przed sobą 50 tysięcy par oczu, które patrzyły na białe namioty MSF przekonane, że dotarły do końca tunelu. Miałem prawie ochotę uciec do N'tcheu, które wydało mi się bardziej pogodne.

Po powrocie do domu MSF zastaliśmy Luca Legranda, który sporządzał bilans swego obchodu, sącząc kawę. Nie wydawał się specjalnie zdenerwowany, ale z jego spojrzenia można było wywnioskować, że nie jest to odpowiedni moment, by zagadnąć go o jego forhend. Wtedy właśnie pierwszy raz uścisnął mi rękę.

– A więc Kanadyjczyku, co sprowadza cię w te okolice?

– Zostałem przydzielony do N'tcheu. Guy prosił, żebym mu trochę tu pomógł, a ja pomyślałem sobie: dlaczego nie?

– Świetnie...

– Czy miałbyś coś przeciwko temu, żebym poszedł zobaczyć, jak wygląda obóz chorych na cholerę?

Popatrzył na mnie przez kilka sekund, a potem powiedział: OK.

Właśnie tego dnia, dokładnie w chwili, gdy postawiłem stopę w obozie chorych na cholerę w Niaminthutu w Malawi, tego listopada 1990 roku, moje życie wywróciło się do góry nogami. Przede mną rozciągał się nieprawdopodobny widok. Śmierć tak bliska z jej cuchnącym oddechem. Zwłaszcza że logistyk, który zbudował ten obóz, pomylił się i umieścił w złym miejscu krematorium: wiatr niósł dym w kierunku namiotów. A kiedy ustawał wiatr, nad obozem unosił się szary, cuchnący obłok.

Była tu ponad setka pacjentów. Leżeli na przegniłych połówkach. Straszliwie wychudzeni czarni. Z monstrualnymi igłami wbitymi w przedramię. A ponieważ była to cholera, pod łóżkami stały wiadra. Pacjenci wypróżniali się w zawrotnym tempie. Byli tacy, którzy tracili ponad 40 kilogramów w ciągu kilku godzin. Bez leczenia śmierć jest pewna w 99 procentach.

Widziałem już te sceny w telewizji. I – jak wszyscy – zmieniałem kanał.

Za pierwszym razem wstyd powstrzymuje cię przed zajrzeniem do namiotów. W dodatku te oczy, które wypełnia nadzieja, gdy *Muzungu* (biały), taki jak ja, zaszczyca ich spojrzeniem. Nikt mnie nie nauczył, co mówić ani co robić, kiedy mnie to spotka. Czy należy wyciągnąć rękę i powiedzieć „dzień dobry"? Pożartować? Dlaczego nie opowiedzieć kawału. W dodatku tym setkom pacjentów towarzyszyli ich bliscy.

W tym momencie nie wiedziałem jeszcze nic o rozgrywkach politycznych, które doprowadziły do tej katastrofy. Widziałem jedynie rezultat.

Istoty ludzkie między życiem a zgonem. A także ich błagalne spojrzenia zwrócone na lekarzy i na mnie.

Stałem jak ogłuszony. Czułem, że ręce zwisają mi wzdłuż ciała, ciężkie i niezdarne.

W głębi obozu zgodnie z tradycją płaczki zdzierały sobie płuca w intencji pięciorga zmarłych wczoraj. Będzie tak 24 godziny na dobę; we wszystkie dni tygodnia będą krzyczeć z powodu śmierci syna, męża, brata. Te lamenty połączone z jękami chorych są przerażające.

Zmarli byli zawijani w plastikowe worki, aby – nadal się wypróżniając – nie rozprowadzali wirusa.

Temperatura pod namiotem wzrosła do 45 stopni C. Miałem ochotę zwymiotować. Ale przede wszystkim czułem nienawiść. Do Kanady, do naszego egoistycznego komfortu. Za to, że nie widziałem i nie wiedziałem.

Poszedłem w głąb obozu, uczepiłem się płotu i zacząłem głęboko oddychać. To pozwoliło mi dojść do siebie. Ale kiedy spuściłem oczy, zdałem sobie sprawę, że u moich stóp rozpościera się mały zaimprowizowany cmentarz. Ziemia była niedawno przekopana, a 300 małych krzyży przypominało, że Mozambijczycy są w większości chrześcijanami.

Będziemy pracować – powiedziałem sobie, zakasując rękawy. Powstrzymamy to paskudztwo.

ROZDZIAŁ SIÓDMY

Humanitarny odlot

Wróciłem do Luca. Kontynuował oprowadzanie mnie po swoich włościach. Wytłumaczył mi trzy fazy opieki nad chorymi. Faza pierwsza, to obserwacja: trzeba się upewnić, że rzeczywiście mamy do czynienia z objawami cholery. Jeśli tak jest, przechodzimy do fazy drugiej. Polega ona na dostarczeniu organizmowi płynów przez kroplówki. Nawadnianie i szprycowanie antybiotykami trwa trzy dni. Do czasu aż choroba odstąpi i zrezygnuje. Tak naprawdę ciało pacjenta samo musi się leczyć. Nawadnianie i antybiotyki to tylko wsparcie, które pozwala organizmowi odtworzyć przeciwciała.

Ostatnia faza to odłączenie kroplówek, ale bez przerywania nawadniania. Trzy dni później pacjent może wrócić do rodziny.

Dlatego w namiocie fazy trzeciej panuje już zupełnie inny nastrój. Chorzy nabrali trochę ciała i odzyskali „kolory". Małolaty ponownie stają się dziećmi i biegają jak szaleni. Najstarsze dzieci ciągle wybuchają śmiechem. Spędziły cztery dni z białymi. Zdążyły się przyzwyczaić. Nie ma już łez. I znów odżyła w nich Afryka. Bo Afryka to przede wszystkim uśmiech. Białe zęby na brązowym tle, to coś pięknego.

– *Bom dia, doctor Luca!*[7]

Odżyły też głosy. Miejscowe pielęgniarki przekomarzały się z Lukiem. Ale z szacunkiem, bo był to magik strzykawki. Widziałem dwutygodniowe dzieci, których waga spadła do 450 gramów, mieściły się w dłoni.

---

[7] *Bom dia doctor Luca!* (port.) Dzień dobry, doktorze Luc!

A trzeba je było kłuć igłą niemal równie grubą jak ich ramię. Musiało się znaleźć tę cholerną żyłę. Tylko Luc mógł ją wytropić. Był fenomenalny. Biały czarownik. Zobaczę go w akcji jeszcze wiele lat później. Ten facet ratuje ludziom życie.

Czasem ich tracił. Pacjent przybył za późno. Tkanki były tak wyschnięte, że nagły napływ wody je rozdzierał. Płyn dostawał się do płuc i chory umierał, bo się zadusił.

Miałem szczęście, bo tego ranka Luc mógł mi poświęcić trochę czasu. Wyjaśniał mi samą kurację, mówił o wodzie, o systemie odprowadzania ścieków. Musiałem wszystko to sobie przyswoić z zawrotną prędkością. Nawet szczegóły takie jak wiadro koło łóżka, żeby było w co wymiotować i drugie pod łóżkiem na ekskrementy.

Luc dał mi do zrozumienia, że są problemy z nylonową żyłką, która topi się z powodu upału i nie jest w stanie utrzymać woreczków z płynem. W efekcie znajdowały się one na tym samym poziomie co ramiona chorych i roztwór przestawał przepływać do ich ciała. Towarzyszące pacjentom osoby musiały trzymać godzinami butelki w wyciągniętych w górę dłoniach.

Kiedy się z nim rozstałem, miałem już pewność, że stanę się użyteczny. Będzie mi tu lepiej niż w zakładzie karnym w Montrealu. Byłem bliżej piekła na ziemi, ale czułem się wystarczająco silny, by z nim walczyć.

Nie wiedziałem, że obóz dla chorych na cholerę to był dopiero aperitif.

Luc zaprowadził mnie potem do obozu żywieniowego. Przy wejściu przedstawił mi ładną pielęgniarkę – Christine. Swoje biuro – jeśli można to tak nazwać – zainstalowała pod baobabem. Przyjmowała czterdziestu pacjentów na godzinę.

Kolejny szok. Ludzie, którzy tu przybywali, tym razem zdychali z głodu.

W kolejce pacjenci z wczoraj. Wychudzeni. Ja zaś stałem tam sobie z policzkami zaróżowionymi za sprawą pana Big Maca. Drżały mi nogi. Nie siedziałem przed telewizorem. Byłem skazany na oglądanie. Na słuchanie brzęczących much. Na znoszenie duszącego upału. Na wąchanie przejmującego odoru. Na oglądanie dzieci nie będących w stanie walczyć z insektami, które wdzierały się im do ust, do uszu, do nozdrzy.

Musiałem się uszczypnąć, by się upewnić, że to nie nocny koszmar, że to wszystko jest całkiem realne. Na próżno odwracałem głowę, zdałem sobie sprawę, że nie ma tu absolutnie niczego, na czym mógłbym się oprzeć. Blantyre było oddalone o cztery godziny jazdy. Lilongwe jeszcze o dwie godziny dalej. Wrócić? To nie wchodziło w grę. Więc gdzie jechać? Do Francji? Anglii? Pragnąłem tu się znaleźć, miałem, czego chciałem.

Próbowałem dojrzeć w oczach Luca i Christine to, co pozwala im tu trwać. Była w nich jakaś świetlista pewność, która sprawiała, że oboje byli tacy piękni. Christine można było schrupać. Długie kasztanowe włosy spadały jak kaskada na jej ramiona. Ponieważ prezydent Malawi Kamuzu Banda zakazał kobietom noszenia spodni, była w sukience. Pochodziła z Nicei, z krainy słońca, najpiękniej wyglądała w kokieteryjnych spódniczkach z lat 50. Emanowała z niej mieszanka pewności siebie i piękna. W moim nią zafascynowaniu nie było nic seksualnego ani trywialnego. Uderzający był po prostu kontrast, jaki stanowiła jej zielona sukienka z kilkorgiem czarnych, którzy przełykali z trudem jakąś energetyzującą papkę. Wydawała mi się tak delikatna, tak samotna, a zarazem tak silna. No i ta jej opalona twarz dziewczyny, która od wielu dni była na froncie.

Kiedy się odwróciła, by powiedzieć mi „dzień dobry", nie przestała pracować. Jedną ręką trzymała jakiegoś chłopczyka, drugą przysuwała wagę. Poprosiła swego asystenta, by ją zastąpił przez kilka minut. Zafundowała sobie przerwę na papierosa w naszym towarzystwie. Nagle zmrużyła oczy, podbiegła do kolejki i krzyknęła, nie przestając palić: „Antonio, mamy tu priorytet!".

Usłyszałem, jak pyta Guya Jacquiera, co dzieje się z jej pudłami. Zrozumiałem mgliście, że chodzi o trumny.

– Twoje pudła przyjechały, Christine.

– Przyślij mi dziesięć…

Nie oznaczało to, że śmierć stała się dla nich banałem; w ten sposób bronili się przed popadnięciem w obłęd.

Sobotni wieczór to w Nsanje dzień odpoczynku. Niektórzy z nas, aby się odprężyć, zamykali się w pokojach i czytali. Inni wprost przeciwnie, potrzebowali poszaleć do trzeciej nad ranem, by wyrzucić z siebie nagromadzoną wściekłość. Dołączyłem do tej drugiej grupy. Po przyjeździe doznałem szoku, odczuwałem potrzebę wyładowania. W ciągu 24 godzin zobaczyłem dostatecznie dużo, by poczuć się odmieniony.

Po wzięciu prysznica wszyscy zebrali się w głównej sali. Pojawiła się pierwsza butelka whisky. Potem druga. Przy trzeciej zaczęły się tworzyć grupki: z jednej strony ci, którzy znikali w pokojach, by zaznać trochę samotności, z drugiej ci, którzy zbierali się, by pójść na tańce do miasta, wreszcie ci, którzy musieli sporządzić tygodniowe raporty.

Luc był pracownikiem technicznym, nie administracyjnym. W związku z tym nawet nie tykał raportów. W sobotę wieczorem odpuszczał sobie, pozwalał sobie odsapnąć. Zainteresował się bardziej niż inni moim pochodzeniem. I powiedział mi, że spotkał w Czadzie innego Kanadyjczyka nazwiskiem Sylvain Charbonneau. Koniecznie powinienem go poznać.

Słuchałem rozmów, starając się zapamiętać jak najwięcej. Na drugim końcu sali ktoś mówił o Etiopii. Etiopia. *We Are the World*[8]. Ktoś z tamtej epoki na żywo przede mną? Byłem pod wrażeniem. Potem ktoś inny porównywał sytuację z Sudanem Południowym. No tak, skoro jest Południe, to znaczy, że musi być jakiś Sudan Północny.

Nie mówili o pracy humanitarnej, opowiadali o życiu. Ich życiu. Nie były to jałowe wyjaśnienia intelektualistów, a jedynie opisy życia. Ludzie mówili o swojej robocie. O swoim dniu powszednim. Takim jak ten, kiedy Sylvain spił się w Kenii. Albo kiedy Thierry miał największego cykora w swoim życiu w Afryce Zachodniej. Wszyscy się śmiali. To jest właśnie humanitaryzm. Wszystko, co ludzkie.

---

[8] *We Are the World* (ang.) – Jesteśmy światem, piosenka napisana i skomponowana przez Michaela Jacksona i Lionela Richiego, wspólnie nagrana w 1985 roku przez 30 największych gwiazd światowej muzyki pop. Stała się międzynarodowym hymnem humanitarnym.

Tego wieczoru zaliczyłem mój pierwszy afrykański nocny lokal. W temperaturze 38 stopni C. Tańcząc *kisumbu*. Na modłę afrykańską, czyli mocno przyciskając dziewczynę do siebie. U nas myślimy, że tańczymy, podczas gdy tylko wierzgamy. W Afryce jest to autentyczne. W nędznej dziurze, gdzie komary wyrywają sobie z twojego ciała steki. Bar był drewnianą budą stoczoną przez korniki. A za całą dekorację służyła lodówka wypełniona chłodnym piwem, prawdziwa gratka w tym żarze.

Było to także moje pierwsze spotkanie z normalnymi Afrykanami. Dotychczas widziałem wyłącznie cudzoziemców z MSF i czarnych, którzy umierali z głodu lub na cholerę. Nie spotkałem dotąd Afrykanów tańczących, korzystających z przyjemności życia. Pochłaniałem tony carlsberga i whisky. Przesadzając. Wdmuchując w głąb butelek całą moją pasję zwyciężania. Nikt mnie nie prosił, bym zdał sprawozdanie z dnia. Takie jest to środowisko. Każdy nosi swój własny ciężar i boi się pozwolić drugiemu na wynurzenia, bo mógłby dorzucić brzemię swej rozpaczy do tego, które sami dźwigamy. W dżungli obowiązuje zasada: ratuj się, kto może.

Tej nocy ponownie zobaczyłem Christine. Wydawała się tak daleka od swego obozu dożywiania. Była zakochana i odprężona w ramionach innego logistyka, Francuza. Żyła.

Tej nocy poczułem, że bardzo szybko spotkam się znowu z niektórymi z tych osób. Z Lukiem Legrandem, Christine i kilkorgiem innych. Wiedziałem, że nasze drogi znów pewnego dnia się skrzyżują. I już czekałem na to niecierpliwie. Bo być z najlepszymi to zawsze przyjemność.

Nazajutrz obudziłem się bez kaca. Znów pojechałem do Blantyre, a potem do N'tcheu. A tam czekała mnie przyjemna niespodzianka: moje obie pielęgniarki były blondynkami o niebieskich oczach.

N'tcheu, miasto siedzące okrakiem na granicy między Mozambikiem i Malawi, liczyło około czterech tysięcy dusz. Góra nazwana N'tcheu była stolicą obwodu. Miasteczko leżało u stóp góry, po dwóch stronach drogi.

Szybko wytłumaczono mi obowiązujący tu kod: Malawijczycy mieszkali w domach kwadratowych, podczas gdy uchodźcy z Mozambiku zostali umieszczeni w okrągłych. Niekiedy kwadratowa chata była otoczona kilkoma okrągłymi. Oznaczało to, że właściciel ziemski dawał schronienie uchodźcom, których zatrudniał jako służbę.

Uchodźców było prawie 150 tysięcy. Rozproszeni na obszarze długości 140 kilometrów robili mniejsze wrażenie niż w Niaminthutu. Przybyli w te strony przed dwoma laty; byli więc już dość dobrze zadomowieni. Stan alarmowy minął. Byłem już trzecim logistykiem MSF, który kręcił się po okolicy.

Podstawowe struktury już istniały. Była księgowa, trzy samochody, trzech kierowców, sklep, niewielka kasa, piętnaścioro pracowników, murarze, niewykwalifikowani robotnicy.

Mieliśmy dwa domy. W domu dziewczyn znajdowała się także wspólna kuchnia. Mój dom spełniał także rolę biura i magazynu.

Dziewczyny wymagały tylko jednego: żeby samochód był gotowy rano, gdy musiały wyruszyć na objazd przychodni. Moim obowiązkiem było się o tym upewnić. Kiedy psuły się lodówki w ośrodku zdrowia, trzeba je było bezzwłocznie naprawiać, bo to w nich przechowywano szczepionki. Nasze porozumienie okazało się tym bardziej serdeczne, że facet, którego zastąpiłem, nie był asem, jeśli chodzi o stosunki międzyludzkie. Myślał tylko o jednym, żeby jego księgowość się zgadzała. Ja miałem inne usposobienie, interesowały mnie raczej konkretne rezultaty i relacje między ludźmi. Kochałem działanie i szybko się uczyłem.

Dziewczyna, która koordynowała prace biura, była Francuzką i pochodziła z Masywu Centralnego. To była jej trzecia misja z MSF. Prawdziwa bojowniczka, której mężem był weterynarz należący do Weterynarzy bez Granic. Właśnie skończyła kurs PSP (Ludność w Niepewnej Sytuacji), najwyższy etap szkolenia kryzysowego w MSF. Druga pielęgniarka była na misji po raz drugi; właśnie wróciła z Jemenu. Mogłaby posłużyć za wzór do stworzenia portretu pamięciowego dobrej katoliczki, nosiła ostentacyjnie krzyż na piersiach; okazała się sympatyczna.

W następny wtorek pewien Malawijczyk przyszedł do mnie i poprosił o pracę. Nie wiedziałem, co mu odpowiedzieć, bo sam nie bardzo się orientowałem, co mam robić. Nie przyszło mi do głowy nic lepszego, jak wręczyć mu książkę na temat uzdatniania wody, obdarzoną barbarzyńskim tytułem w stylu *Where there is no water*[9]. Powiedziałem mu, żeby ją przeczytał i wrócił za dwa tygodnie. Odszedł z książką.

Trzy tygodnie minęły błyskawicznie. Niczego mi nie brakowało. Chłonąłem uszami, oczami i nozdrzami mój nowy teren działania. Poprzednik przekazał mi klucze od samochodu. Marc Vachon „pierwsza misja" rządził. Nabierałem coraz większej pewności siebie. Zaproponowałem, że w weekendy będę jeździł do Niaminthutu, gdzie sytuacja była kryzysowa, i wracał w poniedziałek rano do N'tcheu. Geneviève Begkoyian nie miała nic przeciwko temu, pod warunkiem, że misja w N'tcheu na tym nie ucierpi.

Niedługo później byłem pierwszy raz świadkiem „śmierci w terenie". Widziałem już wcześniej trupy: ciała moich rodziców i plastikowe worki, zwłaszcza w obozie dla chorych na cholerę w Niaminthutu. Ale jeszcze nigdy życie nie odchodziło na moich oczach. Wracałem właśnie z zakupów z moim kierowcą, kiedy drogę zastąpił nam jakiś chłopiec wymachujący energicznie rękami. Zatrzymaliśmy się przy mężczyźnie, który umierał z odwodnienia. Wrzuciliśmy go do naszego pikapu, by zawieźć go do obozu dla chorych na cholerę. Usiadłem przy nim, by potrzymać go za rękę i nie pozwolić, by wypadł z samochodu na wybojach. W obozie sprowadziłem nosze. Byłem strasznie wzburzony. Chciałem, by ta historia dobrze się skończyła. Ale umarł, jeszcze zanim znalazł się w namiocie. A w oczach pielęgniarzy odczytałem coś w rodzaju wyrzutu, że przywiozłem im taki beznadziejny przypadek.

Myjąc ręce mydłem, zdałem sobie sprawę, że prawie zdzieram sobie skórę. Nie znałem tego człowieka. Ale jego śmierć doprowadziła mnie do wściekłości. Miałem ochotę wsiąść do samochodu i pozbierać wszystkich skazanych, tym razem zanim będzie za późno. Była we mnie nienawiść. Ale człowiek się uczy, że nie zawsze można przybyć na czas. Że kiedy

---

[9] *Where there is no water* (ang.) – Tam, gdzie nie ma wody.

przybywamy za późno, pozostaje nam tylko wsiąść z powrotem do samochodu i nastawić bardzo głośno muzykę. Potem odreagować, ładując samemu drewno do pikapu. Z zaciśniętymi zębami. W ciszy. Kierowca pomaga. Dwie czy trzy wyprawy wykańczają cię i uspokajają.

Nie można przyzwyczaić się do śmierci. Człowiek uświadamia sobie jednocześnie, że pierwszy trup jest tylko ziarnkiem piasku w klepsydrze, która nigdy się nie zatrzyma. A o Afryce można powiedzieć wszystko, ale nie to, że skąpi scen horroru: mieliśmy w bród cuchnących ran i rozszarpanych ciał.

Dokładnie w tym momencie poczułem do samego siebie żal, że porzuciłem naukę. Ponieważ – mówiłem sobie – mógłbym zostać pielęgniarzem i być znacznie bardziej użyteczny. Cholerne życie!

Przez pierwsze sześć miesięcy chłonąłem wszystko jak gąbka. Spędzałem weekendy w Niaminthutu, albo w obozie dla chorych na cholerę, albo zajęty kopaniem latryn. A tak naprawdę, kierując ekipami lokalnych pracowników, którzy je kopali. Bowiem obecność cudzoziemca skłaniała pracujących do czynu. W przeciwnym razie wszyscy szukaliby schronienia przed przeraźliwym upałem.

Przypomniałem sobie o problemie woreczków z surowicą, o którym mówił mi Luc. Zasugerowałem zastąpienie żyłki kablem elektrycznym, bardziej odpornym na zmiany temperatury.

Przeczesałem całe Nsanje w jego poszukiwaniu. Na próżno. Wróciłem złożyć raport Lucowi. Popatrzył na mnie, jakbym był opóźniony w rozwoju.

– Chcesz powiedzieć, że w całym Blantyre nie ma już kabla elektrycznego?

Ups! Nie rozumiałem jeszcze, że w świecie organizacji humanitarnych cel uświęca środki. Choćby oznaczało to trzyipółgodzinną drogę po niezbędny drobiazg. W razie potrzeby – pieszo.

W Blantyre sprzedawca materiałów żelaznych zapytał mnie, ile metrów kabla potrzebuję. Cholera jasna, zapomniałem zmierzyć. Szybko policzyłem w pamięci i zamówiłem u niego trzysta metrów.

O godzinie 15 byłem z powrotem w Niaminthutu, szczęśliwy jak dziecko, że moja misja się powiodła. Chciałem to obwieścić Lucowi, ale on rzucił mi tylko wymowne spojrzenie: „Hej, ty pyskaczu – zdawał się mówić – chciałbyś za to dostać medal? Zamknij się i zamontuj mi to jak najszybciej". Była godzina 16, zdałem sobie sprawę, że nie miałem jeszcze niczego w ustach oprócz dwóch puszek coli wypitych w drodze. A w tym namiocie było jak w rozgrzanym piecu. Musiałem pracować z wyciągniętymi w górę rękami, ciąć, robić węzły. Następnie wieszać butelki. Trzeba było się uwijać między dwoma wąskimi łóżkami, na których wypróżniało się dwóch facetów. Jedynym odgłosem, jaki dał się słyszeć prócz jęków, było plum, plum do wiader wsuniętych pod łóżka. Po kolejnych sześciu węzłach, moje ramiona były jak z cementu. O 18 nie mogłem już dłużej tego wytrzymać. Ciało odmawiało mi posłuszeństwa.

Luc klepnął mnie delikatnie w plecy:

– Dobra robota, Kanadyjczyku. Jutro przyjdziesz wcześniej, żeby to skończyć!

Karen urodziła w styczniu następnego roku. Chociaż ze sobą korespondowaliśmy, czułem, że jest bardzo daleka. Gdy rozmawialiśmy przez telefon, wiedziałem, że nie może do mnie przyjechać. Że byłoby zabójstwem sprowadzić ją do tej zapadłej dziury z noworodkiem przy piersi. Nie zarabiałem wystarczająco dużo, by utrzymać rodzinę. Uzgodniliśmy wspólnie, że przestaniemy marzyć o spotkaniu. Będziemy utrzymywać kontakty listowne, ale powinna się czuć wolna i spróbować ułożyć sobie na nowo życie. Podejmowałem tę decyzję ze ściśniętym sercem. Dostałem zdjęcia mojej córki. Wiedziałem, jak bardzo czarująca jest jej matka, lecz zdawałem sobie także sprawę, że moje miejsce nie jest w Vancouverze. Przede wszystkim zaś wiedziałem, że nigdy nie będę w stanie wrócić do Kanady, udając, że niczego nie widziałem w Afryce. Za dużo zobaczyłem w Malawi, żeby stać się na nowo zwykłym członkiem społeczeństwa Zachodu. Znalazłem moją własną drogę, musiałem nią podążać bez względu na cenę. Poznałem już satysfakcję z dobrze wykonanej pracy, radość, która cię wypełnia, kiedy kończysz podłogę na drugim piętrze i zamierzasz dotrzeć do osiemnastego. Teraz odkrywałem narkotyk działalności humanitarnej. I chciałem go zażywać bez umiaru. Wiedziałem, że Karen potrafi poradzić sobie beze mnie. Byłem pewien, że spotka wartościowego faceta, który da jej szczęście i zapewni stabilność, jakiej ona i dziecko będą potrzebowały.

Nie miałem wrażenia, że porzucam moją córkę, tak jak zrobili moi rodzice. Wprost przeciwnie, miałem jak najlepsze w świecie zamiary. Kiedy Sophie urodziła moje dziecko, sam byłem zagubionym dzieciakiem w trakcie stawania się zepsutym dorosłym. Teraz znajdowałem się na początku drogi w przeciwną stronę. Kupowałem sobie wiarygodność, godność, z której moje córki będą kiedyś dumne. Dla nich ich ojciec nie będzie łajdakiem. Nie mogłem ofiarować im życia, które chciałem im dać, bo nie miałem na to środków, ale starałem się przynieść im cenny prezent: honor, dumę.

Wszystkie weekendy spędzałem w Niaminthutu i w końcu ja i Christine, piękna dziewczyna z Nicei pracująca w obozie żywieniowym, staliśmy się parą. Mimo to ostatni miesiąc mojego pobytu w N'tcheu nie był zbyt radosny. Kierowniczkę misji zastąpiła nowa, z którą nie zdołałem nawiązać przyjaznych stosunków. Za bardzo przejęła się rolą szefowej, wymagała, by być jej ślepo posłusznym. Znosiłem to tym gorzej, że spędziłem już sześć miesięcy w N'tcheu, o sześć miesięcy więcej niż ona.

Co więcej, musiałem stawić czoło pierwszemu prawdziwemu kryzysowi. Rozegrał się w Mulanje. Ulewne deszcze spowodowały osunięcie ziemi. Były ofiary śmiertelne i ranni. I to mnie poproszono o zajęcie się w sytuacji kryzysowej logistyką. Była to moja pierwsza samotna misja, wszystkie przeznaczone na nią pieniądze nosiłem w kieszeni. Cała wioska została unicestwiona. Miałem zapewnić ludziom schronienie i upewnić się, czy nie doszło do wtórnej katastrofy, takiej jak epidemia cholery.

Helikopter wojskowy zrzucił mnie w samym środku strefy dotkniętej klęską. Pracowaliśmy po kolana w błocie.

Dość dobrze z tego wybrnęliśmy. Ten sukces, dodany do moich weekendowych wizyt w Niaminthutu, znacznie poprawił moje notowania w MSF.

W styczniu 1991 roku w Iraku wybuchła wojna. Bush ojciec właśnie rozpoczął operację Pustynna Burza, dlatego że Saddam Husajn odmówił wycofania się z Kuwejtu. Jak wszyscy byłem bardzo podekscytowany myślą, że mogę zostać wysłany do Turcji czy do Iranu, gdzie MSF przewidywali napływ irackich uchodźców. Błagałem Geneviève Begkoyian, żeby poleciła mnie szefom.

Odmówiła, ale jednocześnie obdarzyła mnie zaufaniem, za które do dziś jestem jej wdzięczny. Postanowiła wysłać trzy osoby do Iraku, a mnie poprosiła, bym zajął wszystkie trzy wakujące stanowiska w Malawi, pozostając także w biurze w N'tcheu. Dwa miesiące totalnego szaleństwa. Musiałem bardzo szybko odkryć w sobie dar wszechobecności, żeby być jednocześnie na północy i na południu.

Żeby mnie wynagrodzić, Geneviève wyznaczyła mnie do wyjazdu do Lézignan na kurs logistyki w niepewnych sytuacjach, który organizowali MSF. Następnie miałem wrócić do Malawi na kolejne sześć miesięcy. Christine, której kontrakt kończył się w tym samym czasie, miała jechać na Madagaskar odwiedzić siostrę, a następnie dołączyć do mnie we Francji.

Jeszcze w ten sam weekend, w który przybyłem do Lézignan, ktoś ukradł mi marynarkę wraz ze wszystkim, co miałem w kieszeniach: paszportem, portfelem. Z pewnością ktoś z firmy, z MSF.

We wtorek zacząłem się pocić. Było mi gorąco. Nie rozumiałem, co się ze mną dzieje. Podczas przerwy obiadowej powiedziałem sobie, że to prawdopodobnie zmęczenie nagromadzone podczas ostatnich miesięcy i że mała drzemka postawi mnie na nogi. Obudziłem się cztery dni później w szpitalu w Carcassonne. Dowiedziałem się, że zapadłem w śpiączkę z powodu gwałtownego ataku malarii mózgowej. O mały włos nie umarłem, bo nikt nie przejął się zbytnio moją nieobecnością. Myśleli, że trzeźwieję po pijatyce z poprzedniego dnia. Podczas tych trzech dni gorączki straciłem piętnaście kilogramów, o utracie pierwszego tygodnia szkolenia nie wspominając.

Pragnąłem tylko jednego: żeby przyjechała moja dziewczyna. Dzwoniłem do niej dziesięć razy, bez odpowiedzi. A kiedy wreszcie podniosła słuchawkę, powiedziała mi, że wróciła do swojego dawnego przyjaciela z Nicei.

Atak malarii, skradzione rzeczy, stracone szkolenie i zawód miłosny – nawet dla najsilniejszego poszukiwacza przygód, to było za dużo jak na raz.

Wróciłem do Malawi, zostałem przydzielony do trudnej placówki w Niaminthutu. W ciągu trzech miesięcy zdołałem spowodować wybudowanie 12 tysięcy latryn i 10 tysięcy indywidualnych pryszniców. Operacja przebiegała gładko.

Mieszkałem w Chromo, nad brzegiem rzeki Mulanje. Miałem domek z bambusa, który częściowo wchodził w rzekę. Wieczorami hipopotamy przypływały ocierać się o pale. Całość okrywała wielka moskitiera. Nauczyłem się nie lekceważyć malarii. Czułem się naprawdę jak Doktor Daktari.

Jako kawaler byłem zachwycony, gdy Heike, koleżanka z Kanady, którą poznałem w Banff i którą ponownie spotkałem w Paryżu, zadzwoniła do mnie, by mi powiedzieć, że jest w Lilongwe. Spędziłem z nią dwa tygodnie w Malawi. Po niej była Rachel, Izraelka, jedna z najpiękniejszych kobiet, jakie spotkałem. Przyjechała spędzić ze mną dziesięć dni w Chiromo. Oglądaliśmy razem te wspaniałe zachody słońca, które Afryka tak hojnie ofiaruje. To było szczęście.

Potem zobaczyłem niewielką Mozambijkę, która grała w trupie teatralnej w Blantyre. Nazywała się Lucrecia. Piękna jak czarny anioł. Chociaż widziałem ją zaledwie trzy razy, nieprędko o niej zapomnę.

Geneviève Begkoyian kończyła swą misję. Kiedy wyjeżdżała, muszę przyznać, że czułem, jak ściska mi się serce. Ta dziewczyna mi zawierzyła, dała mi szansę. Stałem się jej zaufanym człowiekiem od niewykonalnych zadań. I trochę jej przyjacielem. Podczas misji wszyscy mają zazwyczaj jakieś pretensje do zwierzchnika: teren zawsze potępia dyrekcję za brak środków, podczas gdy stolica złości się na siedzibę w Paryżu. Koordynacja jest w dużej części samotną robotą. A w Malawi było około pięćdziesięciu obcokrajowców, za których ta dziewczyna była odpowiedzialna, oprócz prawie miliona uchodźców z Mozambiku. Mógł to być za duży ciężar dla młodej kobiety około trzydziestki. Nękały ją obawy, wątpliwości. Trochę jej pomagałem pokonywać samotność. Spotykaliśmy się we dwoje na tarasie, tam mi się zwierzała. Mówiła o wszystkim i o niczym. O swojej matce, o Bretanii. Ona także potrzebowała odprężenia. Geneviève pozostała moją przyjaciółką.

ROZDZIAŁ ÓSMY

Biały rycerz

Przeczytałem ogłoszenie w biuletynie wewnętrznym MSF: „Poszukujemy logistyka koordynatora dla Bagdadu. Kontrakt na sześć miesięcy".

Bagdad. Nic mi się z nim nie kojarzyło, oprócz serialu telewizyjnego o jasnowłosej Jinny. Bagdad był dla mnie właśnie tym: wielbłądy, taniec brzucha. A wojna? Dobra, była też jakaś wojna. Ale spędziłem ostatni rok w rejonie zwanym strefą wojny, a przecież bardzo rzadko słyszałem wystrzały i widziałem spalone domy. Byliśmy bardzo daleko od *Czasu Apokalipsy*. Ponieważ Malawi jest krajem bez telewizji, nie byłem faszerowany obrazami z Iraku, tak jak reszta planety. Mieszkałem w hotelu w Blantyre, kiedy – kilka miesięcy wcześniej – Bush wypowiedział wojnę Saddamowi Husajnowi. Przypominam sobie, że gdy włączyłem telewizor, CNN przerwała właśnie program i relacjonowała początek ataków. Nic z tego nie zrozumiałem. Wyłączyłem telewizor i poszedłem wziąć prysznic.

Nic nie było w stanie mnie przerazić. Czytając ogłoszenie MSF, powiedziałem sobie: „Dlaczego nie spróbować?".

Tylko ja niewiele sobie robiłem z tego przydziału aż do dnia wyjazdu do Ammanu w Jordanii. Moi koledzy, którzy widzieli wojnę na żywo w CNN, patrzyli na mnie z mieszanką obawy, zazdrości i podziwu.

W Ammanie ledwie zdążyłem pójść po iracką wizę. Dwanaście godzin później wjeżdżałem do Bagdadu. Miałem mieszkać w hotelu Palestyna, w centrum miasta; nasze biura znajdowały się dokładnie z tyłu, w hotelu Bagdad. W tym czasie nie było tam prawie pracowników zagranicznych organizacji. Zaledwie kilku przedstawicieli ONZ i dwu lub trzech organizacji pozarządowych. Większość działała na północy Iraku, w Kurdystanie. Bagdadczycy wciąż nie mieli jeszcze ani wody bieżącej, ani elektryczności, choć wojna skończyła się przed sześcioma miesiącami.

Nazajutrz rano siedziałem przy stole z Lucą, administratorem biura w Bagdadzie, z szefem misji i z księgową. Luca wyjeżdżał w przyszłym tygodniu, jego następca miał przybyć kilka dni później.

Przedstawił mi się Joël, logistyk koordynator, którego miałem zastąpić. Był wykończony. Pracował w Turcji, zanim wylądował w Bagdadzie. Nie chciał obsługiwać stolicy, to była brudna robota. Mieliśmy zaledwie dwa dni na sprawy związane z przekazaniem misji. Pokazał mi magazyny, ciężarówki, zamówienie apteki, które należało wysłać do Brukseli, centralny komputer i system łączności radiowej. Potem powiedział: „Powodzenia, cześć, wyjeżdżam!".

Wojna nad Zatoką Perską stanowiła przełom. Przede wszystkim dla mediów, z powodu relacji na żywo w CNN, która przeżyła swoją godzinę chwały. Następnie dla organizacji humanitarnych, które popadły w hiperkomercjalizację. Wcześniej działalność humanitarna była pełna bohaterów cienia, galerników, którzy nie czekali na medale ani na artykuły w gazetach. To była planeta Luca Legranda, Christine, Geneviève. Począwszy od Iraku wszystko stało się polityczne i medialne. Teraz ważniejsze było ogłoszenie, że przybyło się jako pierwszy na miejsce niż prowadzenie skutecznej akcji na rzecz poszkodowanych. Obywatelowi Zachodu spodobał się ten nowy spektakl wojny i sięgnął ręką do kieszeni. Organizacje humanitarne natychmiast przestały oszczędzać.

Na przykład w Iraku MSF mieli siedem poważnych wypadków drogowych, które wydarzyły się w okresie czterech miesięcy. Samochody – do kasacji. Nowiuteńkie toyoty, po 30 tysięcy dolarów każda. Nic wielkiego! Jeden z logistyków przepiłował dach breku, żeby go przekształcić w samochód z rozsuwanym dachem? Ależ proszę bardzo, po co się krępować! Byłem oburzony, tym bardziej że przyjechałem z Malawi, gdzie rzadko widywało się pieniądze.

Dwa dni, które spędziłem z Joëlem, to było za krótko, żebym mógł naprawdę zrozumieć funkcjonowanie całej tej machiny. Rano, w dniu jego wyjazdu, usiadłem w biurze i zdałem sobie sprawę, że zapomniał mi powiedzieć, na jaki guzik powinienem nacisnąć, żeby uruchomić komputer. Nie znałem się ani trochę na informatyce, nigdy nie dotknąłem klawiatury.

Poza tym w Malawi nie mieliśmy walkies-talkies. Widziałem je tylko raz, podczas kursów LSP w Lézignan. Ale zachorowałem w tygodniu, w którym mieliśmy nauczyć się nimi posługiwać. Tu zaś musiałem nie tylko umieć to robić, ale byłem odpowiedzialny za cały sprzęt łączności radiowej naszej misji. Po całym kraju było rozsianych dwadzieścia pięć radiotelefonów, ja zaś miałem zapewnić ich koordynację, gdy tymczasem nie byłem w stanie uruchomić mojego własnego. A następnego dnia rano powinienem zadzwonić do wszystkich placówek w regionie, by się upewnić, że wszyscy mają się dobrze.

W samym Bagdadzie miałem siedem nowych samochodów. Magazyny były wielkie jak boiska do piłki nożnej i wypełnione produktami pierwszej potrzeby. Byłem nowobogackim, ale moje szaty nababa wydawały mi się zbyt obszerne.

Inny nieprawdopodobny luksus: miałem sekretarki. Jedna, z pochodzenia Libanka, była żoną irańskiego sprzedawcy dywanów. Wcześniej pracowała jako osobista sekretarka byłego szefa firmy Thomson Francja w Iraku. Mówiła po francusku i po angielsku bez śladu obcego akcentu, znała też arabski. Druga, pochodzenia szyickiego, nie została długo, bo poślubiła belgijskiego księgowego, którego zastąpiła Françoise. Pojechała do niego do Brukseli.

Tylko jeden kierowca – Walid – był Arabem. Wszyscy pozostali pochodzili z Sudanu: tylko oni mogli jeździć na północ, do Kurdów. Nawet mój asystent był Sudańczykiem.

Biura zostały urządzone w pokojach hotelowych, w sumie było ich sześć. Miałem prawie ochotę zapłakać w obliczu takiego komfortu: prysznic, basen, z którego nie można było jeszcze korzystać, ponieważ woda była zielona, telewizja iracka, która przez cały dzień rozpowszechniała propagandę Saddama Husajna, ale też czysta pościel i klimatyzacja. Bufet w restauracji był obłędny. Ja, który mieszkałem w bambusowych chatach i jadałem kawałki koziego mięsa grillowane na poboczach nędznych dróg, myślałem, że śnię.

Oczywiście po trzech tygodniach człowiek się przyzwyczaja i w końcu rzyga tym cholernym bufetem.

Ślady wojny były widoczne z okna mojego pokoju na siedemnastym piętrze. Mosty, uszkodzone podczas amerykańskich nalotów, nie zostały naprawione. Nie odbudowano zbombardowanych biur. Fasady domów nosiły ślady kul. Ale, co ciekawe, nie rzucała się w oczy obecność wojskowych na ulicach. Lata później dowiemy się, dlaczego: armia Saddama była w trakcie masakrowania szyitów z południa, którzy próbowali się zbuntować. Bilans – około 300 tysięcy zabitych.

Zaraz po przybyciu musiałem wyruszyć w objazd biur regionalnych. Było ich cztery w Kurdystanie i jedno na południu, w Basrze.

Dowiedzieliśmy się, że obóz uchodźców w Said Sadik w Kurdystanie został podtopiony. Niezwłocznie zająłem się koordynacją operacji antykryzysowej. To była moja pierwsza misja w Kurdystanie. Miasto Said Sadik zostało zbudowane i zniszczone przez tego samego Saddama Husajna. To było w 1988 roku, w czasach, gdy iracki dyktator zdławił kurdyjską rebelię, używając broni chemicznej. Said Sadik stało się miastem z betonu i cegieł, z plastikowymi dachami. Z jego dawnej świetności nie zostało nic. Było tam pełno pracowników organizacji humanitarnych i ONZ. I prawie 60 tysięcy uchodźców, którzy przybyli ze wszystkich miast kurdyjskich, uciekając przed gniewem Saddama po jego klęsce kuwejckiej. Było bardzo dużo ludzi, a to nie zawsze jest gwarancją skuteczności.

Właśnie w Said Sadik znów spotkałem Laurenta. To ja poleciłem go MSF, kiedy szukano logistyka, który najpierw miał pojechać do Iranu, następnie Turcji, a wreszcie do Iraku. Wyrósł. Teraz zachowywał się jak dorosły. Kazał sobie wytatuować jak ja skorpiona na ramieniu. Nabrał pewności siebie. Mimo emocji wywołanych tym spotkaniem, jak prawdziwi

Kanadyjczycy podaliśmy sobie tylko ręce na odległość. Czułem w nim odrobinę rezerwy, ale rozumiałem, że przybycie innego Kanadyjczyka, postawionego wyżej niż on w hierarchii organizacji, spychało go w cień. Nie przejąłem się więc zbytnio jego chłodem.

Gdy wróciłem do Bagdadu, czekała na mnie miła niespodzianka – przyjechała Geneviève Begkoyian. Właśnie została mianowana szefem irackiej misji. Miała mnie w roli koordynatora logistyki. Piekielny duet z Malawi znowu był w komplecie. Na kolejne sześć miesięcy.

Moje kontakty z Irakijczykami od początku były przyjemne. Nie okazywali mi żadnej wrogości. A kiedy dowiadywali się, że przyjechałem z Kanady, uśmiechy stawały się jeszcze bardziej szczere: każdy miał w Kanadzie brata ciotecznego czy bratanka.

Na bazarach interesy szły w najlepsze. Wojna wydawała się bardzo odległa. Zresztą w swym życiu widzieli ich niemało. Jedna więcej, jedna mniej...

Nawet do Ameryki nie żywili jeszcze wówczas głębokiej nienawiści. Na ironię losu zakrawa fakt, że było tak dzięki... samemu Saddamowi Husajnowi. W istocie, dzięki swej codziennej propagandzie dyktator wmówił im, że wygrali wojnę. Mówił, że misja w Kuwejcie przebiegła pomyślnie, że Irak odzyskał wszystko, czego potrzebował i że nie było powodów, by pozostawać tam dłużej. Tak więc ich zdaniem wygrali bitwę, skorzystali z niej, żeby skarcić tych bezbożnych Kuwejtczyków, a Saddam jest wielkim człowiekiem. *Khalass!*[10] To wszystko!

Na początku stycznia Geneviève rąbnęła pięścią w stół. Ona także zaznała zaciskania pasa narzuconego misji MSF w Malawi. Wezwała mnie do swego biura.

– Marc, mam dość tych wypadków samochodowych, to marnotrawstwo. Chcę, żebyś pojechał na północ i powiedział wszystkim, że następny, który będzie miał wypadek, zostanie wsadzony do pierwszego samolotu do Europy!

---

[10] *Khalass!* (arab.) – Wystarczy!

Ułożyłem zwięzły regulamin, nalegałem w nim, by żaden zagraniczny pracownik MSF nie siadał za kierownicą. Wyruszyłem w podróż, by przekazać posłanie od szefowej, a przy okazji przedstawić się wszystkim logistykom w biurach regionalnych. Miałem im wręczyć formularze, żeby mogli lepiej określić swoje potrzeby. Przekazałem każdemu z nich dyskietkę z typowymi tabelkami, które wystarczyło wypełnić. Jeśli chodzi o samochody, każdy miał kierowcę, który powinien być za niego bezpośrednio odpowiedzialny.

Tydzień później wezwano mnie przez radiotelefon:

– Jest problem.

– Co za problem?

– Wypadek.

Geneviève poprosiła, żebym sprawdził to na miejscu. Chodziło o pikap w Said Sadik. Samochód dla potrzeb logistyki. Zapytałem kierowcę, co się stało. Odpowiedział mi, że został zaklinowany w karambolu i wywinął dwa koziołki. Ale podczas tych wyjaśnień ani razu nie spojrzał mi prosto w oczy. Cały czas spuszczał wzrok. To mi śmierdziało kłamstwem. Odegrałem scenę, którą widziałem w telewizji w jakimś serialu kryminalnym. Kiedy samochód koziołkuje, kierownica pozostawia siniaki na udach kierowcy.

– Spuszczaj gacie!

Laurent, który był w pokoju, krzyknął:

– Marc, tak naprawdę to była moja wina.

Próbował dogadać się z kierowcą, aby ten wziął na siebie winę za wypadek za pięćset dolarów. Miałem ściśnięte gardło, kiedy zadzwoniłem do Geneviève, żeby jej powiedzieć, że jeden z naszych był za kierownicą. Nawet nie spytała, kto to był:

– Przywieź go do Bagdadu, wraca!

Podczas mojego powrotu z Laurentem do stolicy w samochodzie panowało głuche milczenie. W ciągu dwóch dni oczekiwania na lot powrotny próbowałem go pocieszać. Dobrą wiadomością było to, że nie został wywalony z MSF. Paryż rozumiał, że był wyczerpany po ośmiu miesiącach

85

życia w niepewnych warunkach. W końcu został poproszony tylko o zrobienie sobie kilkutygodniowej przerwy, zanim wyruszy na kolejną misję.

Kilka tygodni później napisał do mnie z Paryża, by mnie poinformować, że wyjedzie wkrótce do Liberii. Iracki incydent wydawał się całkowicie zapomniany. Ale został odrzucony podczas szczepień, kiedy odkryto wielkiego skorpiona narysowanego na jego ramieniu: w Liberii był to znak rozpoznawczy zwolenników Charlesa Taylora, pana wojny, który kilka lat później został prezydentem kraju. Bardzo źle przyjął tę decyzję. Próbowałem go uspokoić, proponując mu, żebyśmy – kiedy tylko wygaśnic mój kontrakt – osiedlili się w Afryce, w Kenii, i założyli tam firmę budowlaną.

Jakiś czas później, kiedy wróciłem do Paryża, okazało się, że postanowił wrócić do Kanady. Aby na nowo rozpocząć życie w Vancouverze. Nękałem go naszym projektem afrykańskim, ale bez powodzenia. Rozumiałem go. Miał prawo mieć dość.

Zanim odłożyłem słuchawkę, zapytałem go, czy widział Karen. Odpowiedział mi, że tak, ale że ona nie chce już ze mną rozmawiać. Ponoć powiedziała mu, że jestem łajdakiem, bo zostawiłem ją, kiedy była w ciąży. Znalazła sobie innego faceta.

To była moja ostatnia rozmowa z Laurentem.

Jak na ironię losu, to Narody Zjednoczone pośrednio spowodowały kryzys humanitarny, który uzasadniał naszą interwencję w Iraku. W istocie, w odpowiedzi na embargo, które przegłosowały przeciwko Irakowi, Saddam Husajn postanowił zdławić region kurdyjski blokadą własnego pomysłu: ogłosił, że ustanawia granicę lądową na wysokości tego samego 35 równoleżnika, który rezolucja ONZ zabraniała mu przekraczać. Tymczasem zbliżała się zima. Ponieważ pola zostały zaminowane przez armię iracką, Kurdowie nie mogli przygotować drewna na opał. Jedynym rozwiązaniem, które zapewniłoby im ogrzewanie, były grzejniki olejowe.

Poza ogrzewaniem był też problem zaopatrzenia w lekarstwa.

Bez interwencji z zewnątrz kryzys mógł się przekształcić w olbrzymią katastrofę humanitarną. Tym bardziej że rozpad dawnej Jugosławii, na który się zanosiło, pochłonie Europę i jej zasoby kosztem Kurdów. Już zaczęliśmy odchudzać nasz park samochodowy, by wysłać kilka aut do Europy.

Mimo wszystko znajdowałem czas, żeby żyć. Byłem w Iraku zaledwie od trzech tygodni, kiedy zobaczyłem na ulicy starego człowieka jadącego na triumphie. Natychmiast dała o sobie znać moja dusza motocyklisty. Zatrzymałem mężczyznę, by pogratulować mu motoru. Zapytał, czy chcę go kupić.

– A za ile mi go sprzedasz?

– Za pięćdziesiąt dolarów.

Natychmiast wyjąłem pieniądze z kieszeni, nim uprzytomni sobie, jak niedorzeczną ofertę mi złożył. Zsiadł z motoru i wręczył mi kluczyki.

Kilka dni później stałem na rogu ulicy, gdy obok mnie zatrzymała się taksówka. Kierowca opuścił szybę:

– Mister, widzę, że pan kocha motory.

– W istocie.

– Mój kuzyn ma pełno amerykańskich motocykli na podwórku. Chce je sprzedać. Proszę jechać za mną, Mister. Pokażę je panu.

Popełniłem niewyobrażalne szaleństwo, jadąc za nim. To mogła być zasadzka. Zaprowadził mnie do Miasta Saddama w dzielnicy szyickiej. Zajechaliśmy przed tradycyjne arabskie podwórko. Kuzyn Raszid wyszedł nas powitać.

Kiedy otworzył drzwi podwórka, o mały włos nie dostałem ataku apopleksji. Było tam ponad dwadzieścia błyszczących harleyów-davidsonów, ustawionych jeden obok drugiego. Na bakach miały jeszcze flagi Kuwejtu, gdzie ukradł je jakiemuś emirowi. Nie było mowy, bym odjechał nie kupiwszy jednego z nich.

Negocjacje zaczęły się od dwóch tysięcy dolarów za sztukę, a skończyły na pięciuset dolarach za dwie sztuki.

W biurze zostawiłem wiadomość, że jakiś czas mnie nie będzie, by móc przewieźć motory do magazynu i tam je przerobić. Przełożyłem układy transmisyjne z jednego do drugiego, aby pomieszać numery identyfikacyjne. Kazałem je pomalować na biało. Na koniec przypominały wielkie

motory amerykańskiej policji, z owiewką, żółtymi i niebieskimi migacza-
mi, miały z tyłu kufry i flagi MSF po bokach.

Podczas całego pobytu w Bagdadzie widywano mnie jeżdżącego 1340
FLHT z rozwianymi na wietrze włosami. Ten, kto nigdy nie pokonał drogi
z Bagdadu do Basry przez al Kut w gorące popołudnie na imponującym
harleyu-davidsonie, nie jest w stanie sobie wyobrazić uczucia rozkoszy, jakiego się wtedy doznaje. To było upojne. Widziałem siebie sprzed wielu
lat, kiedy jeździłem na motorze po górach Vermontu czy New Hampshire
w Stanach Zjednoczonych. To samo uczucie wolności. Z utworami Jima
Morrisona w uszach. Nie mogłem się też powstrzymać od rozmyślania
o moich dawnych znajomych: wszystkich tych, których zostawiłem w Kanadzie i którzy uważali się za harleyowców. Ale teraz mogę powiedzieć, że
aby być nim naprawdę, trzeba było jeździć po tych wspaniałych drogach
Iraku harleyem-davidsonem, z tatuażem na gołych ramionach. Kiedy pod-
jeżdżałem do zapór, włączałem klakson i szlabany podnosiły się z uniżeniem. „Tak, tak, drewniane barierki, podnoście się, by oddać hołd królowi
harleyowców".

Wieczorami jeździłem po całym Bagdadzie. Oglądałem defilady wojskowe na wielkim bulwarze. Czasami zapuszczałem się na obwodnicę i objeżdżałem miasto. Było mi dobrze.

W Iraku MSF popełnili błąd, który piętnaście lat później powtórzą niektóre inne organizacje pozarządowe. Scentralizowali swą działalność,
koncentrując koordynację w Bagdadzie. Stawiano wówczas na jedność
kraju po wojnie w Kuwejcie. Wszystkie lekarstwa były więc kierowane do
magazynów w Bagdadzie. Cała żywność, benzyna i leki musiały przecho-
dzić przez stolicę, zanim trafiały do Kurdystanu. To było tak, jakby ktoś
prosił komunistów, by pozwolili przewieźć amunicję i żywność dla ich
przeciwników.

Wyzwanie polegało w tej sytuacji na próbie przemycania leków i benzyny za granicę pilnowaną przez ludzi Saddama. Światowy Program
Żywnościowy podjął się dostaw żywności. Moja misja nie będzie tak zu-

pełnie bezpieczna. Irakijczycy niezwykle przykładali się, by mi to uświadomić.

Nie mieliśmy poważnych problemów z lekarstwami. Wystarczyło zgłosić się po zezwolenie do Ministerstwa Zdrowia, które wymagało od nas jedynie, byśmy informowali je o dokładnej liczbie naszych konwojów i ich zawartości. Później zrozumiałem, że te dane pozwalały im oszacować w przybliżeniu populację Kurdów. Ale nie mieliśmy wyboru. Nawet wiedząc, że był to miecz obosieczny, zatrute jabłko. Nie można było kręcić. Mieliśmy ponad dwadzieścia punktów kontrolnych do pokonania pomiędzy Bagdadem, a ziemią niczyją przed terytorium kurdyjskim.

Benzyna to była zupełnie inna para kaloszy.

Pewnego ranka przyszła do mnie Geneviève Begkoyian:

– Marc, mam problem.

– Słucham.

– Jestem lekarzem, leczę ludzi. A dziś mam pacjentów, którzy umierają w Kurdystanie. Powód ich cierpienia: zimno. Znam tylko jedno lekarstwo, które może ich uratować: trzeba ich ogrzać. Co ty na to…

Musiałem myśleć bardzo szybko. Przypomniałem sobie, że jako organizacja podpisaliśmy z rządem irackim porozumienie, które dawało nam prawo do zakupu jakichś 5000 litrów benzyny tygodniowo, przeznaczonej dla naszych pojazdów. Od tego można było zacząć. Należało znaleźć sposób na przewiezienie jej na stronę kurdyjską, bo Narody Zjednoczone rozdały ludności grzejniki na ropę, ale bez ropy.

Na ziemiach kurdyjskich benzyna zaczynała być warta majątek na czarnym rynku. Ci, którzy nie mieli środków na jej zakup, byli po prostu skazani na śmierć przez zamarznięcie.

Pierwszy raz pomogła mi moja przeszłość przestępcy z Montrealu. Zacząłem fabrykować fałszywe dokumenty i fałszywe projekty. Fałszywe pieczęcie ONZ również było łatwo zdobyć. Wystarczyło pojechać do ich biura i odwrócić uwagę urzędnika, by zwinąć dziesięć kartek z nagłówkiem Narodów Zjednoczonych. Następnie znalazłem irackich mistrzów podrabiania dokumentów. Pokazałem im odbitkę pieczęci, którą chciałem mieć, i zostawiłem kawałek mydła. Kilka godzin później wręczyli mi mydło z wyżłobioną formą potrzebnej mi pieczęci.

Fałszywy projekt, który wymyśliłem, to była budowa wodociągu łączącego kurdyjską północ z Bagdadem. Potrzebowałem dużej liczby ciężarówek i koparek. Aby zmylić wszystkich w sposób przekonujący, wynająłem za śmieszną cenę trzydzieści ciężarówek, dziesiątki równiarek, piaskarki. Na czele tego gigantycznego konwoju pojechałem do Ministerstwa ds. Ropy. Czekał na mnie inżynier wyznaczony do oszacowania mojego zapotrzebowania na ropę, tak aby cały ten majdan mógł funkcjonować codziennie od godziny 6 rano do 20. Obliczono, że każda ciężarówka zużywa około 120 litrów na godzinę. Podczas podliczania, końcowe sumy rosły w zawrotnym tempie. W ten sposób udało mi się uzyskać oficjalny dokument Ministerstwa ds. Ropy przyznający mi ponad 50 tysięcy litrów benzyny tygodniowo po śmiesznej cenie 0,0001 dinara za litr. Ponieważ za jednego dolara płacono 100 dinarów, miałem 15 000 litrów benzyny za 15,8 dolara.

Wiedziałem, że te poczynania są nielegalne. Szybko powracały moje przyzwyczajenia z dawnych czasów. Ale zamiast być czarnym rycerzem na czarnym harleyu w Montrealu, byłem białym rycerzem na białym harleyu w Iraku, jak Robin Hood okradającym bogatych Irakijczyków, by pomóc biednym Kurdom.

Powiedzenie, że czuliśmy się spokojni podczas tych operacji byłoby wierutnym kłamstwem. W końcu rzucaliśmy wyzwanie samemu Saddamowi Husajnowi. Człowiekowi, którego wywiad miał ponurą sławę. Na tym samym piętrze, na którym mieściły się nasze biura w Bagdadzie, mieli pokój do podsłuchów milczący wąsale, równie rzucający się w oczy, jak inspektorzy Dupont i Dupond w *Tintinie*. Wiedzieliśmy, że nasze biura są regularnie przeszukiwane. Specjalnie rozmawialiśmy bardzo głośno o tej wyimaginowanej budowie w Kurdystanie. Jeśli byliśmy na podsłuchu, Saddam i jego ludzie musieli sobie mówić, że wykonamy gigantyczną robotę.

Dokument upoważniający mnie do zwiększenia zużycia benzyny był ważny osiem miesięcy.

*

Teraz należało wywieźć tę benzynę do Kurdystanu. Nie byliśmy z góry skazani na sukces. Wiedzieliśmy bowiem, że im bardziej będziemy się oddalać od Bagdadu, tym bardziej niebezpieczne będą punkty kontrolne. Każdy z lokalnych szefów uważał się za pana i władcę, niechętnie respektował wydane w Bagdadzie zezwolenia. Zwłaszcza ostatni, który był zwyczajnym dzikusem; to on stawiał czoło kurdyjskiemu wrogowi, który nie bawił się w sentymenty.

Strefa niezamieszkana była bardzo niespokojną linią frontu. Byli tam Irańczycy z działami wycelowanymi w Irak i w Kurdów, Irakijczycy, którzy celowali w Kurdów i w Irańczyków oraz Kurdowie, których karabiny szturmowe także były gotowe zaryczeć. A ja w środku. Włócząc się z trzema białymi cysternami z flagą MSF, czułem nieprzyjemne łaskotanie w dolnej części pleców.

W dodatku gdybyśmy zbyt często jeździli tą samą drogą, wzbudzilibyśmy podejrzenia wojskowych, a to mogło okazać się bardzo niebezpieczne zarówno dla operacji, jak i dla kierowców. Musiałem więc znaleźć dwie, trzy różne drogi wyjazdowe do Kurdystanu.

A gdy już się tam przedostałem, trzeba się było zabrać za sprawiedliwe rozdzielanie cennej cieczy do grzejników. Wiedząc dobrze, że grupy kurdyjskich bojowników będą żądały dla siebie lwiej części dostaw. Sprawa miała więc również aspekt moralny: czy nie wspieramy pośrednio grupy zbrojnej będącej stroną trwającego konfliktu?

Tego było za wiele dla MSF. Przekazaliśmy więc niemieckiej organizacji pozarządowej Medico International dystrybucję w Kurdystanie. Działała tam znacznie dłużej niż my i dysponowała sprawną siecią dystrybucji żywności. Wiedzieliśmy, że ludność kurdyjska będzie miała dzięki niej benzynę, by się ogrzać, mimo racji, które pobierali Peszmergowie, górscy bojownicy.

ROZDZIAŁ DZIEWIĄTY

Doktor Marc Vachon

Miesiąc później, ponieważ wszystko szło doskonale, nasze apetyty zaczęły rosnąć. Zabraliśmy się za przerabianie podłóg ciężarówek Scania, tak by móc wsunąć pod nie od sześciu do ośmiu dodatkowych ton benzyny i przejeżdżać przez punkty kontrolne na pozór pustymi pojazdami. Bo oprócz Kurdów zapotrzebowanie na benzynę zgłaszały teraz także wszystkie działające na północy organizacje pozarządowe (NGO): francuskie, np. Akcja przeciw Głodowi, Équilibre, amerykańskie, np. Międzynarodowy Komitet Pomocy, niemieckie, hiszpańskie, a nawet Narody Zjednoczone. Zaopatrywaliśmy cały ten światek.

Nie pozwalałem nigdy, by konwoje z benzyną wyruszały beze mnie. Jechałem zawsze w pierwszej ciężarówce. W końcu poznałem już wszystkich strażników na każdym z punktów kontrolnych. Znałem też na pamięć wszystkie sześć posterunków początkowych, przez które jeździłem na przemian.

Świadczyłem nawet usługi polegające na dostarczaniu poczty i gazet strażnikom z najbardziej oddalonych od stolicy posterunków. Znali mnie szefowie tych jednostek. Żartowałem z pułkownikiem Alim czy z majorem Sahibem.

Przemyciliśmy ponad milion litrów benzyny. Kurdowie będą mogli przetrzymać zimę.

Kłopoty zaczęło się w styczniu, kiedy Saddam Husajn postanowił, że nie wyda już ani jednej dodatkowej wizy żadnej organizacji humanitarnej.

Mieli pozostać w terenie wyłącznie ci, którzy posiadali ważne zezwolenia; pozostali nie mogli liczyć na przedłużenie pobytu. Codziennie któraś organizacja pozarządowa zamykała interes. Żadne presje polityczne nie były w stanie zmienić decyzji dyktatora. Na rogatkach strażnicy byli coraz mniej skłonni do współpracy. W samym zaś Bagdadzie obecność wojskowa stawała się coraz bardziej widoczna: komanda, które zakończyły kampanię masakr szyitów na południu, wracały do stolicy, by balować.

Dla MSF stanowiło to poważny problem; zwłaszcza dla misji na południu, której zezwolenie właśnie się kończyło. Mieliśmy do wyboru: albo po prostu zamknąć to biuro, albo przekazać kierowanie operacjami miejscowym ekipom.

Mój pseudoprojekt budowy wodociągu też zaczął w końcu budzić czyjeś wątpliwości. Jak to się działo, że po upływie tylu miesięcy Bagdad nie otrzymał jeszcze ani pół kropli wody?

Nie chcąc tracić twarzy, a jeszcze bardziej ze strachu, że Saddam każe im za to zapłacić, urzędnicy postanowili milczeć i przymknąć oko na mój przekręt, przysięgając sobie jednocześnie, że kiedyś odpłacą mi pięknym za nadobne.

W konwojach zaczęła panować gorąca atmosfera.

Geneviève Begkoyian zatelegrafowała do Paryża z sugestią, by zamknąć biuro w Bagdadzie, jeśli Irakijczycy nie przedłużą mi wizy. Nie było bowiem sensu tu zostawać, gdybyśmy nie mogli działać. Liczyła się nasza moc nabywcza w Bagdadzie. Gdybyśmy ją utracili, nie warto byłoby tu siedzieć.

Paryż kazał nam zabrać ze sobą maksymalnie dużo lekarstw, wywieźć je na północ i zamknąć misję.

Zwiększyłem częstotliwość konwojów, by opróżnić gigantyczne magazyny. Kierowcami byli często iraccy Kurdowie, którzy korzystali z tych wypraw, by zniknąć wraz z ciężarówką po wyładowaniu jej w Kurdystanie. Nigdy jednak nie uciekli z lekarstwami. Potem jechali do Iranu, by sprzedać tam ciężarówki, a stamtąd wracali do Iraku przez szyickie południe i próbowali powtórzyć tę sztuczkę. Traciliśmy w ten sposób jedną czy dwie ciężarówki podczas każdej podróży, to było dość wkurzające. Zwłaszcza że żołnierzy na punktach kontrolnych też denerwowało, że za każdym razem, gdy wracam, w konwoju brakuje kilku pojazdów. W tym tempie w końcu ogołocę cały kraj z ciężarówek.

Pewnego dnia postanowiłem zorganizować wielki konwój, złożony z tuzina pojazdów. Już na pierwszej blokadzie dowódca wykręcił mi stary numer. Podstawił kanister pod zbiornik jednej z ciężarówek i go opróżnił. Zostawił mi tylko 20 litrów, żebym dojechał do celu. Nie chciał – jak twierdził – bym sprzedał nadwyżkę na czarnym rynku.

Kilka punktów kontrolnych dalej, kolejny postój. Dowódca, którego znałem, wydał mi się bardziej drobiazgowy niż zwykle. Zazwyczaj brał zezwolenie na przejazd, upewniał się, czy nazwiska kierowców zgadzają się z tymi w dowodach tożsamości, którymi się legitymują i pozwalał mi przejechać. Tym razem jego mina nie wróżyła niczego dobrego. Gdy doszedł do trzeciej ciężarówki zaczął wrzeszczeć coś po arabsku. Przybiegł pomocnik kierowcy. W każdej ciężarówce był kierowca i pomocnik.

Jeszcze dziś pamiętam jego oczy. To był mężczyzna około czterdziestki, o twarzy pooranej z powodu lat ciężkiej pracy i włosach poprzetykanych siwizną. Nie rozumiałem, co się dzieje, ale po przerażonym spojrzeniu pomocnika poznałem, że coś nie gra. Przez kilka minut dowódca mówił coś do niego po arabsku.

Potem wszystko rozegrało się bardzo szybko. Nie widziałem początku. Spostrzegłem dopiero wyciągnięte ramię dowódcy. Na jego końcu, w dłoni, czarny przedmiot, który rozpoznałem. Pistolet typu Makarow. Huk był ogłuszający. Zobaczyłem, jak głowa pomocnika cofa się po zetknięciu z kulą wystrzeloną z bliskiej odległości. Zwalił się pomiędzy mnie i ciężarówkę. Kilka sekund agonii, miarowo wytryskująca krew.

W mojej głowie zapanował zamęt. Jakbym dostał pałką. Dzwoniło mi w uszach. Zapach prochu szczypał mnie w nosie. Krew nie dopływała mi do mózgu, nie mogłem myśleć. Byłem pewien, że będę następny. Nawet się nie bałem. Uważałem tylko taki koniec za absurdalny i niesprawiedliwy dla moich kierowców.

Dowódca odwrócił się do mnie – trzymając jeszcze w dłoni pistolet – i się uśmiechnął. Oddał papiery kierowcy, który był bielszy od śniegu. Potem znowu zaczął do mnie mówić kpiącym tonem, kierując się w stronę następnej ciężarówki:

– Zapewniam pana Mister Marc, chciałbym kiedyś pojechać do Kanady! Zrobiłem krok przez ciało pomocnika, które przestało już podrygiwać, i poszedłem za wojskowym. W głowie miałem pustkę, nogi drętwe. Dowódca mówił bez przerwy. Opowiadał, że ma kuzyna w Toronto i chciałby, bym kiedyś pomógł mu go odwiedzić. „Toronto is very beautiful. Canada is very beautiful. Niagara is very beautiful[11]. Mój brat jest asem ping-ponga, mógłby stać się gwiazdą w Kanadzie!".

Sprawdził wszystkie ciężarówki, potem przeszliśmy wzdłuż kolumny w odwrotnym kierunku. Siódma, szósta, piąta... Przy trzeciej ciało pomocnika nadal leżące na ziemi. Znowu zrobiliśmy przez nie krok. Druga, pierwsza. „Have a good day, Mister Marc!"[12].

Warkot silników przerwał ogłuszającą ciszę, która zapadła po wystrzale. Spojrzałem na zaciśnięte na kierownicy ręce Clémenta, mojego sudańskiego kierowcy, i zobaczyłem, że zbielały mu kostki. A kiedy usiadłem obok niego, nogi zaczęły mi drżeć i odmówiły mi posłuszeństwa. Czułem też, że jeśli nie wezmę się w garść, zsikam się w spodnie.

Ta scena będzie mnie prześladować jeszcze przez wiele lat. Poznałem później wiele innych teatrów konfliktów, ale nigdy nie zdołałem zapomnieć tego incydentu. Nigdy też nie zrozumiałem, dlaczego to się stało.

Byłem szefem konwoju, nie mogłem się powstrzymać przed obciążaniem samego siebie winą. Nigdy wcześniej nie widziałem tego człowieka, bo kierowcy i pomocnicy byli przysyłani przez firmy, które wypożyczały mi ciężarówki. Oczywiście przed wyjazdem ściskałem wszystkim

---

[11] *Toronto is very beautiful. Canada is very beautiful. Niagara is very beautiful* (ang.) – Toronto jest bardzo piękne. Kanada jest bardzo piękna. Niagara jest bardzo piękna.
[12] *Have a good day, Mister Marc!* (ang.) – Miłego dnia, panie Marc.

ręce, ale nie zapamiętywałem nigdy ani nazwisk, ani twarzy. Jednak to mnie powierzali swoje bezpieczeństwo. Byłem szefem, mieli do mnie zaufanie.

Kiedy konwój znów ruszył, zobaczyłem w lusterku wstecznym ciało faceta nadal leżące na tym skrawku ziemi przesiąkniętym paliwem. Iraccy wojskowi strzelali w powietrze salwy na pożegnanie. Naszła mnie gwałtowna chęć, by się rozpłakać. Ale byłem szefem wyprawy, nie mogłem sobie na to pozwolić.

Przemierzyliśmy całą bezludną strefę bez postoju. A nawet kiedy już się znaleźliśmy na terenach kurdyjskich, nadal jechaliśmy bez przerwy, jak gdyby kręcące się koła i piekielny hałas, który robiły ciężarówki, miały nam przeszkodzić w myśleniu. Postanowiłem zatrzymać konwój na poboczu drogi. Wszyscy wysiedli i zobaczyłem dwadzieścia dwie ręce wyciągnięte w moją stronę. Dziękowali mi. Ważniejsze niż to, że straciliśmy jednego, było dla nich to, że uratowaliśmy dwudziestu dwóch. Czy to znaczy, że wiedzieli, dlaczego tamten typ zabił tego jednego człowieka, a oszczędził resztę grupy? Nigdy mi tego nie powiedzą. Nie wiem także, co takiego zrobiłem, by zapobiec rzezi. Przypominam sobie jedynie tamto uczucie unoszenia się w powietrzu poza własnym ciałem, kiedy rozległ się wystrzał. Pamiętam, że zastanawiałem się, czy nie powinienem paść na ziemię i błagać dowódcę. Nie byłem w stanie rzucić się do ucieczki. Nie byłem w stanie zrobić niczego innego, jak iść za nim jak automat. Wzięto to za przejaw zimnej krwi, tymczasem za dowódcą podążało tylko moje puste ciało. Straciłem człowieka. Człowieka, który we mnie wierzył. Straciłem człowieka. Niewinnego. Na moich oczach. Powtarzałem to sobie w Sulejmanii, wlewając do gardła jedną butelkę piwa za drugą. Straciłem człowieka – myślałem jeszcze nazajutrz, próbując zebrać ciężarówki przed powrotem do Bagdadu. Nikt nie zgodził się wrócić, oprócz Clémenta.

Nie miałem im tego za złe. Wróciliśmy więc sami tą samą drogą. Dowódca nawet nie podniósł głowy, kiedy przejeżdżaliśmy. Wygrał łajdak. A ja straciłem człowieka.

W tym czasie pojęcie stresu potraumatycznego albo nie było jeszcze dobrze znane, albo kierownictwo organizacji humanitarnych nie traktowało go poważnie. Zasada przeżycia w tym środowisku polegała na byciu silnym, wytrzymaniu, a zwłaszcza nieokazywaniu oznak słabości. Prawie więc nie mówiłem o incydencie na punkcie kontrolnym.

Misja w Iraku cały czas dostarczała nam niespodzianek. Przypominam sobie, że miesiąc po wyjeździe Laurenta pojechałem na północ, do Diany, na serię spotkań.

Rano po przebudzeniu zobaczyłem prawie pięć centymetrów śniegu. Mój kierowca, który nigdy niczego takiego nie widział, nie posiadał się ze zdziwienia. Wysłałem go, by założył łańcuchy na koła. Ponieważ nie wracał, dwadzieścia minut później poszedłem po niego. Nie wiedział, jak się do tego zabrać. Nigdy nie prowadził po lodzie. Zaproponowałem mu, że przejmę kierownicę. I stało się to, co musiało się stać. Trochę lodu na drodze, samochód zaczął się kręcić w kółko i znalazłem się pod skarpą po dwóch czy trzech przewrotkach. Na szczęście nikt nie był ranny. Ale zanim przewróciliśmy samochód i sprowadziliśmy go na drogę, strasznie się wyziębiliśmy. W Sulejmanii musieli zaaplikować nam środki uspokajające. W podręcznikach poświęconych jeździe samochodem po Iraku, które przeczytałem, zapomniano wspomnieć o śniegu w górach Kurdystanu.

Podczas tej misji w Iraku robiłem też wiele innych głupstw. Jedno z nich powinno znaleźć się na liście „głupot w stylu Marca Vachona z Montrealu". Coś, czego nie polecałbym nikomu.

Pewnego wieczora w Ranii, również w Kurdystanie, popijałem piwo z Ralfem, Niemcem, który kierował Medico International. Ralf był gigantem, wzrostu ponad 195 centymetrów, ważącym 110 kilogramów. W ciągu tych kilku miesięcy, kiedy z nim współpracowałem, nauczyliśmy się cenić nawzajem, a jego metody robiły na mnie wrażenie. Zawsze chodził z pistoletem 9 mm wetkniętym za pasek. Nie miał nic wspólnego z nami, grzecznymi Lekarzami bez Granic. Powiedział mi, że czeka od kilku dni na transport ryżu dla Kurdów, który został zablokowany po drugiej stronie, w Turcji. Granica turecka była zamknięta.

Ralf przedstawił mi strasznie antypatycznego niemieckiego logistyka. Zaczął wychwalać przy nim wyczyny, jakich dokonałem, pokonując granice Saddama Husajna. Ten źle to przyjął.

– Jestem specem. Nie potrzebuję, by ktokolwiek mówił mi, jak mam pracować!

Nie odpowiadał po angielsku, by dać do zrozumienia, że nie zwraca się do mnie. Uraził moją dumę, więc obiecałem sobie, że mi za to zapłaci.

W tym momencie zostałem wezwany przez radiotelefon.

– Marc, tu Geneviève, mamy problem.

– Słucham.

– Belgowie wysłali przed dwoma dniami dwie ciężarówki z przyczepami wypełnionymi 80 metrami sześciennymi lekarstw, przybędą przez granicę turecko-iracką.

– Ale dlaczego? Czyżby byli Belgami? (Nie roześmiała się z mojego dowcipu [13].) Czy nie wiedzą, że granica jest zamknięta?

– Powiedziałam im, ale nie zrozumieli. Jest już za późno, by do nich dzwonić. Postaraj się po nich pojechać.

– To niemożliwe Geneviève. Doskonale wiesz, że wszystko jest zamknięte. Nie przejeżdża już nawet Czerwony Krzyż.

– Każdy ma jakieś problemy Marc. Chcę jak najszybciej zobaczyć te ciężarówki.

Niemiecki logistyk drwił i zapewniał, że nic z tego nie wyjdzie.

Postanowiłem pojechać od razu nazajutrz rano do Zacko, trochę po to, by udowodnić temu kapustojadowi, że jestem Marc, dla którego nie ma rzeczy niemożliwych.

Im bliżej byłem granicy, tym mniej przychodziło mi do głowy forteli, które pozwoliłyby ją pokonać.

Potem stopniowo w mojej głowie zaczęło kiełkować coś zupełnie bezsensownego. Kiedy na horyzoncie ukazało się Zacko – było około południa – powiedziałem Clémentowi, mojemu kierowcy: „Jeśli nie wrócę do

---

[13] Belgowie są bohaterami wielu francuskich dowcipów.

około 18, nie czekaj na mnie. Zawróć do Sulejmanii i przekaż Bagdadowi przez radio, że jest ze mną bardzo źle w Turcji!".

Sudańczyk zrozumiał i zaczął bełkotać:

– *Boss, boss, don't do that!*[14] *Mushkila, Mushkila Marc!*

Mushkila znaczy „problemy". Ale ja czułem się dziwnie spokojny. Był to spokój człowieka, który nie ma niczego do stracenia.

Clément zatrzymał samochód na opustoszałym irackim posterunku granicznym i zgasił silnik. Wysiadł i zostawił mnie samego. Włożyłem bluzę lekarza MSF, wsunąłem termometr do kieszeni, zawiesiłem sobie stetoskop na szyi, poprawiłem okulary przeciwsłoneczne i pojechałem w kierunku tureckiej granicy. W głowie dzwonił mi dzwoneczek, ostrzegał, że oszalałem. Udawałem, że go nie słyszę.

Turecki posterunek graniczny był cementową budą z jednym oknem wychodzącym na szlaban. W oknie siedział turecki oficer. Musiał mieć około czterdziestki. Średniego wzrostu, tłuściutki, z poczciwym, zaokrąglonym kałdunem. Na głowie miał mocno wciśniętą czapkę z daszkiem.

Zaparkowałem samochód i zbliżyłem się do okienka. Poczciwiec mrużył oczy, gotów odesłać mnie natychmiast do Iraku. Gdy byłem jakieś dwa metry od niego, zatrzymałem się z opadniętą szczęką i wzrokiem utkwionym w niego, jakby był niebieski. Zdusiłem okrzyk zdziwienia, a z jego spojrzenia wywnioskowałem, że zdołałem go zaintrygować.

Dobrze, etap zbliżenia się udał. Zaczął sam siebie oglądać, badać wzrokiem swoje brzuszysko, potem znowu mnie, znowu swój bęben i boki. Ten zabieg trwał dobrą minutę. Wyjąłem z kieszeni kartę MSF i paszport. Trzymając je końcami palców położyłem na jego kontuarze i natychmiast cofnąłem się o dobre dwa metry. Rzucił szybkie spojrzenie na moje papiery, a potem zapytał po angielsku:

– *Mister, what's problem, Mister?*[15]

– Nic, nic. W porządku!

---

[14] *Boss, boss, don't do that!* (ang.) – Szefie, szefie, nie rób tego!
[15] *Mister, what's problem, Mister?* (ang.) – Proszę pana, jakiś problem, proszę pana?

– W takim razie, dlaczego tak się pan ode mnie odsuwa?

– *Well*, to naprawdę nic ważnego. Proszę oddać mi paszport, wracam do Kanady, jestem wykończony.

– *Mister, no, tell mi. What's wrong?*[16]

Wyjąłem moją iracką kartę pracy, w której byłem wpisany jako lekarz. Zmierzył wzrokiem kartonik, spojrzał na samochód MSF; dobra nasza, stworzyłem złudzenie.

– *What's the problem, mister?*[17]

– No cóż, nie jestem pewien. Myślę, że jest pan chory. Ale wolę nic nie mówić, bo i tak nie mogę nic zrobić dla ludzi takich jak pan. Zresztą nie mogę nic zrobić dla nikogo. Nie mam już lekarstw, opuszczam ten kraj, opuszczam Turcję, wracam do siebie do Kanady i życzę wam wszystkim dużo szczęścia.

– Doktorzeee, doktooorze, proszę mi powiedzieć, co to za choroba?

– *Please,* jak się pan nazywa?

– Jestem kapitan Mamahmut (albo coś w tym rodzaju).

– Panie kapitanie, proszę mi dać minutkę, zaraz do pana wracam.

Wróciłem do samochodu po apteczkę MSF. W tym momencie mogłem jeszcze przerwać tę obłędną grę, wsiąść do samochodu i wrócić do Kurdystanu. Mogłem i powinienem to zrobić. Ale kiedy zaczyna we mnie kiełkować ziarno szaleństwa, nic nie może mnie już powstrzymać.

Wróciłem do budy, obszedłem okienko i zacząłem od zmierzenia kapitanowi ciśnienia. Potem wsunąłem mu szpatułkę do ust, żeby obejrzeć język i migdałki. Obejrzałem mu też uszy.

Wróciłem do ust. Potem było badanie stawów. I wywiad:

– Czy sika pan normalnie?

– Tak.

– Je pan zawsze z takim samym apetytem?

– Tak.

---

[16] *Mister, no, tell mi. What's wrong?* (ang.) – Proszę pana, nie, niech pan mi powie. Co jest nie tak?

[17] *What's the problem, mister?* (ang.) – W czym problem?

– Wszystko wskazuje, że cierpi pan na tę chorobę. Ale proszę poczekać sekundkę.

Udaję, że coś sprawdzam w przewodniku MSF dla wtajemniczonych.

Kilka sekund później potwierdzam diagnozę.

– Myślę, że pan to złapał. Ale nie jest pan jeszcze w fazie terminalnej. Ma pan szanse, choć niewielkie, żeby z tego wyjść.

– *Thank you, doktorr*[18].

Od razu poczuł się chory. Wziąłem kartkę z nagłówkiem MSF i wpisałem datę.

Dear Doctor Abdallah[19],
Polecam Panu mojego przyjaciela kapitana Mamahmuta, który udzielił mi cennej pomocy, kiedy wyjeżdżałem z Iraku. Myślę, że zaraził się tą słynną chorobą. Proszę zrobić, co w Pana mocy, by mu pomóc. Mam nadzieję zobaczyć Pana w przyszłym roku.
Brakuje mi Pana, drogi przyjacielu.
Z wyrazami wdzięczności

Doktor Marc Vachon, MPP, STT, LTLT.

Za daleko się posunąłem, nie mogłem się już cofnąć. Brnąłem więc dalej:

– Panie kapitanie, z powodu tej choroby straci pan obydwa jądra. Epidemia przyszła z Afganistanu...

Tu energicznie splunąłem na ziemię, bo trzeba splunąć, kiedy mówi się Turkowi o Afganistanie.

– Afgańczycy (ponowne splunięcie) złapali ją, nadużywając opium i innych narkotyków. Potem przenieśli ją do Iranu (kolejne splunięcie z powodu Iranu) uciekając podczas wojny z Sowietami. Stamtąd przedostali się do Iraku. Z wyjątkiem utraty jąder, nic innego pana nie spotka.

---

[18] *Thank you, doktorr* (ang.) – Dziękuję, doktooorze.
[19] *Dear Doctor Abdallah* (ang.) – Drogi doktorze Abdallah.

Ale problemy z jądrami były dla Turka najbardziej przykre. Świadomy wrażenia, jakie na nim wywarłem, postanowiłem go dobić:

– Pana jądra zaczynają się kurczyć, aż osiągają wielkość fasoli. Następnie usychają. Pewnego dnia odpadają. Ludzie, którzy będą na pana patrzeć, nie dostrzegą niczego nienormalnego. Ale mam nadzieję, że posiada pan dzieci, bo teraz nie ma pan już żadnej szansy, by spłodzić choćby jedno.

Doświadczenie z Malawi i kilka miesięcy spędzonych w Iraku dały mi wystarczającą pewność siebie, by ośmielić się na spróbowanie tej gry; ale mogło się to bardzo źle skończyć.

– Napisałem panu list do mojego kumpla, doktora Abdallaha, który jest w centrum szpitalnym Uniwersytetu w Stambule. Jeśli zdąży pan tam na czas, on panu pomoże...

Nie wiedziałem nawet, czy na Uniwersytecie w Stambule jest wydział medycyny. Moja komedia mogła szybko się skończyć. Dowódca mógł podnieść słuchawkę i sprawdzić to u pierwszego lepszego lekarza. Ale nawet o tym nie myślałem. Po prostu nie mogłem przerwać potoku słów, które wylewały się z moich ust.

Turecki oficer połknął haczyk. Odpowiedział mi łzawym głosem:

– Nigdy nie dostanę przepustki, by móc pojechać do Stambułu...

– W takim razie nie mogę nic dla pana zrobić. Dlatego opuszczam Irak. Mam tego dość, nie mogę już leczyć ludzi. A wszystko dlatego, że przetrzymujecie w sąsiednim mieście nasze ciężarówki wypchane lekarstwami.

– Momencik! – zaryczał.

Rzucił się na telefon. Przez dobrych dziesięć minut miotał przekleństwa do słuchawki, nim ją odłożył.

Upłynęło kilka chwil i zobaczyłem opancerzony samochód oraz dwa dżipy dumnej armii tureckiej. Pojechaliśmy w konwoju do granicznego miasta Batman. Było tam zaparkowanych prawie trzysta ciężarówek. Potrzebowałem dobre pół godziny, by odnaleźć te dwie należące do MSF.

Kapitan kazał odblokować drogę i przyprowadziliśmy te dwa monstra na posterunek graniczny.

Wtedy zdałem sobie sprawę, że przewidziałem wszystko, z wyjątkiem tego, że gag się uda. Co miałem teraz zrobić? Grzebałem przez dziesięć minut w pierwszej ciężarówce. Natknąłem się na kapsułki z H_2O, wodą. Przypomniałem sobie, jak Geneviève uczyła mnie wstrzykiwać szczepionki. Wystarczyło zrobić krzyżyk na górnej lewej części pośladka i trafić w cel. Przygotowałem zastrzyk z wody, po czym wróciłem do kabiny kapitana. Przybrałem ton sumiennego lekarza.

– Panie kapitanie, czyż nie jest prawdą, że alkohol piecze, kiedy przyłoży się go na otwartą ranę?

– Z pewnością.

– Pieczenie oznacza, że lekarstwo działa. Antybiotyk, który zaraz panu wstrzyknę, spowoduje taki sam efekt. Poczuje pan przeszywający, silny ból. Intensywność tego bólu będzie wskaźnikiem stopnia zakażenia, na które pan cierpi. Lekarstwo podziała bezpośrednio na pana jądra. A za kilka dni opowie mi pan, co u nich słychać.

Kapitan nie dał się prosić: spuścił spodnie i wypiął na mnie swój tłusty lewy pośladek. Wbiłem igłę jednym ruchem. Po czym wstrzyknąłem mu 10 cm sześciennych wody.

Kapitan odwrócił się do mnie z oczami pełnymi łez. Nawet nie starał się zachować pozorów dumy. Zdjąłem rękawiczki i powiedziałem mu, żeby usiadł. Wyobrażałem sobie, jak straszny ból przeszywał mu ciało.

– Panie kapitanie, co mam teraz zrobić z moimi ciężarówkami?

– Proszę przynieść mi papiery, załatwię to panu.

Jego głos był ledwie słyszalny. Twarz czerwona. Podstemplował wszystkie dokumenty. Powiedział mi do widzenia.

Odjechałem, obiecując mu, że wkrótce wrócę, by sprawdzić, jak się miewa. Odszukałem Clémenta na irackim posterunku. W jego spojrzeniu niedowierzanie mieszało się w zabawny sposób z przerażeniem.

W Bagdadzie zostałem powitany jak bohater. Geneviève zrobiła coś, co nie było do niej podobne: wskoczyła w swoim nienagannym kostiumie na tył mojego harleya. Za nami jechały obydwie ciężarówki. Objechaliśmy

Narody Zjednoczone, UNICEF, wszystkie NGO z naszymi ciężarówkami, symbolami wyłomu w embargu.

Dwa dni później trzeba było odwieźć ciężarówki do Turcji. Gra stawała się jeszcze bardziej niebezpieczna. Nie mogłem puścić kierowców samych. Na tureckim posterunku nie było żywej duszy. Tylko mój kapitan nadal siedzący za swoim kontuarem. W półmroku nie widziałem jeszcze wyrazu jego twarzy. Do chwili aż wykrzyknął:

– *Mister Marrrk. Doktoorrr Mark. My brother. My friend... Come, come*[20]. Niech pan podejdzie!

Miałem wrażenie, że wszystko jest w porządku. Paroma ruchami podstemplował papiery, zezwalające ciężarówkom na powrót.

– *Mister Mark. My best friend*[21]. Uratował mi pan życie... Chwileczkę.

Podniósł słuchawkę i wydał rozkazy po turecku. Krew odpłynęła mi z twarzy. Wydawało mi się, że rozumiem jego mowę: „No tak, ten typek drwi sobie ze mnie. Właśnie zadzwonił do straży. Pluton egzekucyjny ładuje już karabiny. Popełniłem błąd, nie doceniając jego inteligencji. Zapłacę za moją pychę".

Naprawdę ogarnęła mnie panika. Oto odgrywana była jakaś absurdalna wersja *Midnight Express*, a ja byłem aktorem w bardzo niewygodnym położeniu. Czepiałem się wątłej nadziei, że dzięki mojej karcie MSF i mojemu obywatelstwu kanadyjskiemu skończy się na zwykłym wydaleniu, poprzedzonym być może kilkoma dniami więzienia. To był najbardziej optymistyczny scenariusz. Najgorszy był taki, że kapitan w przystępie dumy sam wymierzy mi sprawiedliwość.

Nic takiego się nie stało.

Dostrzegłem w oddali zbliżający się dżip. Wysiedli z niego dwaj wojskowi, a za nimi kobieta, typowa turecka żona z grubymi nogami, które

---

[20] *Mister Marrrk. Doktoorrr Mark. My brother. My friend... Come, come* (ang.) – Panie Marrrk. Doktooorzee Mark. Mój bracie. Mój przyjacielu... Proszę podejść, proszę podejść.
[21] *Mister Mark. My best friend* (ang.) – Pan Mark. Mój najlepszy przyjaciel.

świadczyły o tym, że nie cierpi na niedożywienie. Na głowie chustka. Weszła na posterunek.

Gestem ręki kapitan nakazał jej usiąść. Wykonała rozkaz. Oficer wrócił do mnie.

– Mister Mark. I am okąy now. Very okąy[22]. Wszystko jest w porządku. Proszę zapytać mojej żony...

Kazał kobiecie to potwierdzić. Biedaczka umierała ze wstydu i patrzyła na mnie z uśmiechem, który mówił: „Cudownie poczyna sobie w łóżku, Al Hamdulla!"[23].

Przez zawodową sumienność mimo wszystko nalegałem, by zbadać go ponownie, a także przy okazji – dwóch strażników, którzy przywieźli jego żonę. Rezultat: wszyscy byli w doskonałym stanie.

– Mister Mark zawsze będę panu wdzięczny za to, co pan zrobił. Niech mnie pan prosi, o co pan zechce, zrobię wszystko, co w mojej mocy. Uratował pan moje małżeństwo. Powiedz mu żono, że uratował nasze małżeństwo!

– Właśnie miałem pana prosić o przysługę. Mam przyjaciela, który czeka na dziesięć ciężarówek ryżu zablokowanych w Batmanie. To Niemiec, który – co za zbieg okoliczności – cierpiał na tę samą chorobę co pan. Oddanie mu jego ciężarówek podziałałoby jak balsam na jego serce...

– Śmiało, może je pan zabrać.

Samochód wojskowy towarzyszył mi do tureckiego miasteczka. Zebraliśmy jedenaście ciężarówek Medico International, po czym zaprowadziłem je do Ranii.

Wjazd do obozu Medico w Ranii nie odbył się niepostrzeżenie. Clément, mój kierowca, czerpał złośliwą przyjemność z jazdy po żwirze, który rozpryskiwał się pod oponami.

Ralf wyszedł zobaczyć, co się dzieje. Pokazałem mu jego ciężarówki. Nazajutrz logistyk został odesłany do Niemiec.

---

[22] Mister Mark. I am okay now. Very okąy (ang.) – Panie Mark. Jestem teraz OK. Bardzo OK.

[23] Al Hamdulla! (arab.) – Dzięki Bogu!

ROZDZIAŁ DZIESIĄTY

Spotkanie na dachu w Sulejmanii

Poznałem niewielu Irakijczyków. Był stary mechanik MSF, który – jak wszyscy majsterkowicze świata – miał jadowite poczucie humoru. Przypominam sobie oczywiście wszystkich strażników z punktów kontrolnych, których w końcu polubiłem, nawet tych najbardziej złośliwych. Przy każdym przejeździe rozdzielałem pomiędzy nich około dwudziestu gazet. To tworzyło więzi. Stopniowo stałem się listonoszem tych panów, woziłem listy do ich rodzin, które pozostały w Bagdadzie.

Pewnego razu przywiozłem nawet Geneviève chłopca, syna jednego z komendantów. Miał wielki wrzód na ręce. Geneviève zoperowała go i leczyła do czasu, kiedy byliśmy pewni, że rana się nie zainfekuje. Chłopiec i wuj, który mu towarzyszył, pozostali dwa dni w hotelu. Odwiozłem go do ojca, a kilka dni później Geneviève pojechała zmienić mu opatrunek. Irakijczycy nie mogli się nadziwić, że francuski lekarz tłucze się sto osiemdziesiąt kilometrów, by leczyć jednego chorego. Na tej drodze nigdy więcej nie zawracano nam głowy.

Ludność iracka nauczyła się żyć w warunkach dyktatury. Partia Baas i służby wywiadu, które terroryzowały cały kraj, miały oko na wszystko. Irakijczycy nie dyskutowali już z nikim o polityce.

Tyle razy jeździłem do naszego biura w Basrze, a nigdy nie słyszałem o masakrze na szyitach, której Saddam akurat dokonywał. Nikt o tym nie pisnął słowem. Nie cieszyliśmy się wystarczającym zaufaniem, zresztą podobnie jak wszyscy inni. Dopiero wiele miesięcy później świat wreszcie się dowiedział. Zwykli ludzie, bo przywódcy od dawna udawali, że nie mają pojęcia o tym, co się dzieje, żeby nie musieć interweniować.

Żaden z Irakijczyków ani z sudańskich kierowców nie chciał rozmawiać otwarcie, musieliśmy się zadowolić słuchaniem przez cały dzień w kiepskim angielskim: „Saddam Hussein is the big man of this country..."[24]. Walid, Irakijczyk z naszego biura, był bardziej otwarty, ale nawet z nim nie przekraczaliśmy raczej czerwonej linii polityki. Był to dawny bohater irackich sił powietrznych. Dwukrotnie otarł się o śmierć i cudem ocalał. Dostał potem przydział do Bagdadu, miał utrzymywać w stałej gotowości osobisty samolot dyktatora – prezydenta. Towarzyszył przywódcy podczas podróży do Chin, Libii i wielu innych krajów.

Przyszedł rozkaz zamknięcia biura w Bagdadzie. Oznaczało to także koniec naszej obecności w Basrze. Musiałem zorganizować ewakuację siedmiorga zagranicznych pracowników. Paryż przez chwilę rozważał możliwość wyrażenia zgody na moją działalność bez wizy. Do czasu, aż zostanę zatrzymany i wydalony. Uznano to jednak za zbyt ryzykowne. Kampania medialna i dyplomatyczna w celu zmuszenia Iraku, by raz jeszcze przemyślał swą politykę odmawiania wiz organizacjom humanitarnym? Najnowsza historia pokazała, że Saddam Husajn kompletnie lekceważył sobie międzynarodową presję.

Nie można więc było niczego zrobić, należało wyjechać.

A ja miałem jeszcze tony zapasów w magazynach. Musiałem wynająć ponad trzydzieści ciężarówek, by wywieźć ich jak najwięcej do Kurdystanu. Jeśli chodzi o resztę, Geneviève zrobiła mi listę instytucji publicznych i prywatnych, które miałem obdarować w Bagdadzie: zakony żeńskie, grupy protestanckie, pomoc społeczna itp. Zostało nam jeszcze sporo odżywek; dostarczyliśmy je szpitalom pediatrycznym.

---

[24] *Saddam Hussein is the big man of this country...* (ang.) – Saddam Husajn jest wielkim człowiekiem tego kraju.

Do jednej z ciężarówek, które wiozły lekarstwa do Kurdystanu, wsunąłem mojego harleya-davidsona. Szlag by mnie trafił, gdybym musiał zostawić go w Bagdadzie.

Zamknięcie Basry odbyło się szybko, prawie bez bólu serca, bo problem niedożywienia najwyraźniej przestawał istnieć w tym regionie. Rozdzielając znaczne ilości artykułów żywnościowych między szpitale pediatryczne, byliśmy przekonani, że dokończą naszą robotę.

Obydwaj nasi ludzie z Basry błyskawicznie spakowali walizki i pojechali ze mną do Bagdadu, jakby udawali się na comiesięczne zebranie.

Wówczas jeszcze nie rozumieliśmy, dlaczego Saddamowi Husajnowi tak bardzo zależało na pozbyciu się pracowników humanitarnych. Przecież oddawaliśmy mu przysługę, zajmując się jego ludem i oszczędzając mu powstań. I tym razem dopiero później zrozumieliśmy, że zamierzał wykonać swoją brudną robotę na południu i nie chciał mieć świadków z zachodniej wspólnoty.

Dla pracownika organizacji humanitarnej nie ma nic bardziej rozdzierającego niż zamykanie misji. Wyjazd. Skazanie na bezrobocie miejscowego personelu. To trudne. Ale w Iraku nie dałem się długo prosić. Czułem się wyczerpany. Dość się napatrzyłem. Nie byłem w stanie uwolnić się od tych obrazów. Widziałem za dużo broni i za dużo bezsensownej przemocy. Byłem niemal u kresu sił. Trzeba było wyjechać.

Wywieźliśmy poufne dokumenty organizacji w wielkich niebieskich kufrach. Zabraliśmy je do magazynów, gdzie zaczęliśmy je palić kartka po kartce. Chcieliśmy zrobić to dokładnie, by miejscowi pracownicy, których tu zostawialiśmy, nie mieli kłopotów po naszym wyjeździe.

Ostatniego dnia zorganizowałem wyjazdy konwojów różnymi drogami. Geneviève w pierwszym, Eric w innym, a ja w samochodzie, który wywoził duży sprzęt: telefon satelitarny, instalację łączności radiowej itp. Całe podstawowe wyposażenie. Wszystko, czego Irakijczycy mogli nie pozwolić nam wywieźć; zwłaszcza że robiliśmy to, by przekazać sprzęt tym „dzikusom" Kurdom.

Przydało się sześć miesięcy odwiedzania punktów kontrolnych i więzy, które tak cierpliwie tkałem. Wybrałem drogę, którą uważałem za najbardziej pewną.

Przybyłem ostatni, ale z kompletnym wyposażeniem. W Sulejmanii przed biurem czekała cała ekipa MSF, tworząc szpaler honorowy. Przeżyłem chwilę chwały. To nigdy nie powszednieje: oklaski, obcałowujące cię dziewczyny, wyciągnięte ręce, poklepywanie po plecach. Byłem z siebie dumny.

Wspiąłem się po schodach biura MSF. Na górze siedział człowiek, którego nigdy wcześniej nie widziałem. Pykając fajkę, patrzył, jak się puszyłem. Miał imponujący wzrost, wyglądał na czterdziestkę.

Podał mi rękę.

– Cześć, nazywam się Jean-Christophe.

– Dzień dobry, ja jestem Marc Vachon.

– A więc to ty jesteś logistykiem, który zorganizował tę ewakuację?

– Tak!

– Brawo, dobra robota. Ale jest 11.20, a w południe mam udzielić wywiadu Radiu France Internationale. Zamontuj mi satelitę.

No tak. Zepsuł mi zabawę. Żadnego zrozumienia dla mojego prawa do skorzystania z dobrodziejstw popularności. Jego rozkaz naprawdę mnie zaskoczył. Nie powinno się tak mówić do bohatera. To miał być czas ucztowania i uciech. A nie powrót do roboty.

Z drugiej strony, było to tak trafnie powiedziane: „Wykonałeś dobrą robotę, dziękuję, ale teraz zamontuj mi to cholerne radio", że zamknął mi dziób. Byłem tylko w stanie wymamrotać coś pod nosem, po czym wróciłem do samochodu, zrzędząc: „Za kogo się uważa ten pieprzony zasraniec!".

Rozłożyłem antenę satelitarną na dachu domu MSF, nie przestając pomstować przez zaciśnięte zęby. Miałem ochotę przyłożyć temu fiutowi, który potraktował mnie w taki sposób – z góry. Sprawdziłem połączenie:

– Halo Paryż, tu Sulejmanija. Bagdad jest zamknięty. Za pięć minut zadzwoni do was niejaki Jean-Christophe. Ciao!

O wilku mowa, właśnie nadszedł Jean-Christophe. Nadal z fajką i z kartką, na której nabazgrał zarys swego wystąpienia radiowego. Chciał nawiązać ze mną rozmowę, ale nie byłem już w nastroju.

– No więc, jak się to z grubsza odbyło?

– Dobrze!

– Żadnych problemów?

– Pchiii.

– A gdybyś miał zaczynać od nowa, zrobiłbyś to inaczej?

– Co chcesz przez to powiedzieć?

– Spokojnie, tak tylko zapytałem.

Telefon przerwał tę źle rozpoczętą konwersację. Zszedłem do kuchni, dołączając do reszty ekipy, która otworzyła parę butelek piwa i słuchała na żywo RFI. Przybyłem na czas, by wysłuchać początku wywiadu: „Doktor Jean-Christophe Rufin, wiceprzewodniczący Lekarzy bez Granic. Dzwoni pan do nas bezpośrednio z Sulejmanii w Iraku...".

O cholera, to był wiceprzewodniczący. A żaden z tych złamasów nie uznał za stosowne mi o tym powiedzieć. Byłem pod wrażeniem. Ja, który jeszcze nigdy nie spotkałem wiceprzewodniczącego czegokolwiek, tym bardziej międzynarodowej organizacji. Słuchałem go uważniej, kiedy wyjaśniał, że MSF właśnie zamknęli swoje biura w Bagdadzie i Basrze przede wszystkim ze względów bezpieczeństwa, ale także z przyczyn politycznych. Poczułem do niego sympatię, gdy powiedział: „Operacje zamykania biur zawsze są niebezpieczne, ale nasz koordynator logistyki z Bagdadu wykonał to zadanie po mistrzowsku...".

Nie musiał wymieniać mojego nazwiska, ofiarował mi właśnie najpiękniejszy uścisk dłoni, jaki można sobie wyobrazić. Na żywo w RFI.

Kiedy przyszedł do nas do kuchni, musiał zauważyć, że mój ton złagodniał.

Jeśli chodzi o nasz miejscowy personel, wszystkich spotkał nie najgorszy los. Sekretarka pochodzenia libańskiego zapewniła nas, że czuje się bezpieczna ze swoim mężem i że nie ma zamiaru wyjeżdżać. Sudańczycy żyli w klanach; nie będą mieli problemu ze znalezieniem nowych posad kierowców. Mechanik uspokoił mnie, mówiąc, że nikt nie ośmieli się czepiać takiego starego człowieka jak on. Akurat wtedy urodziło się pierwsze dziecko Walida. Niepokoił się o bezpieczeństwo żony i syna. Oświadczenia Jeana-Christophe'a mogłyby przysporzyć mu problemów. Ale był już w Jordanii z całą rodziną. MSF wystawili mu oficjalny dokument, stwierdzający, że niemowlę musi zostać jak najszybciej poddane leczeniu w Ammanie. Geneviève Begkoyian poleciła go jednemu ze swoich przyjaciół, który pracował w Urzędzie Wysokiego Komisarza ds. Uchodźców. Dzięki temu Walid i jego rodzina mogli wyemigrować do Australii. Jeśli chodzi o mojego kierowcę Clémenta, zabrał walizkę i pojechał ze mną na północ. Nie wiedział, co zrobić ze swoimi dwudziestoma ośmioma latami. Pozostał na usługach MSF w Kurdystanie.

Zaczęliśmy rozwijać działalność w Kurdystanie. Zakopaliśmy w różnych miejscach kontenery wypełnione lekarstwami. Ten krok był owocem długich studiów geopolitycznych i geostrategicznych. Mówiliśmy sobie, że Saddam Husajn nie pozwoli, by Kurdystan w dalszym ciągu stawiał mu opór i że konflikt zbrojny wkrótce znów rozgorzeje. Ponieważ granice turecka i irańska były zaminowane, ludność nie będzie mogła uciekać w tym kierunku, rzuci się raczej w stronę gór na północy Iraku, albo innych gniazd oporu. Trzeba było więc zatrzymać lekarstwa i narzędzia, które umożliwiłyby nam szybkie uruchomienie jednostek interwencyjnych w okolicy. Niczego nie zaniedbaliśmy.

Zgodziłem się zostać ze wszystkimi w Kurdystanie. Ale pewnego ranka obudziłem się i pękłem. Nagle opadły mnie wspomnienia z mojej misji. Znajdowałem się w Sulejmanii, otoczony spokojnymi z pozoru górami, ale wiedziałem, że nic nie jest normalne w tym nieszczęsnym kraju. Bagdad nie był zadowolony z rozwoju wydarzeń, ja zaś nie ufałem Kurdom. Wiedziałem także, że po okolicy kręci się pełno szpiegów Saddama. Nie byłem spokojny, chodząc po ulicach. Nigdzie nie czułem się pewnie. W Bagdadzie, z powodu permanentnego stresu, w końcu wyrosły mi anteny, dzięki

którym wykrywałem agentów wywiadu. Ale w Sulejmanii wszyscy Peszmergowie byli do siebie podobni. A ponieważ pracowaliśmy wcześniej
w Bagdadzie, ludzie z północy okazywali nam nieufność. Nawet ci z MSF.
Kiedy przychodziłem, rozmowy gwałtownie milkły albo niezręcznie zmie-
niano temat. Uważałem, że nie zasłużyłem sobie na takie traktowanie.

Było mi zimno, dosłownie i w przenośni. Bagdad był miastem, w którym odbywały się spektakle, koncerty muzyki klasycznej. Zoo i stare targowisko były piękne, bogate. Sulejmanija była nędzną dziurą. Czułem się
tu również mniej wolny. Zresztą najgorsza robota została już wykonana,
w Sulejmanii nie było miejsca dla dwóch logistyków.

Kiedy wyrzuciłem Laurenta, pojazd, który uszkodził, został uznany za
„totalną stratę" MSF. Ale nie oddałem go na złom.

Pewnego dnia w Bagdadzie siedziałem z Walidem w restauracji, kiedy
zobaczyłem zaparkowanego przed nią podobnego pikapa. Był piękny, prawie nowy. Walid nawiązał rozmowę z właścicielem, który powiedział
nam, że Gwardia Republikańska dostała czterdzieści takich samochodów.
Poprosiłem Walida, żeby go zapytał, ile kosztuje taki pojazd. Dwaj faceci
odbyli naradę i obiecali zasięgnąć informacji.

Dwa dni później powiedzieli mi za pośrednictwem Walida, że mógłbym
kupić pikapy po 2500 dolarów. Nie mogłem się nadziwić.

– Jak to się dzieje, że można kupić za 2500 dolarów nową toyotę
w barwach Gwardii Republikańskiej?

– To proste – wyjaśnił mi Walid. Kierowca wręcza ci klucze i daje 48 godzin na zmianę oznakowania. Dopiero wtedy zgłasza utratę samochodu.

Gdy pojawiła się szansa tak smakowitego interesu, nieodmiennie budził się we mnie dawny Marc Vachon. Kupiłem samochód armii irackiej
bez zgody Paryża. W biurze powiedziałem, że potrzebuję 2500 dolarów na
zakup części zamiennych. Sprowadziłem auto do magazynu, przemalowa-
łem je na biało, przełożyłem silnik i napęd z samochodu, który rozbił Laurent, a części, które zostały z irackiego samochodu, wywiozłem na pusty-
nię. Właśnie wyposażyłem MSF w nowy samochód na koszt Saddama
Husajna, pod jego nosem. Potem to już była dziecinna zabawa: wskrzesi-

łem tablicę rejestracyjną samochodu Laurenta, który uznano za martwy. Typ, który sprzedał mi harleya, pożyczył mi także swój dowód tożsamości, żebym mógł zarejestrować motor. Ponieważ w Iraku można było wybrać sobie numer tablicy, zdecydowałem się na FSH91: *Fuck Saddam Hussein 91*[25].

Tak więc, kiedy opuściłem Kurdystan, miałem ze sobą już nie tylko harleya, ale także toyotę ukradzioną armii irackiej. Załadowałem do toyoty harleya, a także dwa dywany Geneviève i kilka drobiazgów należących do innych kolegów i wyruszyłem w drogę. Była to dziwna eskapada: motor ukradziony w Kuwejcie, samochód zwinięty armii irackiej, tureckie dywany, pamiątki z Iranu i Iraku, a ja jechałem z tym wszystkim do Europy, kierunek Paryż.

Wszystko poszło zbyt łatwo: wjechałem do Turcji dzięki papierom pobłogosławionym przez moją bratnią duszę – tureckiego celnika chorego z urojenia. Zostałem dwa dni w Stambule. Stamtąd pojechałem w kierunku Grecji, gdzie wsiadłem na statek do Ancony we Włoszech. Na próżno czekałem na sprawdzenie mojego samochodu przez greckiego celnika. W kasynie na statku wygrałem parę koszulek, a ponieważ nie tylko nieszczęścia chodzą parami, spędziłem noc w mojej kabinie w towarzystwie 42-letniej kobiety spotkanej w barze. Na włoskiej granicy moja chorągiewka MSF wywołała sensację, więc przejechałem bez problemów. Na posterunku francuskim moje wizy irackie zrobiły wrażenie na celnikach. Posłużyłem się silnym akcentem z Quebecu, by streścić im Irak. Gdy opowiedziałem o bombardowaniach, których nigdy nie widziałem, szczęka opadła im z podziwu. Pogratulowali mi i poradzili, żebym unikał autostrady z powodu strajku kierowców ciężarówek. Następnie przejechałem przez tunel pod Mont-Blanc i ruszyłem na Paryż.

Tego popołudnia byłem sam na drodze, z muzyką nastawioną na cały regulator, z uśmiechem na twarzy. Jeszcze raz mi się udało. Kurwa mać!

---

[25] *Fuck Saddam Hussein 91* (ang.) – Pieprzyć Saddama Husajna 91.

Zostałem zatrzymany tylko raz, przez strajkujących, przy wjeździe do Paryża. Znów odbezpieczyłem mój najpiękniejszy akcent z Quebecu i zapewniłem ich o mojej solidarności. Zapytali mnie, skąd jadę. Powiedziałem, że opuściłem Irak, ale wyjeżdżam nazajutrz wieczorem do Jugosławii. Specjalnie zboczyłem przed wjazdem do miasta wyłącznie po to, by powiedzieć im, by się nie ugięli. Kawałek kiełbasy i szklanka wina wylądowały w magiczny sposób w moich dłoniach zanim jeden ze strajkujących skończył usuwać blokadę, bym mógł przejechać.

Dotarłem do Paryża późno w nocy. Krążyłem przez kilka minut po dzielnicy MSF, szukając miejsca, gdzie mógłbym zaparkować samochód. Zabawne: było jedno wolne miejsce dokładnie przed numerem osiem przy ulicy Saint-Sabin. Poszedłem coś przekąsić i wróciłem spać do samochodu. Nie chciałem zostawiać go bez opieki.

Nazajutrz rano obudziło mnie stukanie w szybę. Kiedy otworzyłem oczy, otaczało mnie całe biuro MSF. Uściskom nie było końca. Ówczesny przewodniczący MSF Rony Brauman, jeden z najbardziej błyskotliwych ludzi, jakich było mi dane poznać, ochrzanił mnie żartem:

– Jesteś gnojkiem Vachon: to pięknie, że przywozisz harleya, ale gdzie jest drugi dla mnie?

Mało kto wiedział, że jest fanem motorów.

Tego dnia, po zebraniu z udziałem Geneviève Begkoyian, która wróciła dziesięć dni wcześniej, objechałem Paryż na moim motorze Fuck Saddam Hussein 91. Czułem się, jakbym miał jaja wielkie jak słoń i głowę jak olbrzymi arbuz. Dumny z mojego wyczynu, dumny z tego, że jestem cały i zdrowy, dumny z mojej opalenizny, dumny z tego, że żyję. I przekonany, że jestem gwiazdą. Nie wiedziałem, że podczas mojej nieobecności świat nadal się kręcił i że oczy planety były teraz zwrócone na Bośnię. Trochę uniosłem się, gdy MSF nie chcieli zagwarantować mi szybkiego przydziału i ograniczali się do powtarzania, że powinienem wziąć urlop.

Trzy dni później sprzedałem harleya, pobrałem w gotówce pieniądze, jakie MSF byli mi jeszcze winni i wsiadłem do pociągu jadącego do Amsterdamu. Przyjęła mnie para Holendrów, którzy kierowali biurem w Basrze. Pomogli mi znaleźć mieszkanie w centrum, za rozsądną cenę, nad kanałem.

Ale po to, bym mógł podpisać umowę wynajmu, holenderski oddział MSF musiał za mnie poręczyć. W ich biurze zaś dowiedziałem się, że potrzebują logistyka, który otworzyłby pilnie placówkę w Sarajewie. Powiedziałem sobie, że dzięki adrenalinie, która płynęła jeszcze w moich żyłach, mogę wyjechać na trzy miesiące – trzy miesiące, nie więcej, przysięgam! – szybko stworzyć tę strukturę i wrócić, by wygrzewać się na słońcu.

Tymczasem Heike, znajoma, która przyjechała do mnie do Malawi, postanowiła odwiedzić mnie w Amsterdamie i spędzić tu wakacje. Kiedy się pojawiła, powiedziałem już „tak" MSF i zbierałem się do kolejnego wyjazdu. Cztery dni, które spędziliśmy razem, były okropne. Nie zasługiwałem na nic innego. Wyjechała do Kanady. Nigdy więcej jej już nie zobaczyłem.

ROZDZIAŁ JEDENASTY

Noce w Café Obala

Byłem zły. Miałem jechać do Sarajewa, tymczasem tkwiłem w Zagrzebiu. Zdychałem z nudów w tej amatorskiej misji, gdzie było nas czworo do zarządzania trzema czy czterema regałami leków. Miesiąc później spakowałem się i wróciłem do Amsterdamu.

Mogłem wziąć półtora miesiąca wolnego. Zaznałem prawdziwego dobrobytu. Nakupiłem sobie butów, ubrań. Nie musiałem długo szukać, by znaleźć sobie towarzyszkę. To było szczęście. W małych dawkach. Tak jest lepiej.

Pojechałem na kilka dni do Geneviève Begkoyian do Bretanii pomóc jej odnowić dom. To był cudowny zakątek. Locmariaquer jest spokojne, ma bogatą historię, a ludzie są tu mili, zwłaszcza dla przybyszów z Quebeku. Bretończycy uważają, że przyjemniej jest przepłynąć ocean, niż jechać pociągiem do Paryża. Mówią, że śmierdzi, kiedy wiatr wieje od strony Paryża. Nigdy, kiedy bryza nadciąga od morza.

Pewnego ranka zadzwonił telefon. To był Mickey Wolf. Były dyrektor projektu Wysokiego Komisarza Narodów Zjednoczonych ds. Uchodźców (UNHCR) w Iraku i były chłopak Geneviève. Dzwonił z Zagrzebia, by zaproponować jej pracę. Ona jednak postanowiła zrobić magisterium z ochrony zdrowia w Stanach Zjednoczonych. Odrzuciła propozycję, ale spytała Mickeya, czy chciałby porozmawiać ze mną. Kiedy dowiedział się, że MSF jeszcze do mnie nie zadzwonili, zaproponował mi, bym popracował dla UNHCR-u. Zwróciłem mu uwagę na fakt, że przeszkodą może być mój poziom wykształcenia.

Odpowiedział, żebym się tym nie przejmował i przysłał CV, list motywacyjny oraz referencje od Geneviève Begkoyian i od Mickeya Wolfa. Zamiast wysłać list pocztą, uparłem się, że oddam go do rąk własnych w Genewie. Pojechałem do Pałacu Narodów, siedziby ONZ i – jak jakiś głupi fiut – zapytałem o biuro zatrudnienia.

Następnie powróciłem do Bretanii. Zostałem tam jeszcze dziesięć dni: malowałem dom, łowiłem ryby, zaprzyjaźniałem się z Pierre'em, bratem Geneviève. Miała jeszcze dwóch innych braci, JB i François, a także uroczą młodszą siostrzyczkę Anne, no i panią Begkoyian – matkę, szefową klanu od śmierci męża, zamordowanego w Libanie przez terrorystów. Begkoyian to ormiańskie nazwisko rodziny, która dużo przeżyła. Czułem się z nimi dobrze. Pokorny. Radosny. Moja francuska rodzina. Z panią Begkoyian w roli matki. Jeszcze dziś byłbym gotów dać w mordę każdemu, kto próbowałby zrobić jej krzywdę. *La famiglia è sacra*[26].

Włoski samolot w barwach Narodów Zjednoczonych został zestrzelony 14 września 1992 roku, gdy podchodził do lądowania w Sarajewie. Natychmiast przerwano most powietrzny. Postanowiono, że kanadyjskie błękitne hełmy zostaną rozmieszczone poza Sarajewem. Zadanie odbicia lotniska i doprowadzenia go do stanu używalności pozostawiono Francuzom. UNHCR musiał zmienić metody działania, by rozewrzeć kleszcze, które dławiły Sarajewo.

Takie były ostatnie wieści z dawnej Jugosławii, kiedy znowu wsiadłem do pociągu jadącego do Amsterdamu. Otwierając drzwi mojego mieszkania, natychmiast zobaczyłem grubą kopertę z flagą ONZ. Oferowano mi stanowisko zastępcy logistyka w Splicie, w Chorwacji.

Ponieważ byłem tam z MSF, wiedziałem co to znaczy Split: to były kobiety – Jugosłowianki są piękne, zwłaszcza te z wybrzeża – morze, plaże, skutery wodne, bella vita. Doskonale widziałem siebie pracującego przez kilka miesięcy w tak uroczej scenerii. A przede wszystkim to były Narody

---

[26] *La famiglia è sacra* (wł.) – Rodzina jest święta.

Zjednoczone. Coś podobnego! Montreal, Saint-Henri, Święta Kunegunda zostawały daleko w tyle.

Trzy dni później zostałem wezwany do Genewy. Przyznano mi najniższą oenzetowską pensję debiutanta pierwszego szczebla pierwszej grupy. Ale za bardzo się tym nie przejmowałem, bo to i tak było więcej, niż dawali mi MSF.

Dosłownie ograbiłem sklepy Amsterdamu z plażowych kreacji: żółcie, pastele, spodnie z kantem. Byłem w Chorwacji, znałem kokieterię Chorwatek, nie chciałem wyglądać jak cieć. Zwłaszcza że pracowałem dla ONZ. Tatuaże nie mogły ujrzeć światła dziennego...

Zanim wsiadłem do samolotu lecącego do Genewy, zaszedłem do irlandzkiego pubu w Amsterdamie i wyżłopałem duszkiem cztery kolejki po pół kwarty piwa. Nagle uświadomiłem sobie, że jadę na wojnę. Chociaż Chorwacja nie była celem wielkich bombardowań, znajdowała się niedaleko od nich. Jeszcze należała do jugosłowiańskiej rodziny. I nadal była okupowana przez bośniackich Serbów. Zrobiło się gorąco. W obrazach oglądanych w telewizji nie znajdowałem niczego pokrzepiającego.

Wsiadłem do samolotu mocno sponiewierany. Podczas lotu kilka kolejnych szklaneczek jeszcze bardziej oszpeciło mój wizerunek. Nieszczęśliwym zbiegiem okoliczności moja walizka nie dotarła na lotnisko w Genewie. Zostałem tylko w dżinsach, marynarce i białej koszulce, które miałem na sobie. A w niedzielny wieczór w Genewie sklepy były zamknięte.

Służby lotniskowe zlokalizowały moją walizkę i obiecały, że zostanie mi dostarczona nazajutrz w południe do hotelu. Cholera, a moje spotkanie w ONZ? No tak, warto było kupować sobie garnitur, żeby teraz stracić szansę na wielkie wejście...

Nazajutrz, gdy się tam zgłosiłem, miałem twarz równie zmiętą jak ubranie. W spojrzeniu mężczyzny, który mnie przyjął, dostrzegłem obrzydzenie. Najwyraźniej zastanawiał się, dlaczego ONZ poniża się do werbowania takich łachmaniarzy. Mimo wszystko wysłał mnie do działu fotografii w celu sporządzenia dokumentów podróżnych.

Następne trzy dni były przyjemne. Zostałem o wszystkim poinformowany, przeszedłem lekcje geopolityki na temat Jugosławii. Nauczono mnie także, jak odpowiadać prasie, używając słownictwa Narodów Zjednoczonych. Poznałem człowieka, który miał zostać moim szefem. Zrozumiałem, że nigdy nie będzie się mieszał do spraw operacyjnych – zajmie się przede wszystkim zamówieniami.

W środę po południu wyszedłem z ostatniego spotkania informacyjnego i poszedłem po bilet do Zagrzebia. Wyjazd był przewidziany nazajutrz. Potem wręczono mi paszport Narodów Zjednoczonych.

Stojąc przed wejściem do Pałacu Narodów w Genewie, mając przed oczyma Jezioro Lemańskie, nie mogłem powstrzymać się od refleksji, że chciałbym, aby żyła moja matka i ojciec, żeby mogli mnie teraz zobaczyć. Chciałbym trzymać w ręku telefon i móc zadzwonić do kogoś. Żeby powiedzieć: „Popatrzcie, czym się stałem ja, Marc Vachon z Saint-Henri w Montrealu, dziecko niczyje!". Myślałem o moich córkach. Nie szedłem, frunąłem. Paszport oenzetowski jest niewątpliwie najpiękniejszą rzeczą, jaką człowiek kiedykolwiek wymyślił. Bez kolorów, bez przynależności, bez religii – jedna planeta, jeden świat. To także symbol pewnej utopii – pokoju. Mimo to pozostaje niezrównanie piękny. A ja należałem do tej rodziny marzycieli i wielkich humanistów. Zaświadczało o tym moje zdjęcie w paszporcie. Do dokumentu zostały wpisane wyłącznie moje nazwisko, data urodzenia i funkcja. Nic innego. Nie było tam koloru moich włosów ani kraju pochodzenia. Mój kraj nazywał się teraz Ziemia. Byłem obywatelem Świata.

Nazajutrz wylądowałem w Zagrzebiu. Czekał na mnie samochód z emblematem ONZ. Pokoje zarezerwowano w Intercontinentalu. Miasto nie zaznało jeszcze wówczas bombardowań, ale worki z piaskiem zgromadzone przed strategicznymi budynkami wskazywały, że koniec jest bliski. Zagrzeb nie tętnił już normalnym życiem, ale funkcjonowały jeszcze najistotniejsze usługi, jak dostarczanie wody i prądu.

W biurze UNHCR dowiedziałem się, że priorytetem było wysłanie kogoś na lotnisko w Sarajewie w celu koordynowania napływu i dystrybucji pomocy humanitarnej. Tamtejszy logistyk, Norweg, zostanie wkrótce przeniesiony do jakiegoś spokojniejszego miasta, tak bardzo był przerażony. Czułem, że zaproponują mi jego miejsce. Obietnica wysłania mnie do Splitu w charakterze asystenta asystenta wyglądała na kawał zrobiony mi przez Genewę. W głowie dźwięczał mi kpiący głosik: „Gratulacje z powodu plażowych ubrań!".

Byłem sam w biurze szefa, który musiał pilnie wyjść, kiedy weszła ładna dziewczyna z krótkimi włosami, o ciele bogini. Nosiła okulary nadające jej dojrzały, a zarazem filuterny wygląd. Niewiele sobie robiąc z mojej obecności, podniosła słuchawkę i zaczęła kogoś opieprzać. Zrozumiałem – przynajmniej tak mi się wydawało – że nazywa się Una, jest asystentką w biurze w Sarajewie, musi tam wrócić jak najprędzej i nie rozumie dlaczego nie można znaleźć dla niej jednego kurewskiego miejsca w tym pieprzonym samolocie gównianych Narodów Zjednoczonych. Wydała mi się urocza z tym jej słownictwem furmana, bardzo oenzetowskim wyglądem i obojętnością na moją obecność. Odłożyła gwałtownie słuchawkę, zmierzyła mnie wzrokiem, poprawiając okulary, uśmiechnęła się i wyszła. Teraz już wiedziałem, że pojadę do Sarajewa. Kiedy wrócił szef, nie musiał mnie o to prosić, uprzedziłem go i zaproponowałem wyjazd tak szybko, jak będzie to możliwe. Zadawał mi pytania przez dwadzieścia minut, by oszacować moje doświadczenie. Gdyby było trzeba, wymyśliłbym sobie jakąś misję podczas wojny w Wietnamie. Musiałem jechać do Sarajewa. Była tam Una.

Pojechałem jednak do Splitu, by wziąć udział w zebraniu. Ale myślami byłem gdzie indziej, próbowałem odgadnąć, dokładnie ile wzrostu ma śliczna Una.

Nazajutrz wyruszyłem do Sarajewa. Pięćdziesiąt kilometrów od Splitu okazało się, że konieczny jest objazd przez las, by ominąć niebezpieczną strefę. Musieliśmy przejechać przez Mostar, który był w stanie wojny. Na punkcie kontrolnym przy wjeździe do miasta Chorwat nie chciał nas przepuścić. Z pomocą przyszły mi moje irackie nawyki: „Już rozmawialiśmy w mieście z pańskim kapitanem. Dał nam zezwolenie. *Nema problema*. Może pan zadzwonić!".

Plan był taki, że uwierzy nam na słowo i pozwoli przejechać. Tymczasem – co za katastrofa – on wyjął telefon zza ścianki i wykręcił jakiś numer. Nie znałem zbyt dobrze chorwackich zwyczajów, ale pomyślałem, że będziemy musieli wybrać pomiędzy kulką w głowę, a ścięciem. Uczepiłem się wątłej nadziei, że mogę przecież twierdzić, iż rozmawiał z niewłaściwym kapitanem. Szczęśliwym trafem telefon nie działał. Pozwolił nam przejechać. Było około piątej po południu.

Mostar zaczynał pogrążać się w ciemnościach. Słychać było odgłosy wystrzałów dochodzące ze wzgórz, ale wydawało się, że w mieście panuje spokój. Tylko opustoszałe ulice robiły dziwne wrażenie. Mieliśmy volkswagena golfa, jechaliśmy z prędkością ponad 150 kilometrów na godzinę. W samochodzie panowała cisza. Ciężka cisza. Pilno nam było dojechać do następnego punktu kontrolnego, tego przy wyjeździe z miasta. Kiedy wreszcie tam się znaleźliśmy, uświadomiliśmy sobie, że właśnie sforsowaliśmy blokadę Mostaru.

Moi towarzysze podróży mieli jechać do Vitezia. Wojna jeszcze nie dokonała tam spustoszeń. Nadal była elektryczność. Znaleźliśmy sobie ładny hotelik na noc.

Nazajutrz wstałem bardzo wcześnie, żeby udać się do Kiseljaka, wielokulturowego miasta, stworzonego w całości przez Tito, godzinę drogi od Sarajewa, Narody Zjednoczone postanowiły rozmieścić wówczas w tej strefie wojskowej kontyngenty różnego pochodzenia, aby reprezentowały wszystkie trzy grupy etniczne zamieszane w konflikt: francuski – składający się z katolików – chorwacką, egipski – muzułmański – bośniackich współwyznawców i ukraiński – prawosławnych Serbów; całość tworzyła piękny oenzetowski obraz.

Ponieważ droga do Kiseljaka była serbska, pilnowały jej wojska ukraińskie. Aby zapewnić bezpieczeństwo samochodom Narodów Zjednoczonych, otaczały je pojazdami opancerzonymi. Kiedy przybyliśmy na punkt kontrolny w Kiseljaku, okazało się, że nie jesteśmy pierwsi. Jakaś mała NGO (Non-governmental Organization) negocjowała już z Serbami pozwolenie na wjazd do Sarajewa z ciężarówkami wypełnionymi żywnością. Jeśli ktoś nie był z Narodów Zjednoczonych, Serbowie żądali bez ogródek zostawienia im połowy ładunku. A wszystkiemu temu towarzyszyły eksplozje bomb. To robiło niesamowite wrażenie. Zwłaszcza, gdy uświadamiałem sobie, że to właśnie tam jadę.

W końcu wsiadłem do ukraińskiego pojazdu opancerzonego. Próbowałem dostrzec krajobraz przez małe okienka. Najpierw był las, potem przedmieścia, podobne do wszystkich innych przedmieść świata z tą różnicą, że tu ulice były puste. Wreszcie przybyliśmy na lotnisko.

Wysiadłem na asfalt. Norweg, którego miałem zastąpić, wyszedł mi na spotkanie. Zaprowadził mnie na miejsce, które miało stać się moim domem na najbliższe sześć miesięcy: do magazynu na dworcu lotniczym w Sarajewie. W pobliżu wieży kontrolnej było sześć wielkich hangarów. UNHCR zajmował przedostatni. W środku podstawowe wyposażenie. Przepierzenie dzielące nas od magazynów wyznaczało miejsce na małe biuro, kącik kuchenny – w którym można było przygotować sobie kawę – i pokoik.

Norweg przedstawił mnie mojej ekipie miejscowych pracowników, którzy zdychali z nudów, czekając na wznowienie mostów powietrznych. Poznałem Rale, mojego kierowcę i przewodnika. Stateczny, uprzejmy, solidny i miły. Od razu poczułem, że jesteśmy sobie bliscy. Uparł się, by przedstawić mnie francuskiemu dowódcy, którego wojska – oddziały sił powietrznych, wojsk lądowych i marynarki – odpowiadały za bezpieczeństwo lotniska. Dowództwo składało się z dwóch pułkowników: jednemu podlegało lotnictwo, drugiemu – pułkownikowi Sartre'owi – sprawy bezpieczeństwa.

Przedstawiono mi Amrę, moją sekretarkę. Była bośniacką Muzułmanką. Wspaniałą blondynką o niebieskich oczach. W tej wojnie zdecydowanie nic nie było normalne.

Sarajewo było pogrążone w horrorze wojny domowej od 1992 roku. Jugosławia, z powodu swej różnorodności etnicznej i wyznaniowej, nie przetrwała długo po śmierci marszałka Tito, który umarł w 1980 roku. Już w roku 1986 na federację jugosłowiańską spadł pierwszy cios, kiedy serbscy intelektualiści wystąpili z apelem o przywrócenie serbskiej dominacji w imię historycznego oporu Serbów w obliczu roszczeń tureckich i niemieckich. Jeden człowiek – Slobodan Miloszević, wykorzystał ten nawrót nacjonalizmu u swych rodaków, by wywindować się na przywódcę najpierw Serbii, a następnie Federalnej Republiki Jugosławii. Projekt odbudowania wielkiej Serbii wprawił w zachwyt jego naród, który bił mu brawo, gdy likwidował autonomię Kosowa i niezawisłość Wojwodiny.

Armia jugosłowiańska, w której zdecydowanie przeważali Serbowie, nie ograniczyła się do tego i spróbowała podporządkować Belgradowi Chorwację. Już w czerwcu 1991 roku ciężka artyleria grzmiała w rejonie Vukovaru, ale wszystko zawaliło się na początku lipca, kiedy Serbia odmówiła uznania władzy Chorwata Stipe Mesicia na czele federacji.

Słoweńcy przepędzili armię federalną. Natomiast Chorwaci nie mieli czasu na zorganizowanie swego wyjścia z federacji. Armia i milicja przybyłe z rejonu Krajiny otoczyły miasto Vukovar, które upadło w listopadzie i przystąpiły do czystek etnicznych w podbitych regionach. Chorwaci zmobilizowali się wokół generała Franja Tudjmana, nacjonalisty, niegdyś sympatyka ustaszowskich ekstremistów.

Pozostał problematyczny przypadek Bośni i Hercegowiny, Jugosławii w miniaturze, republiki, która dla Tito była ucieleśnieniem marzenia o doskonałym tyglu kulturowym. Można było tu znaleźć – w jednakowych proporcjach – Muzułmanów mówiących po serbsko-chorwacku, katolików Chorwatów i prawosławnych Serbów. Początkowo budowla się trzymała. W Sarajewie – stolicy – małżeństwa mieszane były na porządku dziennym. Ale w marcu 1992 roku piękny sen prysł wraz z proklamowaniem przez Radovana Karadżicia Republiki Serbskiej w Bośni ze stolicą w Pale, niedaleko Sarajewa. Pewien pokojowy marsz brutalnie obrócił się w krwawą rzeź zgotowaną przez snajperów Karadżicia.

Ale horror nie ograniczył się wyłącznie do stolicy; pożar ogarnął całą Bośnię i Hercegowinę. Masakr, tworzenia obozów koncentracyjnych, systematycznych gwałtów będą się dopuszczały wszystkie obozy: Serbowie, Chorwaci i Muzułmanie. Spośród czterech milionów ludności, z której połowa żyje teraz na wygnaniu, ponad 200 tysięcy straciło życie. Świat zareagował utworzeniem misji ONZ – Sił Ochronnych Narodów Zjednoczonych (UNPROFOR), z których Serbowie nieraz będą się naśmiewać. Odkrywam właśnie Bośnię wściekle zaangażowaną w tę wojnę. Wojnę, która przeobrażała poetów w żołnierzy, ojców rodziny w bezbożnych zbrodniarzy, młodych w spragnione krwi wilki. A świat? Jak zwykle dając dowód tchórzostwa połączonego z naiwnością, chciał wierzyć w wynegocjowane, dyplomatyczne rozwiązanie. Dlatego tracono czas na opracowywanie nierealistycznych projektów pokojowych, podczas gdy tam, w Bośni, nienawiść rozciągała swoje macki i narastał smutek.

Sarajewo gnieździ się na dnie podłużnej doliny. Lotnisko znajdowało się na południowo-zachodnim krańcu miasta. Pas startowy zaczynał się na terenach serbskich, następnie przecinał część bośniacką, nim znowu stawał się serbski. Cholernie strategiczne świństwo. Dlatego był miejscem częstych starć. Zwłaszcza że znajdował się bardzo blisko niewielkiej serbskiej enklawy Nedzarici, otoczonej miastami muzułmańskimi. Serbowie oczywiście nie chcieli jej opuścić. Aby wydostać się z miasta, gdy zapadła noc, bojownicy musieli przejść przez lotnisko. Regularnie dochodziło więc do wymiany strzałów w odległości niespełna ośmiuset metrów od naszego biura.

To tam poznałem świst kul. A francuscy wojskowi dali mi do zrozumienia – co nie brzmiało uspokajająco – że jeśli słyszysz ich świst, to znaczy, że przelatują bardzo blisko twojej głowy. To stało się dla mnie codzienną muzyką.

Codziennie odłamki wystrzelanych nad nami pocisków spadały na dach magazynu. Mimo to się nie bałem. Na tym pieprzonym lotnisku było tylu ludzi, że czuliśmy się bardziej podenerwowani, niż przerażeni.

Norweg wyjechał nazajutrz wczesnym rankiem. Zająłem kwaterę. Kręciłem się w kółko, bo samoloty nadal nie przylatywały.

Mieliśmy dwa punkty dostaw w Sarajewie: Magros, magazyn centralny, i Piekarnię.

Pomoc humanitarna docierała do nas już tylko drogami ze Splitu i Belgradu. Była przywożona przez wielkie szwedzkie ciężarówki (Szwedzi mieli bzika na ich punkcie). Dopiero później Anglicy otworzą drogę z Odinje. UNHCR miał wtedy pięć ciężarówek Scania, które wyjeżdżały ze Splitu z tonami żywności.

Od razu zaprzyjaźniłem się z Francuzami, którzy ochraniali lotnisko. Była to dla nich odmiana po moim poprzedniku Norwegu, z którym nie mogli sobie porozmawiać.

Miałem u siebie na lotnisku pięcioro Bośniaków. Wszyscy mogli równie dobrze być mieszkańcami Montrealu lub Detroit. Jedyny, który moim zdaniem wyglądał na Araba z powodu smagłej cery i zarośniętej twarzy, okazał się Serbem. W ten sposób zrozumiałem, że niczego nie zrozumiałem z realiów etnicznych tego kraju. Najbardziej seksowną dziewczyną na lotnisku była Amra, bośniacka Muzułmanka. Nie tylko ja nic z tego nie rozumiałem. Przypominam sobie pewnego kierowcę około pięćdziesiątki, który powiedział mi, że jest Chorwatem ożenionym z Serbką, mieszka zaś w Sarajewie. Po której stronie powinien więc stanąć?

Bośnia była pełna takich rozdartych ludzi. Sami prawdziwi Jugosłowianie, efekt wymyślonego przez Tito skrzyżowania ras, zamieszania i cierpień. Mieszanina, która lepiej czy gorzej funkcjonuje w dużych miastach, czystki etniczne powiodły się bowiem wyłącznie w mniejszych miejscowościach, takich jak Vukovar. Wszystkie te hybrydy musiały czuć się swobodnie ze mną, kolejnym importowanym elementem.

Co wieczór docierały do nas straszne historie. Większość ludzi opowiadała o okrucieństwie serbskich nacjonalistów – czetników. To byli prawdziwi szaleńcy. Przybywali z różnych miejsc świata, także z Ameryki. Zachowywali się jak bandy motocyklistów w Kanadzie. Rozjeżdżali wszystko, co stanęło im na drodze.

Spotkałem probośniackich Francuzów i prochorwackich Australijczyków. Na grobach w Mostarze nierzadko można było przeczytać: „Tu spoczywa Mike Anglik".

Funkcjonowały jeszcze narodowe telewizje. Wieczorami oglądaliśmy różne kanały: Serbowie pokazywali sceny barbarzyństwa, przypisywane Bośniakom, którzy też nie byli bardziej powściągliwi wobec swych przeciwników. Nie musieliśmy jednak gapić się w telewizor, by wiedzieć, że dzieją się paskudne rzeczy. Wystarczyło słuchać z daleka odgłosów wybuchów i myśleć o ludziach, którym bomby spadały na głowę.

Szybko znudziło mi się idiotyczne opalanie. Postanowiłem pojechać do PTT Building. Budynek Poczty i Telekomunikacji został zarekwirowany przez Narody Zjednoczone i zachodnie ambasady. To tu znajdowała się kwatera główna UNPROFOR-u w dawnej Jugosławii. Musiałem tam odszukać Isumi Nakamitsu, Japonkę, która powinna ze mną współpracować. Miałem także zapytać o samoloty i o to, czy przewidywano rychłe wznowienie mostu powietrznego. Francuzi zaoferowali mi przejazd pojazdem opancerzonym.

PTT Building znajdował się w mieście, w dzielnicy muzułmańskiej. Żeby tam dotrzeć, trzeba było przejechać okrytą złą sławą aleją Snajperów. Już wówczas miała opinię drogi śmierci i na nią zasługiwała. Był to wielki sześciopasmowy bulwar, przedzielony w środku torowiskiem tramwajowym. To były jugosłowiańskie Pola Elizejskie, tyle że bez sklepów. Serbowie po jednej stronie, Bośniacy po drugiej. Snajperzy zajmowali pozycje w budynkach, za workami z piaskiem, nieruchomi. Karabiny nawet nie drgały, by nie przyciągać wzroku strzelców z naprzeciwka.

Wygrywał ten, kto miał mocniejsze nerwy i umiał wykorzystać najmniejszą słabość drugiego, by go wykończyć. Ci snajperzy byli przepełnieni rasistowską nienawiścią. Ileż razy słyszałem Serbów przysięgających, że „zaliczą Araba"? A Bośniacy z naprzeciwka skupili wokół siebie całą bandę mudżahedinów, Irańczyków, Afgańczyków, wszelakich radykalnych bojowników muzułmańskich.

Gruby Michel był najgroźniejszy ze wszystkich. Stał na punkcie kontrolnym Charlie, drugim przy wyjeździe z Sarajewa po stronie serbskiej.

Dawny mechanik, który kiedyś wiódł spokojne życie. Olbrzym, nie za piękny, bezzębny, zawzięty. Sfrustrowany tym, że nie może mieć pięknych kobiet z Sarajewa. W szkole był pośmiewiskiem dzieci i nadal nosił w sobie z tego powodu bezlitosną wściekłość. W jego wyobraźni wszyscy przystojni faceci byli Muzułmanami; chciał, by zapłacili mu za szykany z przeszłości. W Sarajewie każdy miał własne powody, by prowadzić wojnę, niekoniecznie geopolityczne.

Kilka dni później postanowiłem zapuścić się dalej i pojechać do miasta, zarówno po to, by je zwiedzić, jak i po to, by poznać tych, którzy otrzymywali nasze przesyłki. Amra spojrzała na mnie ze zdziwieniem. Próbowała dać mi do zrozumienia, że jest tam bardzo gorąco i że to może się źle skończyć.

Miałem opancerzonego Range Rovera. Poprosiłem Amrę, by mi towarzyszyła.

Włożyliśmy kamizelki kuloodporne, z którymi i tak prawie się nie rozstawaliśmy, i wyruszyliśmy w drogę. Jechaliśmy ukryci za francuskim pojazdem opancerzonym, który torował drogę. Ominęliśmy jeden most, bo obawialiśmy się, że jest zaminowany. Potem była Aleja Snajperów. Przejechanie nią zabierało niespełna pięć minut. Nie wiedziałem, że trzysta sekund może do tego stopnia przypominać wieczność.

Wcisnąłem pedał gazu i samochód skoczył do przodu. W myślach próbowałem sobie wmówić, że jestem Jamesem Bondem, że nic nie może mi się stać. Ale tak naprawdę nie byłem w stanie się bawić. Po obu stronach widziałem domy w płomieniach. To nie było kino. Wieżowce się tliły. Do tego ten piekielny hałas powodowany przez wybuchające w mieście bomby.

Dojechaliśmy, nie zatrzymując się, pod PTT Building. Sto pięćdziesiąt metrów na południe od Alei Snajperów znajdowała się niewielka, najwyraźniej spokojna droga, z której korzystali mieszkańcy. Tamtędy wjechaliśmy do Sarajewa.

Amra zaprowadziła mnie do teatru Obala, dawnej Akademii Teatralnej. Weszliśmy od tyłu, by nie natknąć się na zaczajonych snajperów. W podziemiu zastaliśmy przyjaciół Amry. Bardzo undergroundowe twarze, jakie widuje się w Paryżu czy Montrealu. Wszyscy mieli wyostrzone poczucie humoru. To była ich kamizelka chroniąca przed rozpaczą i desperacją. W radiu zdzierali sobie płuca Rolling Stonesi. Linia frontu była oddalona zaledwie o pięćset metrów, a Mick Jagger ryczał *I can't get no satisfaction*[27]. Artyści kpiarze dyskutowali o literaturze pięknej. Siedziałem z rozdziawioną gębą.

Rozmawiałem z nimi dwie godziny. Piłem kawę, zauważyłem ich ściągnięte rysy, które zdradzały długie bezsenne noce. Wielu ich kolegów postanowiło wyjechać. Oni woleli zostać. Ani przez patriotyzm, ani przez dumę, po prostu dlatego, że byli tu u siebie.

Wracając, zaproponowałem Amrze:

– Powinniśmy widywać ich częściej.

– Tak, ale może powinniśmy poprosić o zezwolenie służby dbające o bezpieczeństwo personelu ONZ.

Nie wiedziałem, że wróciła do kawiarni Obala pierwszy raz od rozpoczęcia wojny.

---

[27] *I can't get no satisfaction* (ang.) – jeden z najpopularniejszych utworów muzyki rockowej, skomponowany w 1965 roku przez Keitha Richardsa z tekstem Micka Jaggera.

ROZDZIAŁ DWUNASTY

Mission impossible[28]

Dzięki wypadowi do kawiarni Obala stałem się bardziej pewny siebie. Przyzwyczaiłem się do strachu przed Aleją Snajperów, do odgłosu kul świszczących blisko moich uszu. Zacząłem też zyskiwać przyjaciół.

Kiedy wyjechał Norweg, poszedłem za palety należące do armii francuskiej, by w ukryciu wypalić skręta. Byłem w trakcie rozkoszowania się nim, kiedy nadszedł młody żołnierz francuski. Musiał mieć około dwudziestu lat. Z powodu moich dwudziestu ośmiu lat i pozycji szefa na lotnisku, musiałem robić na nim wrażenie. Jedyną rzeczą, jaka przyszła mi do głowy, było pytanie: „Palisz ty?" Zadane na sposób quebecki.

– Słucham?

– Czy pan pali?

– Tak, proszę pana.

Włożył rękę do kieszeni, chciał mi wręczyć paczkę marlboro.

– Nie. Pytam, czy palisz trawkę?

W rekordowym tempie jego głowa wykonała obrót o 360 stopni. Nikogo w zasięgu wzroku.

– Tak – wyszeptał.

Ukucnął przy mnie i wziął końcówkę skręta, którego trzymałem w palcach.

– Cześć, ja jestem Marc.

---

[28] *Mission impossible* (ang.) – tytuł znanego filmu amerykańskiego z Tomem Cruise'em w roli głównej. Dosłownie: misja niemożliwa do wypełnienia.

– Ja Olivier, ale mówią na mnie Żużu.

– Co robisz?

– Rozładowuję samoloty. A ty?

Zdałem sobie sprawę, że robię niewiele, i obaj wybuchnęliśmy śmiechem. Żużu stał się moim najlepszym kumplem na lotnisku.

Dla naszej wygody, a także dla zabicia czasu, postanowiłem urządzić biura w głębi hangaru, by uczynić je bardziej przytulnymi. Aby zwiększyć bezpieczeństwo na wypadek ostrzału moździerzowego, ułożyliśmy na dachu hangaru kilka warstw samolotowych palet ładowniczych. Pocisk dużego kalibru mógł mimo wszystko przeszyć tę nędzną osłonę.

Salon ozdobiliśmy w sposób dość komiczny: ustawiliśmy w nim pięć telewizorów, nie tyle, by móc upajać się emisjami, ile by dawały światło, kiedy zapadnie noc.

Opróżniłem szafę ścienną, by zrobić z niej sobie coś w rodzaju pokoju, ze składanym łóżkiem, dość wygodnym. Najwyższe piętro stanowiły same worki z piaskiem. Umieściłem inne wokół łóżka. Kule, zanim dotrą do mnie, będą miały do pokonania całą serię zapór. Nie było to zbyt piękne, ale za to bezpieczniejsze. A przede wszystkim dobrze zrobiło mi opuszczenie ogólnego obozowiska i urządzenie sobie własnego kąta. Wieczorami mogłem cieszyć się względną prywatnością.

Ustanowiłem zasadę, że po godzinie dziewiętnastej nikt nie był wpuszczany do pomieszczeń prywatnych, chyba że przychodził z butelką wina lub jakiegokolwiek innego alkoholu. W dodatku pracowały dla mnie dwie dziewczyny, jedyne kobiety na lotnisku, byłem więc odpowiedzialny za ich bezpieczeństwo. Nikt im nigdy nie uchybił. W końcu miały do czynienia z wojskowymi armii francuskiej.

Piękną Unę odnalazłem w budynku poczty. Była jednym z powodów mojego przyjazdu do Sarajewa, teraz stała się prawdziwą przyczyną moich częstych wizyt w mieście. Bardzo szybko zaczęła też przyjeżdżać do mnie na lotnisko.

Nadszedł wreszcie wielki dzień. Amerykanie ogłosili, że uruchomili ponownie most powietrzny. Zbliżała się zima, trzeba było przejść do czynów. Wszystko już zorganizowałem i byłem gotowy na ich przyjęcie. Potwierdziłem też gotowość naszych zwykłych punktów dystrybucji. Magazyny Magros były skłonne przechować nasze zapasy żywności i lekarstw. Dysponowaliśmy nimi nieodpłatnie, bo właściciel wiedział, że dzięki wypisanemu na nich skrótowi ONZ, nie zostaną zbombardowane.

Przejeżdżałem bez problemów przez chorwackie zapory. Miałem kontakty po stronie serbskiej. Jeździłem tam często, by zapobiec incydentom. Wystarczyłoby, żeby wyłowili jakieś muzułmańskie brzmienie w nazwiskach kierowców, aby natychmiast ich sprzątnęli. W mojej obecności byli bardziej pojednawczy.

Ruszył most powietrzny.

Pierwszy w moim życiu wywiad telewizyjny. Z Christiane Amanpour z CNN. Powiedziałem jej, że mam dość zamiatania magazynu i nie mogę się doczekać przybycia żarcia. Miałem też dość oglądania wszędzie zmarłych. Kobiet i dzieci, które padały od kul snajperów. W szpitalach rozgrywały się sceny nie do zniesienia.

Ta przemoc poruszała mnie, tym bardziej że – w przeciwieństwie do Malawi czy Iraku – tu było tak jak na ulicy Bercy w Montrealu. Ludzie ubierali się jak ja. Zastrzelona kobieta w niebieskiej sukience w kwiaty mogła być pierwszą z brzegu panią Tremblay, która wychodzi na schody przed domem w Montrealu, by zawołać: „Manon, chodź na kolację!". Kurewska wojna.

Szefem UNHCR-u w Jugosławii był José María Mendiluce. Miał biuro w Zagrzebiu, ale jeździł regularnie do Sarajewa i do Belgradu, bo Narody Zjednoczone nadal uważały cały ten burdel za jedną całość: Jugosławię.

Wraz z uruchomieniem mostu powietrznego, w naszych biurach w Sarajewie przybyło nowych osób. Była Japonka Isumi, która dowodziła misją. Był Larry Hollingworth, który podawał się za koordynatora jakiegoś mętnego projektu, a w rzeczywistości chciał tylko zdobyć kontrakt. Będzie też Anthony Land, który przyjedzie pod koniec grudnia. Robiłem, co mogłem, by trzymać ich wszystkich w Sarajewie. Aby pozostać jedynym zagranicznym pracownikiem organizacji humanitarnej na lotnisku.

W okolicy było niewiele NGO – dwaj faceci z francuskiej organizacji Pierwsza Pomoc, których zajęcie polegało na otrzymywaniu paczek z pomocą humanitarną i ich rozprowadzaniu; Holendrzy z MSF, którzy zajmowali się centralną apteką, oraz ludzie z Akcji przeciw Głodowi. To wszystko. Trwała wojna, więc w terenie nie było tłoku.

Nawet Czerwony Krzyż opuścił region, żeby zaprotestować przeciwko zamordowaniu jednego z jego delegatów podczas wymiany więźniów serbskich i bośniackich.

Oprócz wojskowych, moich Jugosłowian i Japonki, nie widywałem wielu ludzi. Wznowienie funkcjonowania mostu powietrznego pozwoliło mi zwiększyć częstotliwość konwojów i wniosło trochę życia na lotnisko. Wprawiło mnie to w doskonały humor.

Pewnego popołudnia, które spędziłem w kawiarni Obala, wystąpiłem z pomysłem zorganizowania tam jakiejś imprezy. Mieszkańcy Sarajewa od miesięcy nie mieli rozrywek.

– Co takiego? – zakrzyknęli chórem artyści.

– Tak, powinniśmy urządzić jakiś koktajl czy wieczorek. Zajmę się wszystkim.

Zacząłem od przywiezienia awaryjnego generatora prądu, który mieliśmy na lotnisku. Artyści zajmą się zmontowaniem dekoracji z telewizorów, by zapewnić światło i muzykę. Codziennie wsuwałem do torby kilka butelek wina lub whisky, i gromadziłem je w kawiarni Obala. Miałem też anyżówkę i kilka piw. Przywieźliśmy mięso, szynkę, kiełbasy, które dostawaliśmy na lotnisku. Faceci ze stołówki armii francuskiej podarowali mi skrzyneczki świeżych owoców. Kupiłem pięć kartonów papierosów. Oznajmiłem artystom, żeby zaprosili swoich bliskich i powiedzieli im, że Żużu i Marc robią przyjęcie w stylu francuskim.

Ostatnia zagwozdka: jak przywieźć Żużu, który nie chciał, by ominęło go to wydarzenie, tak aby jego nieobecność nie została zauważona? Przyszedł do mnie i włożył cywilne ubranie. Wsunął się na tył naszego dżipa, leżał na podłodze pod nogami dwóch sekretarek. W ten sposób wywieźliśmy z lotniska, absolutnie nielegalnie, żołnierza armii francuskiej. Dopiero w Alei Snajperów, po przejechaniu punktów kontrolnych, Żużu mógł podnieść głowę. Dziwna ekspedycja: samochód UNHCR-u wiozący francuskiego żołnierza w cywilu i dwie Jugosłowianki, jadący w środku nocy na diabelską imprezkę w sercu Sarajewa uginającego się pod ciężarem bomb. Na przyjęcie przyszło prawie 50 osób. Dziewczyny włożyły wspaniałe czarne wieczorowe suknie na wielkie okazje i zrobiły sobie staranny makijaż. Faceci odprasowali smokingi. To był niezapomniany wieczór. Wszyscy ci poprzetrącani goście z całego świata odzyskali maniery ludzi cywilizowanych z normalnych czasów.

Aby od początku poczuli się swobodnie, Żużu i ja częstowaliśmy każdego szklaneczką anyżówki i dawaliśmy mu paczkę papierosów. Dzięki temu nie musieli o nie żebrać. Niektórzy nie widzieli świeżych warzyw od wieków, tym bardziej więc docenili nasz bufet. Następnego dnia o świcie znaleźliśmy Żużu śpiącego w kącie w kompletnym ubraniu. Zaciągnęliśmy go do samochodu i dyskretnie przywieźliśmy z powrotem na lotnisko. Wdział błyskawicznie mundur i wsiadł do swojego ciągnika. Podjechał w pobliże pasa startowego i już się stamtąd nie ruszył. Zastanawiałem się, co może tam porabiać. Podszedłem do niego, a on odpowiedział mi zaspanym głosem: „Przynajmniej jestem gotowy...". Była 6.30, pierwszego samolotu spodziewano się dopiero godzinę później.

Okazało się w końcu, że UNHCR nie odbiega od stereotypowego wyobrażenia o agendzie Narodów Zjednoczonym – instytucji urzędników i administratorów. Nie bez powodu szef tej organizacji jest „sekretarzem generalnym". Podczas wojny w Iraku NGO ukradły mu show. To one otrzymały cały kredyt zaufania za uratowanie tych biednych Kurdów. Tak jak w Malawi, Narody Zjednoczone zgodziły się odgrywać swą właściwą rolę: zarządców funduszy. Małe ekipy, ale dobrzy koordynatorzy. Choć wyobrażam sobie, że musiały być zazdrosne o sukces medialny NGO. Toteż gdy rozpoczął się festiwal humanitarny w Bośni, UNHCR postanowił, że już nie pozwoli się ubiec. To był błąd. Nie miał ani doświadczenia politycznego, ani kompetencji technicznych, które pozwoliłyby mu pełnić rolę koordynatora pomocy humanitarnej. Zresztą, czy nie powinien się zajmować uchodźcami? To znaczy ludźmi, którzy znajdują się poza granicami własnego kraju. A w przypadku kryzysu bośniackiego wcale tak nie było.

Ponadto ta oenzetowska machina za bardzo się rozrosła, przekraczając rozmiary pozwalające działać skutecznie. I ten pieprzony zwyczaj żądania raportu za raportem, który sprawiał, że traciło się za dużo czasu i za dużo elastyczności w zarządzaniu kryzysami.

Inny problem Narodów Zjednoczonych wypływa z tego, co stanowi ich urok: z różnorodności kulturowej i etnicznej. Nigdy nie będzie można żądać od Filipińczyka, żeby myślał jak Duńczyk, od Mozambijczyka, żeby funkcjonował jak Kanadyjczyk. Człowiek z Zachodu, który ma u siebie w kraju stałą, dobrze płatną pracę, może sobie pozwolić na krytykowanie i darcie mordy, by osiągnąć namacalne rezultaty. Argentyńczyk, Południowy Afrykanin czy Rwandyjczyk, który nagle dostaje bajeczne wynagrodzenie, chce przede wszystkim, aby święto trwało możliwie jak najdłużej. Pod pretekstem dokładnego przestrzegania regulaminu, upewnia się, że nic się nie zmienia. Nieważne są dyplomy, wychowanie pozostawia ślady. Zmarły nie oznacza tego samego dla Hindusa buddysty, co dla Irlandczyka katolika.

Dlatego w Bośni się nie udało.

Na czele misji postawili Japończyka. Tymczasem Japończycy nie są ludźmi zdecydowanymi. To negocjatorzy, dyskutują, rozprawiają, dążą do konsensusu, nie podejmują radykalnych kroków. A w Bośni narzędziem komunikacji stały się działa. Głos Japończyka był ledwie słyszalny.

Z operacyjnego punktu widzenia robiłem co mogłem, żeby zorganizować pracę, przynajmniej na lotnisku. W styczniu 1993 roku osiągnęliśmy to, co wydawało się niemożliwe: 24 samoloty dziennie.

W Metkoviciu udało mi się zebrać konwój piętnastu mercedesów, które znalazłem w Sarajewie i pomalowałem na biało, by załadować do nich zapasy żywności i zapełnić nasze magazyny. Kiedy nadeszła zima, byliśmy zdolni zapewnić dystrybucję koców, piecyków opalanych drewnem, drewna i mnóstwa innych rzeczy, oprócz jedzenia.

Jedyny problem: nie mieliśmy wystarczająco dużo personelu, by się upewnić, że żywność jest dostarczana tam, gdzie powinna docierać. Domyślaliśmy się, że żywimy żołnierzy bośniackich, zdawaliśmy też sobie sprawę, że Serbowie – ze swej strony – karmią w pierwszej kolejności własną armię, a dopiero potem ludność cywilną. Wiedzieliśmy, że pierwsza partia chleba z piekarni trafia na linię frontu. Mimo wszystko chcieliśmy być możliwie jak najmniej nabierani. Ale nawet to było ryzykowne: komu moglibyśmy się poskarżyć? Taki krok zrobiłby z nas prawdopodobny cel szalonych zabójców. Łatwo byłoby im nas sprzątnąć, a potem powiedzieć, że to sprawka jakiegoś ukrytego snajpera. To była wojna. Ohydna mafia położyła łapę na Sarajewie i jego czarnym rynku.

Czy w tych warunkach należało kontynuować dostawy żywności?

Oczywiście. Jedzenie docierało przecież do cywilnych odbiorców, choć nie całe. To nie była specyfika serbska czy bośniacka. Wszystkie społeczeństwa pogrążone w konfliktach znają pojęcie „wysiłku wojennego". Nie ma nic nowego pod słońcem dobrego Boga. Nie mogliśmy tego uniknąć; z drugiej strony ludność cywilna nie mogła stać się niewinnym zakładnikiem tych zwyczajów.

Żużu wyjechał w październiku, dwa dni przed moimi urodzinami. Zaprzyjaźniłem się z innym typem, z Danielem, który pilnował zaplecza hangaru. Miał prawie dwadzieścia siedem lat i służył w pułku od ponad pięciu lat. Był większym twardzielem niż ten cherlak Żużu. Kiedy Daniel stał na warcie, spałem jak suseł. To był prawdziwy marine.

Robota zaś była nadal niebezpieczna. Zostałem parokrotnie namierzony przez snajperów. Za pierwszym razem spowodowało to gwałtowny napływ dużej ilości adrenaliny do mojego mózgu. Usłyszałem głośne „brzdęk", gdy kula trafiła w mojego dżipa. Myślałem, że serce wyskoczy mi ustami. Kiedyś wziął mnie na muszkę jakiś typ z drugiej strony lotniska i jego kula przeszła dziesięć centymetrów od mojej głowy, by rozbić się z piekielnym hukiem o stojący za mną kontener. Druga kula utkwiła w odległości 40 centymetrów od moich stóp. Gdyby istniała konkurencja olimpijska w nurkowaniu pod ziemią, z pewnością w takiej chwili zdobyłbym złoty medal. Dlaczego ten kutas wziął mnie na muszkę? Prawdopodobnie chciał tylko sprawdzić, czy nadal trafia tak celnie jak kiedyś.

Ten kretyński konflikt był dość dziwny. Wydawało się, że nigdy nie zdołał całkowicie zniszczyć braterskich relacji między grupami etnicznymi. Zaprzyjaźniłem się z ludźmi z obydwu stron. Oczywiście czułem się bliżej związany z Bośniakami, bo żyłem z nimi, u nich, ale na przykład moja dziewczyna Una była Serbką. Borys, który po kilku latach został radiologiem w Toronto, był prawosławnym, pochodził z Rosji. Jego ojciec pracował jako chirurg w szpitalu, został zamordowany kilka tygodni później. Na serbskich punktach kontrolnych na mój widok butelki z alkoholem szybko traciły nakrętki, wszyscy trącali się szklankami i – nie szczędząc sobie kuksańców – pili za zdrowie brata Vaszonavicia. Po pięciu czy sześciu szklaneczkach ich śliwowicy, człowiek czuł się zamroczony, a była dopiero dziewiąta rano.

Dyskutowałem ze wszystkimi o sporcie, zwłaszcza o futbolu. Miałem wrażenie, że rozmawiam z ludźmi z Verdun, robotniczej dzielnicy Montrealu. Verdun pod ostrzałem. Wiedziałem, że wśród tych hulaków są prawdziwi mordercy. Widziałem, jak dobijali ludzi w rowie, ot tak, najzwyczajniej w świecie, a potem odwracali się do mnie i pytali, kto prowadzi w mistrzostwach Francji. Pewnego dnia gruby Michel kazał mi pozować z nim do zdjęcia. Za nami, na fotografii, widać dziesięć trupów w charakterze dekoracji. Najwięksi szczęściarze dostali kulkę w głowę, większość miała poderżnięte gardła. Co miałem zrobić? Odmówić pozowania do zdjęcia? Byłem wśród szaleńców podczas debilnej wojny. Koniec, kropka.

Sarajewo pachniało najczęściej prochem z dział, spalenizną i pyłem unoszącym się ze żwiru. Gdy tylko opuściło się miasto, czuło się radykalny kontrast. Ludzie wydawali się żyć normalnie. Trzy kilometry dalej było piękne gospodarstwo rolne. Właściciel miał 70 lat, spędzał dni na traktorze, troszcząc się o swoje uprawy, a wojna wyznaczała rytm ruchów jego szpadla.

To wszystko było zbyt absurdalne. Musiało zdarzyć się coś wielkiego, by położyć kres całej tej głupocie. W dniu moich urodzin, 27 października, postanowiliśmy powtórzyć imprezę w kawiarni Obala. Tym razem mieliśmy czas, by się lepiej przygotować. Artyści zebrali ponad 150 osób, zwerbowali orkiestrę. Zdążyłem zgromadzić alkohol i papierosy. Pierwszy samolot, który wylądował na lotnisku w tym dniu był pilotowany przez kapitana Cournoyera z armii kanadyjskiej. Kapitan przywiózł mi skrzynkę Labatt Bleue, piwa, które piłem w Montrealu, i butelkę whisky. Sfotografowałem go wraz z drugim pilotem przed C-130.

Następny był samolot amerykański: nie pozostał w tyle, przywiózł whisky. Potem przybyli Niemcy ze sznapsami. Przez cały dzień każdy lot przynosił mi kolejną butelkę. Zgromadziłem łącznie osiemnaście butelek, oprócz tego, co skupowałem wcześniej przez wiele tygodni.

Tego wieczora Marco Vaszonavić był gwiazdą Café Obala.

Powróciła wojna. Wiedzieliśmy, że Serbowie nie mają wystarczających środków, by przystąpić do czystek etnicznych dom po domu. Mieliśmy również świadomość, że *status quo* było dla wszystkich nie do zniesienia. A jeśli takie nastroje panowały w Sarajewie, to tak samo było w całej Bośni.

UNHCR mianował nowym szefem misji Jeremy'ego Brade'a, dawnego podpułkownika armii brytyjskiej. Sarajewo od razu zapełniło się Anglikami, wśród których znaleźli się Larry Hollingworth i Tony Lands, o których już wspomniałem. Co więcej, narzucili mi nawet czworo brytyjskich wojskowych jako asystentów: jeden odpowiadał za dystrybucję benzyny, kobieta i mężczyzna byli odpowiedzialni za dystrybucję w magazynach, a kapitan pozostawał w bezpośrednim kontakcie ze mną. Źle znosiłem to wymuszone współistnienie. Nie uważałem go za niezbędne. Życzyłbym sobie wyraźniejszego rozdziału między UNHCR-em i wojskowymi.

Chociaż tak naprawdę sobie tego nie uświadamialiśmy, permanentne napięcie sprawiało, że mieliśmy zszarpane nerwy. Potwierdził to pewien incydent.

Miałem dużego psa przypominającego owczarka niemieckiego, którego przywiązywałem w kącie hangaru. W ten czwartek w pobliżu lotniska trwały intensywne bombardowania. Jeden z pocisków spadł bardzo blisko i odłamek trafił psa w udo. Oszalałe z bólu zwierzę zerwało się z łańcucha. Właśnie w tym momencie przed hangarem przechodziło dwóch francuskich wojskowych. Pies mocno złapał jednego z nich zębami za łydkę.

Kiedy usłyszałem krzyki, wybiegłem z magazynu i chwyciłem zwierzę za obrożę. Odwrócił się do mnie i wpił mi w nadgarstek kły, które zdołały przebić moją skórzaną marynarkę. Z pyska rozwścieczonej bestii wydobywała się biała piana. Moja prawa pięść, pchana siłą desperacji, spadła na nos psa, który musiał puścić zdobycz.

Przybył dżip, by ewakuować zalanego krwią Francuza. Ja nie skończyłem jeszcze z psem. Poprosiłem wojskowych, żeby dobili go kulą w łeb. Odpowiedzieli, że nie mogą, bo ich kule są liczone. Trzeba było zezwolenia wyższego rangą oficera, by dokonać tej egzekucji.

Zaproponowali, że dobiją go bagnetem. Wydało mi się to zbyt barbarzyńskie. Wziąłem łopatę i poszedłem za zwierzęciem, które schroniło się w kącie hangaru. Trzymałem w ręku sznur, na którym zrobiłem pętlę. Kiedy pies mnie zobaczył, zaczął warczeć. Był przyparty do muru w kącie i wiedział, czuł, że się nie cofnę. Ledwie próbował uciec.

Założyłem mu sznur na łeb i pociągnąłem tak mocno, że jego łapy ledwo dotykały podłogi. Doprowadziłem go do końca pasa. Były tam schodki na kółkach, które dawniej służyły pasażerom do schodzenia z samolotów. Widniał na nich jeszcze napis „Sarajevski aerodrom", z liter obłaziła farba. Wszedłem po schodkach, przerzuciłem sznur przez poręcz, pociągnąłem. Oderwałem zwierzę od ziemi, umarło powieszone.

Zastanawiałem się, który z nas dwóch był bardziej szalony.

Wykopałem dół, żeby go pochować, a potem poszedłem do ambulatorium. Dramat: nie było surowicy przeciwtężcowej. Dowiedziałem się, że francuski wojskowy miał być ewakuowany do Belgradu jeszcze tego samego wieczora.

Pojechałem do szpitala w mieście, także nic. Należało udać się do Zagrzebia. Ale nie było samolotu. Wysłałem teleksem prośbę o przygotowanie dla mnie diet, bo musiałem pilnie tam jechać, by poddać się leczeniu. Niefart, nazajutrz samoloty jeden po drugim zaczęły odwoływać lądowania, bo w mieście nadal trwała strzelanina. Pierwsza maszyna przyleciała dopiero wczesnym popołudniem.

Dotarłem do Zagrzebia późnym popołudniem. Natychmiast poszedłem po moją forsę. „Pieniędzy nie ma" – powiedziano mi. Administrator-księgowy, Francuz – głupi fiut – wyrecytował mi punkt regulaminu, zgodnie z którym powinienem był zgłosić się przed zamknięciem okienka w południe. Zdębiałem. Ale nie miałem ochoty tracić czasu na czczą gadaninę, musiałem dostać zastrzyk przeciwtężcowy zanim będzie za późno. Księgowy i jego asystentka przypomnieli mi, że w dodatku zaniedbałem sporządzenie raportu o wypadku. Poszedłem do biura José Maríi, wielkiego szefa, gotów podłożyć ogień pod budynek, jeśli nie dostanę tego, co mi się należało. Sam José pożyczył mi tysiąc dolarów, które wyjął z własnej kieszeni. Księgowy wyleciał kilka dni później, oskarżony o molestowanie seksualne mojej koleżanki Tamary, chorwackiej sekretarki.

Ja zaś – żeby zamknąć tę sprawę – sporządziłem raport, o którym mówiło się przez lata w UNHCR-ze: „Godzina 14.27. Ryzykując życiem rzucam się na psa...". Kończyło się to: „Poniedziałek, godzina 16.30: wsiadam do samolotu lecącego do Sarajewa. Nazywam się Marc Vachon". Mój tekst był zredagowany jak fragment Mission Impossible. To było tak zwariowane, że moja notatka przeszła przez wszystkie biura UNHCR-u w świecie.

Na początku stycznia 1993 roku, dokładnie ósmego, doszło do incydentu, który miał dramatyczne reperkusje dla regionu. Czekaliśmy na samolot specjalny z pomocą humanitarną od Turków, gest solidarności z ich muzułmańskimi braćmi z Sarajewa. Ten lot dał się we znaki wielu ludziom, zwłaszcza francuskim żołnierzom. Nie byli pewni, czy uda się im przeszkodzić Serbom w wycięciu jakiegoś paskudnego numeru, którego konsekwencją byłoby umiędzynarodowienie konfliktu w dawnej Jugosławii. Otrzymali rozkaz strzelania do każdej podejrzanej osoby, która kręciłaby się w okolicach lotniska, kiedy wyląduje samolot.

Wicepremier Republiki Bośni i Hercegowiny odpowiedzialny za sprawy gospodarcze, Hakija Turajlić, postanowił przyjąć samolot na pasie startowym. Wtedy jeszcze o tym nie wiedziałem.

Maszyna wylądowała zgodnie z planem. Z powodu napięcia, które panowało cały dzień na lotnisku, miałem zszarpane nerwy. Żeby się odprężyć, postanowiłem spędzić noc w PTT, w cieple, u boku Uny. Kiedy zobaczyłem, że jakiś konwój opuszcza lotnisko, postanowiłem się do niego przyłączyć. Miałem w nosie, kto uczestniczy w tej wyprawie. Zająłem miejsce w range roverze obok angielskiego kapitana, który siedział za kierownicą.

Z tyłu mieliśmy trzech pasażerów: muzułmanina i dwóch Serbów. Konwój otwierał ukraiński pojazd opancerzony. Drugi był samochód francuski. Ja byłem w trzecim. Sznur samochodów zamykał inny pojazd francuski.

Nasz konwój wyruszył w momencie, kiedy odlatywał turecki samolot. Na końcu lotniska droga zakręcała. Właśnie tam się zaczęło. Pojawiali się zewsząd. Serbski czołg zagrodził nam drogę. Pojazd ukraiński jadący przed nami gwałtownie skręcił, by go ominąć i znalazł się w rowie. Konwój się zatrzymał. Ze wszystkich stron wychynęły karabiny maszynowe. A z rowów wyskoczyło około czterdziestu serbskich bojowników.

Z ust wymknęło mi się przekleństwo. Było około godziny 17 i zaczynał zapadać mrok. Rakiety oświetlające rozdarły niebo. Serbowie, którzy w nas celowali, nie wydawali się usposobieni do żartów. Mieli pełną świadomość – jestem tego pewien – że dopuszczają się bezpośredniego ataku na Narody Zjednoczone, co było najgorszym afrontem dyplomatycznym. Siedziałem w jedynym samochodzie mającym szyby. Ktoś otworzył gwałtownie drzwi i zanim uświadamiałem sobie, co mnie spotyka, zostałem złapany za kołnierz i rzucony brutalnie na ziemię. Wkrótce dołączyli tam do mnie trzej pozostali cywile.

Kapitan krzyczał: „What's happening?"[29]. W całym tym zamieszaniu usłyszałem Serba odpowiadającego: „Verification!"[30].

Wilgoć ziemi tego styczniowego wieczora zaczynała przenikać przez moje ubrania. Nie wiem, czy w drżenie wprawiało mnie zimno, czy kałasznikow na moim karku. Czułem, że napastnicy już się nie cofną. Znów złapali mnie za kołnierz i podnieśli, równie delikatnie. Zerwali mi z szyi kartę ONZ. Krzyczałem: „Kanadienski. Kanadienski. UNHCR. Wisoki Komisariat".

Facet oddał mi kartę, a raczej rzucił mi ją w twarz. Nie próbowałem już ukrywać, że się trzęsę. Było mi zimno, bardzo zimno.

W półmroku słyszałem krzyki i odgłosy krzątaniny wokół mnie. Radiotelefony jednych i drugich, Serbów i wojskowych ONZ, wypluwały bez przerwy rozkazy. Zobaczyłem, jak jeden z naszych pasażerów się podnosi. To był muzułmanin, Serbowie prowadzili go na pobocze, by go zabić.

Nie wiem dlaczego mój talent do wygłupów zawsze daje o sobie znać w niewłaściwym momencie.

Widzę się tylko, jak krzyczę: „Nie!". Podszedłem i stanąłem pomiędzy wojskowym i Bośniakiem. Darłem się, trzymając za rękę kierowcę, którego Serb uparł się poprowadzić na rzeź: „Driver Wisoko Kommissariat! Driver! What the fuck?"[31].

Ryczałem tak przez kilka sekund. Potem wmieszał się angielski kapitan. Z wysokości moich 191 centymetrów i zważywszy na moją posturę zazwyczaj robię wrażenie. Ale Serb stojący naprzeciw mnie nie był wstrząśnięty; on miał broń. Trzeba było coś wymyślić. Ten Bośniak był żonaty i miał dwie córeczki. Nie mogłem pozwolić, by został zarżnięty jak pierwszy lepszy kurczak.

---

[29] *What's happening?* (ang.) – Co się dzieje?
[30] *Verification!* (ang.) – Kontrola!
[31] *Driver Wisoko Kommissariat! Driver!. What the fuck?* (mieszanka angielskiego i serbsko-chorwackiego) – Kierowca wysokiego komisariatu! Kierowca! Co jest, kurwa?

Ktoś krzyknął po naszej prawej stronie. Cała uwaga grupy skoncentrowała się na innym pojeździe. Wysiadł z niego pułkownik Sartre, odpowiedzialny za bezpieczeństwo. Wziął sprawy w swoje ręce. Od tego dnia nosi w moim sercu medal bohatera.

Ponieważ był odpowiedzialny za bezpieczeństwo UNPROFOR-u, jego głównym zadaniem było upewnienie się, że przeżyją urzędnicy organizacji humanitarnych. W tym konkretnym momencie jego praca polegała na ochronie tych ostatnich, a następnie zrobieniu wszystkiego, by wojskowi również wyszli z tego cali i zdrowi. Właśnie w tej kolejności. Gdyby mu się to udało, jego misja zakończyłaby się sukcesem.

Pułkownik Sartre zapytał serbskiego dowódcę, czym zamierza usprawiedliwić ten atak. Usłyszał w odpowiedzi, że zasygnalizowano obecność mudżahedina w konwoju.

Najspokojniej w świecie, bez cienia arogancji, pułkownik dał Serbowi do zrozumienia, że jest za dużo świadków, aby mógł z nim spokojnie podyskutować. Było to tym bardziej uderzające, że francuski oficer nie był duży, a z powodu swoich grubych okularów wyglądał raczej na delikatnego. Najpierw uzyskał pozwolenie na wycofanie się pojazdu ukraińskiego. Chociaż ten jeden był uratowany.

Potem podszedł do cywili, do mnie. Skinął mi głową na znak wdzięczności. Muzułmanin nadal stał za moimi plecami. Pułkownik Sartre od razu się zorientował. Stanął przede mną i zaczął się targować o głowę Bośniaka. Poczułem, jak stojący za mną człowiek zaczął znów oddychać, kiedy uświadomił sobie, że między jego zabójcami i nim znajdują się wysoki oficer armii francuskiej i urzędnik UNHCR-u.

Serbowie w końcu opuścili broń i rozkazali nam wsiąść do samochodu. Potem podeszli do innych, przepuścili drugi pojazd, następnie przeszli do pierwszego.

Ktoś otworzył drzwi, żeby pułkownik Sartre mógł wsiąść i nagle wszystko potoczyło się nie tak. Zobaczyłem Serba podchodzącego do Sartre'a i wyciągającego ramię nad jego głową. W ręku trzymał kawałek czarnego metalu, który kilka razy się zakrztusił, nim w magazynku zabrakło kul. Wystrzały zagłuszyły skrzyp opon naszego samochodu, który właśnie ruszał.

Zastałem w PTT kompletnie spanikowaną Unę, bo radia ONZ poinformowały o zasadzce. Jeszcze się ściskaliśmy, gdy przybył pojazd opancerzony. Dowiedzieliśmy się, że to Hakija Turajlić, wicepremier Bośni, dał się sprzątnąć.

Ten incydent położył się cieniem na karierze pułkownika Sartre'a. Z politycznego punktu widzenia morderstwo jeszcze bardziej skomplikowało problem dawnej Jugosławii, już i tak nieźle pokręcony. Niemniej, jako świadek tej sceny, upieram się przy twierdzeniu, że pułkownik wykonał swoją robotę bez zarzutu. Doskonale wywiązał się ze swej misji. Uratowanie bośniackiego polityka byłoby premią, luksusem. Nie udało mu się. To wszystko.

ROZDZIAŁ TRZYNASTY

Panowie Anglicy

W Sarajewie sprawy układały się coraz gorzej. Bośniacy oskarżali wojska francuskie o współudział w zabójstwie ich wicepremiera. Pułkownika Sartre'a zastąpił tydzień później pułkownik Valentin. Ten ostatni był człowiekiem zupełnie innego pokroju. Służył jako oficer w Legii, wylądował tu ze swoją hordą niegrzecznych chłopców. Zawodowców, którzy nie znają litości. Dla legionistów istnieje tylko „tak" albo „nie", nigdy „być może". Straszni twardziele. Ich przybycie radykalnie zmieniło podejście do kwestii bezpieczeństwa na lotnisku.

Przede wszystkim zabrali się do wznoszenia wału obronnego wokół lotniska. Dopiero w tym momencie zdaliśmy sobie sprawę, że od miesięcy pracowaliśmy kompletnie odsłonięci.

Trzeba powiedzieć, że konflikt się zaognił. Muzułmanie ze środkowej Bośni i Hercegowiny oraz z Ilidży, przedmieścia Sarajewa, chcieli przerwać pierścień okrążenia wokół miasta, przechodząc przez górę Igman. Ich plan polegał na przybyciu od strony wzgórz i przejściu przez lotnisko, by dostać się do Sarajewa.

Wiedzieliśmy, że to nieźle nami wstrząśnie. Amerykańskie i europejskie samoloty zwiadowcze przysyłały zdjęcia lotnicze. Widzieliśmy wyraźnie, że wszystkie wzgórza i doliny wokół Sarajewa są czerwone od samochodów. Plama stale się powiększała. Liczbę zbliżających się ludzi szacowano na jakieś dziesięć do piętnastu tysięcy.

Czekaliśmy na szturm.

W Sarajewie ogłoszono piąty – najwyższy – stopień zagrożenia. Musieliśmy ewakuować personel oprócz ludzi absolutnie niezbędnych. Lotnisko było pełne przez cały dzień. Wycofywały się wszystkie NGO. Generał Morillon osobiście czuwał nad tym, by podczas całej operacji panował porządek. Ostatni samolot – kanadyjski – wystartował o godzinie 17.30. Pozostało już tylko zaledwie około czterdzieściorga cywilów. Pamiętam, że mechanik zapytał:

– Zostajesz tu, Marc?

– Oczywiście. *Some people have to*[32].

– OK. Powodzenia.

Po starcie zrobiło się cicho. W nocy czekaliśmy na eksplozje. Wkrótce będzie burza...

Jeszcze tego samego wieczora muzułmanie przypuścili szturm. Ale oczekiwali ich pełni determinacji Serbowie. To było piekło. Zaciekły ogień. Góry oświetlone na czerwono. Pociski świetlne przelatywały nad naszymi głowami zanim rozbiły się o niewidoczne cele. Leżeliśmy za workami z piaskiem, hełmy i kamizelki kuloodporne zapewniały nam zakrawającą na kpiny ochronę. Za każdym razem, gdy zdobywaliśmy się na odwagę, by podnieść oczy, zdawaliśmy sobie sprawę, że zarówno góry, jak i serbskie dzielnice zamieniały się w trupiarnie pod gołym niebem.

Francuscy żołnierze otrzymali rozkaz: nie walczyć o lotnisko, raczej zorganizować odwrót, gdyby muzułmanom udało się zejść z gór.

Minęła noc i dzień, potem nadeszła kolejna noc. Bośniakom nie udało się zejść. Serbowie stawili im czoło.

Kilka dni później wdrapaliśmy się na górę. Widok mroził krew w żyłach, tak jak panująca wówczas temperatura. Osiemnastoletni chłopcy pomarli z zimna, stojąc za drzewami z przyciśniętymi do piersi kałasznikowami, słabą ochroną przed mrozem, który musiał ich zaatakować zewsząd, zwłaszcza od środka. Inni, z otwartymi jeszcze na pustkę oczami, zostali skoszeni przez bezlitosne kule. Leżeli na śniegu, który powoli

---

[32] *Some people have to* (ang.) – Ktoś musi.

ich zakrywał. Ale była też cisza ocalałych. Trupio blada apokalipsa, którą pokrywał całun ze śniegu.

Zaczynałem odczuwać zmęczenie. Od zbyt dawna żyłem w napięciu. Również warunki sanitarne były niewesołe. Nie myliśmy się już codziennie, tak bardzo było zimno. Kamizelka kuloodporna stała się naszą drugą skórą, nie rozstawaliśmy się z nią. Żeby zrobić kawę, trzeba było kruszyć lód, gotować go, wszystko po to, by uzyskać ledwo nadającą się do picia miksturę. W kantynie królowała nieodmiennie dieta kiełbasiana. Wszyscy byliśmy tym zdegustowani. To nie było wcale podniecające.

Miałem coraz bardziej dość tego, że przez cały czas byłem zmuszony do negocjowania ze wszystkimi, jak gdyby niczego nie można było już normalnie załatwić. Traciłem ciężarówki pełne benzyny, Chorwaci uprowadzali je dla własnych potrzeb. Tymczasem ta benzyna była przeznaczona do zaopatrywania szpitala w prąd. Niektórym pacjentom groziła śmierć. Straciłem ochotę na ustępstwa, poszedłem do ukraińskiego kapitana odpowiedzialnego za konwój. Odszukawszy go w stołówce, zapytałem, kto zabrał moje ciężarówki.

– Są w Kiseljaku. Oddaliśmy je Chorwatom, bo tego od nas zażądali.

Wpadłem w straszną wściekłość. W obecności wszystkich, w kantynie. Jeden z kanadyjskich oficerów chciał się wtrącić. Wyjaśniłem mu:

– Ukrainiec dał moje ciężarówki Chorwatom. A ja mam w szpitalu chorych, którzy mogą umrzeć jeszcze tego wieczora…

– Przede wszystkim, proszę pana, to nie jest Ukrainiec tylko oenzetowiec.

Miałem ochotę wrzasnąć na tego idiotę, ugodowego na modłę kanadyjską.

Pognałem sam do Kiseljaka. Przypadkiem natknąłem się na olbrzymiego amerykańskiego podpułkownika. Nie wiedziałem, że Stany Zjednoczone wysłały wojska do Bośni. Oficer był istną karykaturą amerykańskiego marine z filmów wojennych. Zastanawiałem się, czy nie wyjmie cygara zanim realizator zdąży krzyknąć: „Cięcie!".

Poszliśmy pieszo do bazy HVO, Chorwackiej Rady Obrony. Amerykanin kazał przyprowadzić szefa.

– Jestem z Narodów Zjednoczonych. Chciałbym wiedzieć, kiedy zamierzacie zwrócić ciężarówki pana Vachona.

– Nigdy. Ta ropa jedzie do Sarajewa. Bośniacy wlewają ją następnie do swoich pojazdów opancerzonych i przyjeżdżają nas ostrzeliwać.

– Stop. Nie chcę słuchać tych gadek. Nie ze mną takie numery. Albo oddacie mu te ciężarówki, albo pójdę po moich ludzi i sam je odbiorę.

Odjechałem do Sarajewa z moimi ciężarówkami.

Incydenty się mnożyły. Poza wszelkiego rodzaju handlem organizowanym przez same błękitne hełmy, strony walczące zaczęły korzystać z sieci, jakie oferowała im międzynarodowa obecność. Pewnego dnia o mały włos słono za to nie zapłaciłem.

Przedstawiciel UNICEF-u stworzył system dostawy butli z tlenem do Sarajewa; miały one kluczowe znaczenie dla szpitala. Firma, która je produkowała, znajdowała się 60 kilometrów od miasta. Trzeba było odbywać jeden kurs tygodniowo. Superniebezpieczne zajęcie. Jedna wystrzelona w butlę kula wystarczyłaby do wysadzenia w powietrze całej dzielnicy. Notabene nikt nie chciał wozić tych pocisków. Pierwszą ciężarówkę, która wjechała do miasta, prowadził pewien cywil z Bostonu. Nie tajny agent ani przebrany wojskowy. Po prostu anonimowy bohater UNICEF-u.

Po tym pierwszym transporcie operacja została powierzona UNHCR-owi. Nie można było się wycofać. Skoro zrobił to UNICEF, my też byliśmy w stanie tego dokonać. Przez miesiąc wszystko przebiegało bez większych problemów.

Potem częstotliwość zaczęła się zwiększać. Najpierw była jedna ciężarówka co dwa dni, potem codzienne kursy. Zapytałem Larry'ego Hollingwortha, czy to zwiększone zapotrzebowanie na tlen nie wydaje mu się dziwne. Przysiągł mi, że to normalne. Ale obiecał jeszcze to sprawdzić w dyrekcji szpitala.

Nie byłem spokojny, skazując moich kierowców na taki stres. Bałem się, że pewnego dnia pękną, a my za późno zdamy sobie z tego sprawę. Zadzwoniłem do Finki ze Światowej Organizacji Zdrowia (WHO), która pracowała w szpitalu i zapytałem, dlaczego dostawy tlenu pięciokrotnie wzrosły. Nie miała pojęcia.

Wiedziałem już, że powinienem obawiać się najgorszego.

Pewnego ranka zadzwonił telefon: „Marc Vachon, czekamy na pana na posterunku policji w Ilidży!". Ron Redmond z biura informacyjnego UNHCR-u uparł się, by mi towarzyszyć.

Oficer policji, który nas przyjął, znał mnie, ale nawet nie zadał sobie trudu, żeby powiedzieć mi dzień dobry:

– Mamy jedną z pańskich ciężarówek z gazem. Otworzyliśmy jedną butlę, była wypełniona prochem armatnim.

– Słucham?

Podprowadził mnie do ciężarówki i oświadczył, że przez cały miesiąc UNHCR uczestniczył w dostawach amunicji dla armii przeciwnika. Oficer nie był w nastroju do bratania się ze mną. Jego zdaniem pomagałem ludziom, którzy strzelali do niego przez całe dnie. Właśnie wtedy przyszedł bardzo wysoki człowiek, ubrany na niebiesko, w wypastowanych butach, z makarowem wsuniętym za skórzany pasek. Kiedy oficer policji stanął na baczność, zrozumiałem, że to była gruba ryba z Pale, stolicy Republiki Serbskiej w Bośni.

Nigdy go wcześniej nie widziałem. Przejął ster przesłuchania, podczas gdy oficer policji serwował mu z uniżeniem kawę.

– Vaszonević?

– Da.

– Marko Vaszonević?

– Da!

Wyjął swojego makarowa i położył go na stole.

– *We have to talk* [33].

---

[33] *We have to talk* (ang.) – Musimy porozmawiać.

Czułem, jak stojący za mną Redmond porusza się nerwowo, upuszcza długopis.

– Co to za historia?

– Ciężarówki UNHCR-u wypełnione prochem armatnim.

– Wiedział pan o tym?

– Nie, szefie.

Przez minutę mierzył mnie wzrokiem. To był test. Gdybym mrugnął okiem, albo gdyby dostrzegł w moim spojrzeniu najmniejszą wątpliwość, byłbym trupem. Słuchał, jak opowiadałem mu z mnóstwem szczegółów genezę tej transakcji, kroki, jakie podjąłem, kiedy zacząłem podejrzewać, że coś jest nie tak. Mówiłem przez godzinę. Bez przerwy. Z wściekłą wolą przekonania go. Chciałem, by mi uwierzył. Akurat z tym przekrętem nie miałem nic wspólnego.

Bałem się, jak nigdy w życiu. To nie był dobry moment na odgrywanie komedii. To nie był Turek z chorobą jąder, ale szef tej bandy zabójców, którą aż nazbyt często widziałem w akcji.

Sąd to był on. Jego wyrok leżał na stole: kawałek czarnego metalu, z lufą mogącą plunąć ogniem śmierci.

Gdy skończyłem wyjaśnienia, uścisnął mi rękę i życzył szczęśliwego powrotu do Sarajewa. Nie chciałem ani nie powinienem potępiać nikogo, UNICEF-u ani UNHCR-u. Nasza robota polegała na zabieraniu butli z prywatnej fabryki i dostarczaniu ich do szpitala. Koniec, kropka. A tam prawdopodobnie ktoś po nie przyjeżdżał. Operację zorganizowali bośniaccy wojskowi.

To był ich przemyt. To była także ich kurewska wojna. Miałem tego dość.

I tylko ten dziwny zbieg okoliczności. Kiedy wróciłem do Sarajewa Larry Hollingworth i Anthony Land równocześnie się ulotnili. O nic ich nie oskarżam. Mówię tylko, że był to niezwykły zbieg okoliczności. Zresztą, cóż bym im powiedział? Łączność została zerwana. *Boys don't cry*[34].

Trzeba było się stąd wynosić.

---

[34] *Boys don't cry* (ang.) – Chłopaki nie płaczą.

*

Pani Sadako Ogata, Wysoki Komisarz Narodów Zjednoczonych ds. Uchodźców, odwiedziła nas w połowie lutego. To był jej drugi przyjazd do Sarajewa. Pogratulowała nam naszej „nadzwyczajnej pracy". W delegacji, która jej towarzyszyła, był José María. Zdał sobie sprawę, że jestem u kresu sił. Kazał mi wyjechać gdzieś na parę dni, odprężyć się daleko od tumultu wojny.

Tymczasem nadeszła wiadomość, że Rale, mój asystent, został postrzelony w nogę. Przeżyłem pięć miesięcy z tym człowiekiem. Widywałem go dzień w dzień. Dzieliłem z nim moją codzienność, moje lęki i sukcesy. Teraz leżał na noszach. Jego krew była jak moja. Postanowiono wysłać go do PTT i natychmiast zoperować.

Wsiadłem do francuskiej karetki i trzymałem za rękę nieprzytomnego Rale. Rana nie wyglądała ładnie. W PTT panowała panika. Dowiedzieli się, że został postrzelony członek UNHCR-u, ale jeszcze nie wiedzieli, kto. Pani Ogata nalegała, żeby UNHCR zrobił wszystko, by pomóc pracownikowi. Potem weszła ze swoją świtą piętro wyżej, by skończyć posiłek. Ja nie byłem głodny. Pozostałem przy drzwiach bloku operacyjnego aż do momentu, kiedy mi powiedziano, że mój asystent, a przede wszystkim mój kumpel, z tego wyjdzie. Przyjechała matka Rale. Pani Ogata przyrzekła jej, że UNHCR zrobi wszystko, by jej syn znowu mógł chodzić. Te dwie sześćdziesięciopięcioletnie kobiety mówiły o nim, jak potrafią to robić tylko matki.

José pozwolił mi zostać kilka dni, abym zakończył bieżące sprawy.

Nazajutrz Anthony Land, który nagle się odnalazł, poinformował mnie, że Rale opuści szpital jeszcze tego samego dnia. Poczułem ulgę. Zapytałem, gdzie go zawiozą. Odpowiedział mi bez zmrużenia oka: „Do szpitala w Sarajewie!".

Nie miałem już nawet siły wrzeszczeć. Ten człowiek chyba zapisał się na intensywny kurs głupoty. Rale był Serbem.

– Nie, jest z UNHCR-u – nalegał Anthony Land.

– Przestań Tony. Jest może z UNHCR-u w twoich oczach. To z pewnością Serb, który najbardziej ryzykował życiem dla Bośniaków. Ale niemniej jest Serbem. Kiedy tylko przełoży nogę za próg, poderżną mu gardło. Jeśli nie zamordują go pielęgniarze lub lekarze, ktoś przyjdzie w nocy, by posłać mu kulkę w głowę. Zresztą szpital w Sarajewie jest pełny. Nie staną na głowie, by leczyć Serba.

– Nie można przyznać tego rodzaju przywileju miejscowemu pracownikowi, zdajesz sobie sprawę...

– Ale zaproponowała to pani Ogata.

– Tak, ale to drogo kosztuje.

– To nie twoja forsa Tony. Pani Ogata obiecała.

– W takim razie trzeba go ewakuować do jednego z serbskich szpitali.

– Też zostanie sprzątnięty, żywił Bośniaków.

Miałem ochotę się rozpłakać. Ale nie chciałem mu zrobić tej przyjemności. Zszedłem porozmawiać z francuskim lekarzem. Błagałem go, by podpisał zaświadczenie, że Rale musi być leczony w szpitalu wojskowym w Val-de-Grâce we Francji, by nie stracić nogi. Lekarz tylko na to czekał: miał ochotę towarzyszyć swojemu pacjentowi.

Bernard Kouchner, który był wówczas sekretarzem stanu ds. działalności humanitarnej, stworzył most powietrzny, by móc ewakuować ludzi do Francji. Samolot startował ze Splitu i leciał do Paryża z międzylądowaniem w Bordeaux.

Załatwiłem wszystko z kolegami z francuskich sił powietrznych. Tylko z Francuzami możliwe było złamanie wszelkich przepisów, by uratować jedno życie ludzkie. Mam dla nich wyłącznie podziw. Nie wtajemniczyliśmy Anthony'ego Landa. Znalazłem się u boku Rale w samolocie, który wracał do Francji z licznymi rannymi Chorwatami na pokładzie.

W Paryżu przyjechała po niego – pod trap samolotu – karetka armii francuskiej, by zabrać go do Val-de-Grâce.

Zgłosiłem się do biura UNHCR-u w Paryżu i przekazałem kartę Rale kobiecie, która mnie przyjęła: „Dzień dobry pani. Przyjechałem z Sarajewa. Towarzyszyłem rannemu pracownikowi serbskiemu. Jest leczony w Val-de-Grâce. Oto jego kontrakt. Proszę mieć go na oku, bo to jest kolega nas wszystkich. Proszę skontaktować się z Genewą w sprawie zwrotu kosztów leczenia. Cześć. Do widzenia!".

Prawie natychmiast wyjechałem do Amsterdamu, a stamtąd do Zagrzebia. Czekali na mnie Una i José. Spędziłem z nimi piękny wieczór. Po pięciu dniach w Paryżu byłem świeży i w dobrej formie. W świetnym humorze, szczęśliwy, że jestem z Uną i że mogę korzystać z uroków tego pięknego miasta.

José María wyjechał do Belgradu. Dostał ataku serca. Trzeba było go pilnie repatriować. Natknąłem się na Anthony'ego Landa w korytarzu budynku UNHCR-u w Zagrzebiu, starał się unikać mego wzroku i zaraz wybiegł. Dziwne.

Kiedy poszedłem po kartę służbową upoważniającą mnie do przelotu do Sarajewa, asystentka poinformowała mnie, że nowy szef operacji, ten, który zastąpił José, chce ze mną porozmawiać.

To był eks-generał armii brytyjskiej. Powitał mnie drapieżnym uśmiechem.

– Marc, słyszałem o panu. Wiem, że jest pan asem. Chciałem panu powierzyć otwarcie biura w Banja Luce, głównym mieście Republiki Serbskiej w Bośni.

– Co?

Zamknęliśmy już Banja Lukę. Żaden z pracowników nie mógł znieść panującego tam napięcia. Miasto było zbyt niebezpieczne.

– Pojedzie pan do Banja Luki.

– Jestem od pięciu miesięcy w Sarajewie. Kończę za trzy tygodnie. Już powiedziałem, że nie chcę przedłużać kontraktu. Otwarcie w ciągu kilku dni biura wśród ludności, której nie znam, jest niemożliwe. W dodatku, to są Serbowie, a ja przybywam z muzułmańskiej Bośni. To byłoby samobójstwo.

– Albo to, albo pan wraca. To przykre. Żal mi pana.

Zrozumiałem wszystko. Przypomniałem sobie, że Anthony Land wychodził z jego biura. Unikał mojego spojrzenia, ale na jego twarzy malował się uśmiech pełen satysfakcji. Wygrał.

Zadzwoniłem do Sarajewa. Odebrała sekretarka. Zaczęła płakać.

– Larry Hollingsworth i drugi Brytyjczyk właśnie otworzyli butelkę whisky i piją za twój wyjazd!

Załatwili mnie. Zastąpił mnie Anglik. Postanowili przejąć teren dla wywiadu wojskowego, bo moja funkcja umożliwiała prowadzenie takiej działalności. Zawadzałem im; teraz przeszkoda zniknęła.

Powiedziałem Unie do widzenia.

Zostałem kilka dni w Zagrzebiu, czekając na przysłanie mi z Sarajewa moich rzeczy i biletu powrotnego. Anglicy wysłali mi tekturowe pudło i worek na śmieci. Pozwolili wejść Ukraińcom do mojego mieszkania i ukraść cały mój dobytek.

Nie mogłem nawet pożegnać się ze wszystkimi tymi ludźmi, z którymi pracowałem i żyłem. Nie byłem już niczym. Kilka dni wcześniej udzielałem wywiadów wszystkim telewizjom świata, a teraz zasługiwałem jedynie na kopa w dupę, jak jakiś brudny bachor.

Kupiłem bilet na pociąg do Paryża.

ROZDZIAŁ CZTERNASTY

Na służbie Republiki

Wróciłem do Paryża wypalony w środku.

Dowiedziałem się, że MSF potrzebują logistyka dla Mozambiku. Byłem zainteresowany tym stanowiskiem. Zostało uzgodnione, że przyjedzie tam do mnie Una. Mój mandat polegał na otwarciu biura w Malange na granicy z Malawi, na drugim zboczu góry Mulanje. Wojna się skończyła. Zostało podpisane porozumienie pokojowe. Przygotowywano powrót uchodźców. Dla mnie oznaczało to szybkie działanie: toalety, ośrodek dożywiania itp. Praca tymczasowa, bo później miałem przejąć koordynację logistyczną misji w stolicy.

Malange było pustynią. Panowała tu kompletna pustka. Rano tylko ptaki zwiastowały życie. Nie było ani radia, ani telewizji. Nie wiedziałem, co dzieje się w świecie, zwłaszcza w Bośni. Musiałem przekraczać granicę z Malawi, żeby móc zadzwonić do Uny, do Sarajewa. Okazało się to ćwiczeniem wymagającym zaawansowanej technologii: mój głos był przekazywany drogą radiową z Mulanje do Blantyre. Potem biegł po drucie do Lilongwe. Stamtąd był przekazywany do Sarajewa przez satelitę. Nigdy się nie słyszeliśmy. Musiałem cały czas wrzeszczeć. Kiedy ona słyszała mnie świetnie, do mnie ledwie dochodził jej głos. Kiedy pomstowałem ze wściekłości, ona myślała, że to na nią jestem zły.

Powoli wszystko zaczęło mi się mieszać. Wyziewy wojny uderzały mi do głowy. Chciałem wykrzyczeć Unie, by jak najprędzej przyjechała do mnie do Maputo. Kilka tygodni później nadszedł list: Una zrywała ze mną, miała dość ciągłego opieprzania jej przez telefon. Zapewniała, że jest szczęśliwa, iż mnie poznała, ale woli pozostać w Sarajewie, z rodzicami.

Zostałem wreszcie przeniesiony do Maputo. Był to klasyczny mandat *Flying Doctors*[35]. Chociaż porozumienie pokojowe rzeczywiście zostało podpisane po trzydziestu latach wojny, to trzeba jeszcze było wcielić je w życie. Należało przede wszystkim na nowo połączyć regiony, które były jeszcze podzielone na pozycje rebeliantów i sił rządowych. Mieliśmy trzy jednostki w rejonie Zambezi, dwie w centrum i jedną w samym Maputo. Koordynowałem wszystkie sprawy logistyczne. Musiałem zatwierdzać wszystkie zakupy i wykorzystywanie samolotów, bo każdy lekarz dysponował maszyną, by móc latać do buszu. Studiowałem plany budowy nowej infrastruktury. Rozdawaliśmy lekarstwa, organizowaliśmy kampanie szczepień.

Przedziwnym zbiegiem okoliczności spotkałem ponownie Lucrecię, aktoreczkę z Blantyre. Przyszła na przyjęcie do ambasady Francji. Stała u góry schodów. Miała na sobie małą białą sukienkę, w której wyglądała cudownie. Była bardzo drobna. Nic się nie zmieniła. Jej widok sprawił, że cofnąłem się o parę miesięcy w przeszłość. Natychmiast podszedłem do niej i powiedziałem po portugalsku:

– Przykro mi, nie mówię dobrze po francusku, a jeszcze gorzej po portugalsku. Chciałem tylko powiedzieć, że jest pani bez wątpienia najpiękniejszą kobietą w Mozambiku.

– *Muito obrigada!*[36]

Nie wiedziałem, co jej po tym powiedzieć. Czułem się kretyńsko. Nie byłem pewien, czy mnie poznała. Wybełkotałem jeszcze parę słów po frantugalsku. Czując, że tonę, raczyła się do mnie uśmiechnąć i powiedziała:

– Nie szkodzi, mówię dobrze po francusku!

Cholera. Byłem zakochany. Kilka randek później odprowadziłem ją do jej mieszkania na szóstym piętrze domu w centrum Maputo. Spędzili-

---

[35] *Flying Doctors* (ang.) – Latający Lekarze.
[36] *Muito obrigada!* (port.) – Bardzo dziękuję.

śmy godzinę między czwartym i piątym piętrem. I została moją dziewczyną.

Przy Lucrecii, która spędzała u mnie prawie wszystkie noce, z powrotem nabrałem chęci do pracy. Działalność humanitarna mnie rozczarowała. W Iraku przekonałem się, że nie wszystkie operacje są jednakowo ważne w oczach darczyńców. Sarajewo rozwiało mit Narodów Zjednoczonych. Mozambik był dla mnie szansą odnowy.

Mówiłem sobie, że po wygaśnięciu mojego mandatu mógłbym pozostać w Mozambiku i zbić tu majątek. Cały kraj był do odbudowania. Radziłem sobie z portugalskim, prawie wszyscy mnie znali, mogłem mieć nadzieję na stworzenie dobrze prosperującego przedsiębiorstwa. Snułem takie marzenia do połowy listopada 1993 roku. Wtedy zadzwonił telefon.

– Tu Jean-Christophe. Co słychać?

Śledziłem wydarzenia we Francji. Wiedziałem, że lewica przegrała wybory parlamentarne. François Léotard był nowym ministrem obrony.

U MSF również coś się ruszyło. Rony Brauman zapowiedział odejście z organizacji i to Jeana-Christophe'a Rufina typowano na jego następcę. Byłem znany jako Rufin-boy. Jean-Christophe miał jednak pewne zalety, które mu zaszkodziły. Był specjalistą od nauk politycznych, mógł się ponadto poszczycić imponującym doświadczeniem z terenu: z Etiopii i Ameryki Południowej. Nie można było wywieść go w pole, używając wzniosłych słów.

Na ulicy Saint-Sabin powstał przeciwko Rufinowi cały ruch kontestatorski, którego celem było doprowadzenie do wyboru pewnego, bardziej ugodowego chłopaka z firmy. Jak we wszystkich NGO, u MSF to członkowie wybierają przewodniczącego. Wybrali Philippe'a Bibersona.

Wcześniej Léotard poprosił Jeana-Christophe'a, by został jego doradcą ds. humanitarnych. Francja, która rozpoczęła przekształcanie swej armii w zawodową, musiała wiedzieć, jaką rolę odegra ona w misjach humanitarnych czy w misjach Narodów Zjednoczonych. Chociaż Léotard nie cieszył się jednomyślnym poparciem we Francji, był wizjonerem, który odważył się zaangażować w Ministerstwie Obrony działacza humanitarnego.

– Marc, Francja jest w Sarajewie prawie od półtora roku. Nasi wojskowi są w kontakcie z pracownikami humanitarnymi, z mediami i z mnóstwem innych grup, ale nie mają możliwości dokonania oceny sytuacji ani oszacowania efektów swego działania. Na Quai d'Orsay[37] Juppé postanowił otworzyć ambasadę Francji w Bośni.

Ambasada Francji mieściła się na czwartym piętrze TV Building sąsiadującego z PTT. Ambasador był sam z dwoma facetami z RAID (Poszukiwanie-Pomoc-Interwencja-Odstraszanie) i trzema typami z CRS[38], którzy zapewniali mu bezpieczeństwo. W Sarajewie było teraz kilka NGO. Wszystkie domagały się od Francji pieniędzy, usług ochroniarskich i inżynieryjnych. Automatycznie, większość roboty wykonywali żołnierze.

Ministerstwo Spraw Zagranicznych traciło nadzieję na znalezienie urzędnika gotowego pojechać pracować w tym zakątku dla samobójców. Ministerstwo Obrony nie mogło sobie pozwolić na luksus oczekiwania, aż zgłoszą się kandydaci. Potrzebowało bardzo szybko attaché ds. humanitarnych i praw człowieka.

– Interesuje cię to stanowisko? Jesteś francuskojęzyczny, znasz Sarajewo, bo przeżyłeś tam sześć miesięcy. Nie mamy żadnego cywila, który przebywał tam tak długo jak ty. Potrzebujemy kogoś, kto mógłby stać się szybko zdolny do działania i kto byłby w stanie dostarczyć nam dokładnych szacunków.

– Jest pewien szczegół Jean-Christophe: nie jestem Francuzem…

– Nieważne, ponieważ nie zgłosił się żaden Francuz, mamy prawo odwołać się do kogoś francuskojęzycznego. W końcu wy, z Quebecu, jesteście naszymi kuzynami z Ameryki…

Po jego głosie poznałem, że się uśmiechnął.

Przemówiłem Lucrecii do rozsądku. Mój pomysł był taki: przyjąć ofertę Rufina, zarobić kupę pieniędzy, zostać parę miesięcy w Bośni, a potem

---

[37] Le Quai d'Orsay – siedziba francuskiego MSZ w Paryżu.
[38] CRS – Republikańskie Jednostki Bezpieczeństwa – siły używane we Francji np. do tłumienia rozruchów.

wrócić do Mozambiku, który stawał się moją drugą ojczyzną. Miałem tu dom, samochód, a przede wszystkim kobietę, która mnie kochała i którą ja kochałem. Wyjechałem do Paryża.

Prosto na zebranie pod numerem 16 na ulicy Saint-Dominique – w Ministerstwie Obrony. Zaprowadzono mnie do biura Jeana-Christophe'a. Miałem przemoczone buty. Siąpił smętnie drobny deszcz. To był Paryż jesienią. Biuro Jeana-Christophe'a przypominało salon w zamku. Padliśmy sobie w ramiona. Podjęliśmy rozmowę w miejscu, w którym przerwaliśmy ją podczas mojego ostatniego pobytu w Paryżu. Następnie poszliśmy do doradcy Léotarda. Typu tajniaka, ale mniej prymitywnego niż agenci CIA, DGSE czy innych służb wywiadowczych. Był to dość wpływowy facet, pułkownik, który bez wątpienia znał wszystkich pułkowników mających wpływ na generałów. To on zajmował się wszystkimi skomplikowanymi sprawami. Ktoś w rodzaju szefa logistyków w gabinecie ministra. Byliśmy stworzeni, by się dogadać jak logistyk z logistykiem.

Jednak mimo tej atmosfery, zbliżonej do ostatniego filmu z Jamesem Bondem, było jasne, że nie zaangażowali mnie w charakterze szpiega. Miałem misję dokładnie sprecyzowaną w trzech punktach: 1) określić, która z organizacji pozarządowych co robi, dla kogo i gdzie; 2) ustalić, gdzie płyną francuskie pieniądze i czy są świadomie wydawane; 3) zgłosić propozycje działań na rzecz poprawy wizerunku armii francuskiej.

Przedstawiono mi kogoś, kto miał zasuwać ze mną w Sarajewie: lekarza, byłego wojskowego. Pozostało już tylko przyznać mi oficjalny tytuł: attaché ds. humanitarnych i praw człowieka.

Quai d'Orsay wydrukował dla mnie wizytówki.

Następnie spotkaliśmy się z ambasadorem Francji w Bośni, Henrym Jacolinem, który akurat był przejazdem w Paryżu, aby omówić podział obowiązków i nasz *modus operandi*. Był trochę zaniepokojony, bo mieliśmy funkcje zbliżone do zadań tajniaków; jako dyplomata z krwi i kości miał się na baczności. Wytłumaczyliśmy mu, że nie zostaliśmy upoważnieni do prowadzenia podejrzanych operacji. Chcieliśmy się tylko upewnić, że francuska pomoc wojskowa i humanitarna jest skuteczna.

*

Wróciłem do Mozambiku, aby wręczyć dymisję MSF i przekazać sprawy mojemu następcy. Lucrecia i ja uzgodniliśmy, że wyjadę na sześć miesięcy na kontrakt, który miał mi przynosić 12 tysięcy dolarów miesięcznie. Forsę miałem przeznaczyć na zakup sprzętu w Paryżu, abym mógł rozkręcić moje przedsiębiorstwo w Mozambiku.

W samolocie, który wiózł mnie do Splitu, uświadomiłem sobie, że stałem się kimś. Byłem prawie dyplomatą. Ja, eks-opryszek z Montrealu. Ale nie czułem się w najmniejszym stopniu oszustem, niczego sobie nie uzurpowałem. Było mi jedynie trochę nieswojo w garniturach i krawatach, w które musiałem się teraz stroić. No i ta karta, która obwieszczała, że reprezentuję kraj, w którym nie miałem nawet prawa pobytu.

Spędziliśmy dwa dni w Splicie. Chociaż byliśmy jeszcze dość daleko od frontu, lekarz, który mi towarzyszył, oznajmił, że stracił ochotę na kontynuowanie przygody. Przeszedł przeszkolenie u nurków bojowych, najtwardszych z twardych. Będąc człowiekiem po pięćdziesiątce, kilka lat przed emeryturą, zgodził się na udział w tej misji wyłącznie z powodu kuszącej pensji. Ale w Splicie zrozumiał, że nie wraca się bez szwanku z Sarajewa. To była dla niego trudna decyzja.

Zapukał do moich drzwi.

– Marc, muszę z tobą porozmawiać. Nie jadę tam.

Wiedziałem, że w głowie ma piekło. Dałem mu więc do zrozumienia, że to najpiękniejszy dowód miłości, jaki mógł dać swojej żonie. Mam nadzieję, że są szczęśliwi i że w jego wieku będę zdolny do dokonywania takich samych wyborów.

Wrócił do Francji następnego dnia. Dwadzieścia cztery godziny później byłem sam w samolocie w drodze do Sarajewa.

Sarajewo. Moje lotnisko. Osiem miesięcy po opuszczenia go bez pożegnania. Góra Igman znowu ośnieżona.

Lotnisko bardzo się zmieniło. Zostały wzmocnione środki bezpieczeństwa: jeszcze więcej opancerzonych drzwi, worków z piaskiem, wojskowych.

Natomiast panował tu mniejszy hałas. Bojownicy niewątpliwie byli wyczerpani. Wojna wydawała się należeć do odległej przeszłości.

Znów był prąd.

Z samolotu wyładowano mój samochód służbowy. Zapytałem francuskiego wojskowego, czy przygotowali pojazdy opancerzone, by nas eskortować do gmachu PTT. Odpowiedział mi, że mogę tam pojechać sam. Aleja Snajperów nie była już niebezpieczna. Ludzie chodzili po niej pieszo.

Tak więc skończyły się wielkie fale zabójstw. Tylko sporadycznie słychać było dochodzące z dala odgłosy bombardowań.

Kapitan, który przyjął mnie w mieście, pokazał mi mój pokój i biura na czwartym piętrze. Byłem francuskim dyplomatą. Zasypiając tego wieczora, niemal miałem ochotę się śmiać.

Nazajutrz poszedłem do biur UNHCR-u. Miałem spotkanie z generałem Soubirou, następcą Morillona na czele wojsk oenzetowskich w Sarajewie.

Kiedy wysiadłem z samochodu, którego status dyplomatyczny rzucał się w oczy, znalazłem się twarzą w twarz z Anthony'm Landem, nadal szefującym misji UNHCR-u w Sarajewie.

Teraz już się tak nie śmiał. Próbował udawać przyjaciela. Powiedział mi falsetem:

– Cieszę się z twojej nominacji.

– Tym lepiej.

– Tak więc to do ciebie trzeba będzie teraz przychodzić z wszystkimi sprawami finansowymi?

– Postarajcie się nie przychodzić za często.

Odwróciłem się na pięcie.

Una opuściła UNHCR. Studiowała w Republice Czeskiej. Także Amra złożyła rezygnację.

Ambasador przybył do Sarajewa. A jedynym pracującym z nim facetem był Kanadyjczyk, którego nie rozumiał z powodu akcentu. W dodatku miał graniczące z obsesją wrażenie, że jestem szpiegiem.

Zaprzyjaźniłem się z policjantami z ambasady i z dwoma facetami z RAID. Tatuaż, który miałem na jednym z ramion, przypominał, że nie zawsze byłem po właściwej stronie prawa. Głosił on mianowicie: ACAB, czyli *All Cops Are Bastards*[39].

Restauracje, dyskoteki i bary znów były otwarte w Sarajewie. Jeśli tylko miało się pieniądze, można było dostać wszystko. Można też było pozwolić sobie na niebywały luksus chodzenia po ulicach, pójścia na cmentarz, nie obawiając się ukrytych snajperów, chociaż jeszcze trochę ich pozostało.

Było więcej NGO i wojskowych. Anglicy służyli teraz pod dowództwem generała Rose.

Wróciłem do kawiarni Obala. Córka właścicieli urosła. Gigantyczna lalka, którą przywiozłem jej rok temu z Zagrzebia, kiedy tylko ja jeden mogłem swobodnie się poruszać, wydawała się teraz mniej imponująca w jej ramionach.

Kawiarnia Obala stała się prawdziwym café-barem, bardzo dobrze prosperowała. Była sala teatralna. Generator prądu należący do UNHCR-u, który im zostawiłem, umożliwiał wyświetlanie filmów dla dzieci, nawet podczas wojny.

Zostałem przyjęty jak członek rodziny. Byłem zadowolony, że znów ich wszystkich spotkałem. I ta słabość do kobiet, która zawsze w końcu mnie dopada. Spotkałem piękną Senelę. Straciłem dla niej głowę i zapomniałem o mojej Mozambijce.

Odwiedziłem wszystkie NGO, które otrzymywały fundusze od rządu francuskiego. Sporządziłem prawie sześćdziesięciostronicowy raport dla Ministerstwa Obrony. Przyglądałem się uważnie funkcjonowaniu wszystkich organizacji. Przypominam sobie pewną NGO, która zgłosiła w lutym zapotrzebowanie na ubrania zimowe dla dzieci.

---

[39] *All Cops Are Bastards* (ang.) – Wszystkie gliny to dranie.

Absurd: nawet gdyby dostała natychmiast pieniądze, ciuchy nie zostałyby dostarczone wcześniej niż pod koniec kwietnia. Za późno na zimowe ubrania.

Odkryłem dziesiątki tego rodzaju idiotyzmów.

Zalecałem też strategie promowania działań wojskowych. Myślę, że raport został doceniony.

Kiedy tylko sprawy układają się dla mnie dobrze, zawsze pojawiają się przeciwności losu, które wywracają do góry nogami moją egzystencję, jak gdybym nie był stworzony do spokojnego życia.

Wszystko zaczęło się od inicjatywy bywalców Obala, którzy postanowili zorganizować we Francji wystawę prac artystów z Sarajewa. Chcieliśmy powierzyć armii francuskiej transport cennego ładunku do Paryża. Zaprosiłem do kawiarni trzech francuskich pułkowników, by przedstawić im właścicieli tego miejsca: mieli opracować plan działania.

Właśnie opuszczaliśmy kawiarnię samochodem, kiedy usłyszeliśmy ogłuszający wybuch. Serce mi się ścisnęło, podczas gdy stopa miażdżyła pedał gazu. W PTT dowiedzieliśmy się, że pocisk spadł na targowisko w Sarajewie. Do dziś nie ma pewności, z której strony został wystrzelony. Wsiadłem do samochodu, by tam pojechać. Horror. Zimowa wersja *Czasu Apokalipsy*. Ponieważ to był kryty bazar, bomba rozwaliła dach, a większość ofiar została ugodzona w głowę. Krew mieszała się z błotem, śnieg z bazarowymi towarami. Ludzie krzyczeli. Dzieci płakały. Mężczyźni patrzyli błędnym wzrokiem.

W takich okolicznościach zawsze czuję się spokojny, zachowuję rezerwę i działam metodycznie. Nie wiem, ile razy jeździłem do szpitala: w tę i z powrotem. Pierwszą podróż odbywałem w hałasie i zgiełku. Przy trzeciej panowała już cisza. Wiedziałem dlaczego. Zmarli są niezbyt rozmowni.

Ten incydent spowodował prawdziwy przełom w wojnie. Siły zachodnie postanowiły bardziej aktywnie zaangażować się w konflikt. 9 lutego 1994 roku NATO skierowało do Serbów ultimatum, nakazując im wycofanie się co najmniej dwadzieścia kilometrów od Sarajewa najpóźniej w ciągu dziesięciu dni. To Alain Juppé, francuski minister spraw zagranicznych, został obarczony – w imieniu NATO – misją zawiezienia ultimatum Radovanowi Karadžiciowi do Pale. To ja powitałem Juppégo, kiedy opuścił pokład samolotu. Wyglądał na trochę rozczarowanego, że Francję reprezentuje Kanadyjczyk. Mój samochód, który miał status oficjalny, dołączył do konwoju. Jean Daniel z tygodnika *Le Nouvel Observateur* i jeden z ochroniarzy zabrali się ze mną. Jeden z trzech agentów CRS z ambasady ciężko zachorował i to ja go zastępowałem. Towarzyszyłem Juppému podczas całej jego misji. Przechadzałem się z uzi pod żółtym prochowcem. To nie było zabawne. Juppé był nerwowy. Oto przyzwoity ojciec rodziny, intelektualista, absolwent najlepszych uczelni, przyzwyczajony do dobrych manier, któremu kazano powiedzieć bez ogródek bandzie gnojków, co o nich myśli.

W Sarajewie napięcie znacznie wzrosło. Kolejny raz NGO zaczęły się wycofywać, obawiając się radykalizacji Serbów. Znów można było oglądać sceny ewakuacji, które już znałem.

Trzy dni później ambasada Francji otrzymała nakaz zamknięcia. Ambasador wycofał się wraz ze swoją ochroną do Zagrzebia. Pozostałem jedynym, a więc i najważniejszym „dyplomatą" francuskim w Sarajewie.

Ostatniego dnia przed wygaśnięciem terminu ultimatum, w mieście nie było już cudzoziemców. Ludność kuliła się, czekając na cios, ponieważ Serbowie nadal koczowali na wzgórzach w mieście. Drobny śnieg tłumił hałasy.

Najwyraźniej Serbowie nie zamierzali się wycofać. Ale nikt nie był tego do końca pewny. Ani satelity szpiegowskie, ani szpiedzy w terenie.

Gdyby NATO interweniowało, mogłoby się to przerodzić w masakrę. Była to niezbyt zachwycająca perspektywa, ale uważałem, że NATO powinno dotrzymać słowa i że – jeśli warunki ultimatum nie zostaną spełnione – bombardowania powinny zacząć się natychmiast. To było ważne dla wiarygodności NATO i dla narzucenia pokoju w regionie.

Tego wieczora przejechałem przez muzułmańskie punkty kontrolne i pojechałem do Pale. Zaokrąglone wzgórza pokryte drzewami bez liści, cicho padający śnieg, wszystko to wydawało mi się przeraźliwie znajome.

To był dokładnie krajobraz Laurentides, znany mi z pobytów w Rawdon, na północ od Montrealu, u rodziny zastępczej. Na drodze nie było żadnego ruchu. Pojazdy opancerzone pozostawiają ślady na śniegu.

Aż tu nagle, gdy zapadła noc, zobaczyłem jadący w moim kierunku serbski czołg, ciągnący za sobą ciężarówkę i trzy działa T45. Za nim drugi, potem trzeci. Paryż musiał się o tym dowiedzieć. Zadzwoniłem do Jeana-Christophe'a:

– Jeśli jesteś władny powstrzymać akcję, powiedz im, żeby nie naciskali na guzik, Serbowie się wycofują!

– Jesteś pewien twoich informacji?

Cholera, to prawda, że trzy czołgi nie czynią armii. Ale nie wyglądało na to, by konwój serbskich czołgów dyskretnie wycofujących się nocą miał się zatrzymać.

– Potwierdzam, Jean-Christophe!

Miałem ochotę wyć z radości. Udało się, kurwa! Wróciłem do Sarajewa.

Moja misja weszła w trzecią fazę: zbadać strategię poprawy wizerunku armii francuskiej w Bośni.

Usiadłem z francuskimi mechanikami, by omówić plan odtworzenia kurników. Znaleźliśmy wylęgarki i je naprawiliśmy. Potem, na Wielkanoc, sprowadziliśmy z Francji ponad 10 000 zalężonych jaj. Przekazaliśmy 8000 do Sarajewa, a resztę Serbom. Kilka miesięcy później rynek został zawalony kurczakami. Mieszkańcy Sarajewa nie widzieli kurzych udek od miesięcy.

Nie czułem się jak kurwa. Lubiłem to połączenie niezależnej obserwacji z zaangażowaniem humanitarnym. Sprawa była szlachetna, gest hojny. Niektórzy głoszą pokój, sugerując zamianę karabinów na kwiaty, ja skłoniłem francuskich żołnierzy do czuwania nad 10 tysiącami delikatnych jaj przybywających z Paryża. W dodatku to im się spodobało.

Odtwarzaliśmy system gospodarczy miasta.

Miałem świadomość, że trochę się oddaliłem od klasycznej działalności humanitarnej. NGO dziwnie na mnie patrzyły. Mówiono do mnie „pan". Byłem attaché ds. praw człowieka. Zawsze w krawacie. Mogłem odwiedzać wszystkie służby, wejść do każdego biura. Byłem pośrednikiem pomiędzy NGO, beneficjentami pomocy humanitarnej i Francją, która podpisywała czeki. Przywódcy muzułmańscy przychodzili do mnie, by prosić, żebym powiedział Francji, która organizowała zrzuty paczek dla Bihacia, aby zrzucała je raczej w tym, czy innym miejscu, bo tam, gdzie robi to zwykle, są w stanie się obłowić jedynie najsilniejsi. Musiałem im wytłumaczyć, że muszą przestać stale zwracać się do zagranicy, by rozwiązywała ich problemy i że – jeśli naprawdę są liderami – nie pozostaje im nic innego, jak wziąć na siebie odpowiedzialność. Interweniowaliśmy w Bośni, ponieważ toczyła się tam wojna pomiędzy Bośniakami, Chorwatami i Serbami. Nie zamierzaliśmy zabrać się dodatkowo za wygaszanie konfliktów pomiędzy samymi muzułmanami.

Otrzymywałem także zażalenia od NGO, z których każda miała własne pole działania: uzdatnianie wody, odbudowa szpitali, pomoc dla kobiet. Próbowałem znaleźć pieniądze, gdy było to możliwe, i kontynuować nasze inwestycje. A kiedy sam mogłem przyłożyć do czegoś ręki, dlaczego nie. Jeśli w dodatku operacja oddawała sprawiedliwość francuskim wojskowym, którzy wykonywali wspaniałą robotę, dlaczego miałbym być z tego powodu nieszczęśliwy? Byłem to winien Żużu, pułkownikowi Sartre'owi i wszystkim pozostałym bohaterom działającym w cieniu, którzy zasługiwali na wiele więcej niż poniżające ich karykatury, jakie kreśliły niektóre gazety.

Zaliczyłem także wizytę drugiego polityka wielkiego kalibru. Michel Rocard przyjechał na objazd. Stojąc na pasie startowym razem z generałem Soubirou, zastanawialiśmy się, jak należy się zwracać do eks-premiera, który był już tylko szefem partii opozycyjnej, i który przyjechał bez oficjalnego mandatu.

– Powinien pan to wiedzieć, jest pan Francuzem.
– Ja jestem tylko wojskowym. To pan jest dyplomatą.

Kiedy Rocard wysiadł z samolotu, podszedłem więc do niego i wyciągnąłem rękę, rzucając głośno:

– Dzień dobry panu! Nazywam się Marc Vachon.

165

Uśmiechnął się półgębkiem.

– Tak, wiem, zostałem uprzedzony.

Generał Soubirou wygłosił krótką mowę o zasadach bezpieczeństwa, po czym orszak ruszył w drogę. Przodem jechały dwa pojazdy opancerzone. Najpierw udaliśmy się do PTT na wyżerkę, potem odwiedziliśmy drukarnię dziennika *Oslobodjenje* w piwnicy jego siedziby, która legła w gruzach, a następnie szpital. Kiedy przejeżdżaliśmy drogą obok boiska piłki nożnej, Rocard zorientował się, że to ostatnie zostało przekształcone w cmentarz. Prosił mnie, bym zaparkował samochód na poboczu. Dwa pojazdy opancerzone, które jechały na czele konwoju, pomknęły prosto przed siebie. To prawda, że mając ze mną do czynienia, eskorta była przyzwyczajona do tego rodzaju odchyleń od protokołu.

Zostaliśmy tam dobrą minutę. To długo, zważywszy, że staliśmy na poboczu drogi, na której nikt nie chciałby się zatrzymać za nic w świecie, tuż u stóp wzgórza, gdzie zawsze czaili się snajperzy. Rocard nic nie mówił. Patrzył w milczeniu na małe, białe, szpiczaste kamienie nagrobne, które pokrywały trawnik.

Patrzyłem jak się przyglądał, zastanawiając się, co też mógł o tym wszystkim myśleć.

Chociaż Serbowie rozluźnili pierścień, nadal otaczali Sarajewo, a ja wznowiłem kontakty z UNHCR-em. Pomoc humanitarna była wówczas kluczowym wyzwaniem. Ciężarówki przejeżdżały przez punkty kontrolne Serbów, którzy przystawiali pieczątkę zezwalającą na przejazd po sprawdzeniu listy dostarczanych produktów. Następnie wszystkie musiały obowiązkowo jechać na lotnisko i zostawić tam 25 procent ładunku, który inne ciężarówki dostarczały potem ludności serbskiej. Dopiero później kierowca mógł wjechać do miasta z pozostałymi 75 procentami. Dostawę ich działki gwarantował Serbom UNHCR.

Ale niektóre NGO nie mogły sobie pozwolić na utratę jednej czwartej ładunku. To było bardzo dużo. Poza tym UNPROFOR miały przecież ochraniać konwoje humanitarne.

Uważałem, że zbyt często uginamy kolana przed Serbami. Kiedy pracowałem w UNHCR-ze, mój samochód oberwał ponad 50 razy z broni palnej, gdy przejeżdżałem przez zapory, jeździłem na linię frontu, negocjowałem z dowódcami wojskowymi. A tu nic. Oddawano bez dyskusji. Serbowie nie musieli nawet rozładowywać ciężarówek. Odwalano za nich robotę. Nasz klient, nasz pan.

Wielu darczyńców zaczynało narzekać. Unia Europejska, podobnie jak opodatkowane w ten sposób NGO. Zwłaszcza że organizacje humanitarne realizowały osobne programy po stronie serbskiej. Nie rozumiały, dlaczego miałyby się poddawać takiej podwójnej punkcji.

Trzeba było to wyjaśnić. Zabrałem się do tego z tym większym zapałem, że miałem osobiste porachunki do wyrównania z niektórymi osobami z UNHCR-u: Larrym Hollingworthem, Anthonym Landem, który był szefem, grubym generałem, który mnie odwołał, a sam prowadzał się teraz z trzy razy młodszą od niego Bośniaczką. Czułem, że zbliża się godzina odwetu.

Postanowiłem wprowadzić do miasta cały konwój, bez odstępowania 25 procent obiecanych Serbom. Udowodnić, że UNHCR kłamie, twierdząc, że jest to niemożliwe. Poszedłem do organizacji o nazwie Pierwsza Pomoc i zaproponowałem, że przyprowadzę dwanaście ciężarówek. Wszyscy kierowcy mieli być Francuzami, by show był całkowicie francusko-francuski. Wtajemniczyłem Paryż: zarówno Ministerstwo Obrony, jak i Ministerstwo Spraw Zagranicznych. Rozmawiałem z dowódcą francuskim w Bośni, który obiecał mi eskortę. Kierowcy zostali poinformowani o ryzyku, ale wszyscy postanowili kontynuować przygodę. Mieliśmy się nigdzie nie zatrzymywać, na żadnej zaporze, ale mknąć prosto przed siebie, aż do centrum Sarajewa. Niby przypadkiem, na każdym punkcie kontrolnym stały akurat dwa francuskie czołgi, rzekomo zepsute. W rzeczywistości postawiliśmy je tam, by zdenerwować Serbów.

Operacja skończyła się sukcesem. Wyraziliśmy zadowolenie z tego powodu w lokalnej prasie: tak, można było wjechać, nie, nie trzeba było koniecznie dzielić się z Serbami. UNHCR został zdemaskowany, nie posiadałem się z radości. Od tego czasu wszystkie NGO odmawiały płacenia haraczu.

Ja sam zrobiłem coś gorszego: wysłałem do Paryża raport na temat haniebnego układu, jaki zawarł UNHCR, a kopię otrzymała Unia Europejska w Brukseli. Zaatakowała z całej siły Genewę. Przedstawiciele UNHCR-u w Bośni próbowali się bronić, kładąc wszystko na karb frustracji, jaką odczułem w momencie, gdy zostałem odesłany, ale liczby świadczyły na ich niekorzyść. Wielu z nich zostało zwolnionych ze stanowisk lub przeniesionych. Anthony'ego Landa wysłano do Genewy na naukę francuskiego. Larry Hollingworth został wykładowcą akademickim.

Z radosną miną patrzyłem, jak teraz to oni pakują walizki. Postawiłem kolejkę kierowcom. Zorganizowaliśmy nawet przyjęcie-niespodziankę na cześć jednego z nich, który obchodził akurat urodziny. Przyjemnie jest mieć do czynienia z porządnymi ludźmi.

ROZDZIAŁ PIĘTNASTY

Okrutna Afryka

Powróciłem do moich zadań attaché humanitarnego ambasady. We współpracy z uniwersytetem wcieliłem w życie projekt opracowania książki telefonicznej Sarajewa według zawodów: elektrycy, hydraulicy, nauczyciele, itp. Aby pomóc NGO w znajdowaniu kompetentnych współpracowników. Potem był kolejny incydent. O jeden za dużo, ale wtedy jeszcze tego nie wiedziałem. To zdarzyło się wieczorem. Wysiadałem właśnie z samochodu, by zajść do kawiarni, kiedy rozległ się wystrzał. Strzelano z drugiej strony ulicy, a sprawca celował we mnie, żeby mnie zabić. Strzelił trzykrotnie. Trzykrotnie chybił. Gdyby mnie trafił, to bym z tego nie wyszedł, bo wówczas nie nosiłem już kamizelki kuloodpornej. Nigdy nie ustalono, kto był zleceniodawcą tej próby zabójstwa. Moja operacja porządkowania UNHCR-u przysporzyła mi nie tylko przyjaciół. Prowadziłem też śledztwo w sprawie czarnego rynku, to musiało się nie spodobać przemytnikom ani mafii.

Faceci z RAID przyszli po mnie do kawiarni, w której się zadekowałem. Dwa dni później Paryż poradził mi, bym wracał. Robiło się zbyt gorąco, a zresztą wykonałem już misję, która została mi powierzona.

Zadzwoniłem do Maputo. Lucrecia poinformowała mnie, że wyjeżdża na wieś, aby lepiej wcielić się w nową rolę w następnej sztuce, w której miała zagrać mieszkankę buszu. Musiałem więc wybrać pomiędzy samotnym powrotem do Maputo i próbą wyjazdu na kolejną misję.

Zadzwonił do mnie francuski pułkownik, który nieraz pomagał mi w Sarajewie:

– Marc, być może miałbym dla ciebie sympatyczną propozycję. Jeden z moich przyjaciół ma jacht na Gwadelupie. Chciałby go przyprowadzić do Francji. Co byś powiedział na towarzyszenie mu?

I oto wyjeżdżałem na Gwadelupę z eks-wojskowym, który kupił jacht, by odbyć z żoną podróż dookoła świata. Ponieważ małżonka go rzuciła, musiał sprowadzić jacht do kraju.

Zostałem marynarzem.

Z Bermudów zadzwoniłem do Ministerstwa Obrony, by dowiedzieć się, czy zapłacą mi za dwa miesiące, które pozostały do końca mojego kontraktu.

Tam czekała na mnie zła wiadomość: Pierwsza Pomoc została zatrzymana przez Serbów pod pretekstem, że znaleziono broń w kufrze jednego z jej samochodów; ponad dziesięciu zagranicznych pracowników zostało uwięzionych. Proszono mnie, bym pilnie stawił się w Paryżu.

Wsiadłem do samolotu lecącego do Filadelfii. Pierwszy raz odwiedzałem Amerykę po moim wyjeździe do Europy kilka lat wcześniej. Był 22 kwietnia, dzień śmierci Richarda Nixona. Nazajutrz zjawiłem się w Paryżu.

Sterczałem tam kilka dni w oczekiwaniu na instrukcje. Równie dobrze mogłem kontynuować rejs. Mój powrót do Bośni wcale nie był konieczny. Spędziłem więc dwa miesiące na zbijaniu bąków i hulankach. Na koszt państwa.

Kilka miesięcy wcześniej, po moim powrocie z Mozambiku, Jean-Christophe przedstawił mi dziennikarkę Elisabeth Lévy. Często pracowała w Szwajcarii. Przyjeżdżała do Paryża tylko na weekendy i to wyłącznie po to, by się oprać i spotkać ze swoim chłopakiem. Zaproponowała mi, bym sypiał u niej za każdym razem, gdy będę przejazdem w Paryżu.

W ten sposób zostałem paryżaninem.

Dzięki Żużu, z którym często się spotykałem, poznałem jego przyjaciela Christophe'a Morarda, zwanego Strażakiem. Został moim kumplem. Spotkałem także François Roustanda nazywanego Korsykaninem; stał się dla mnie kimś w rodzaju brata.

Skorzystałem z pobytu w Paryżu, by kupić całe wyposażenie, które miało być potrzebne mojej firmie budowlanej. Wszystko zostało załadowane do kontenera, który miałem odebrać w Mozambiku.

Faceci z Pierwszej Pomocy zostali w końcu uwolnieni, dokładnie w momencie, gdy wygasał mój kontrakt. Ale Lucrecia była jeszcze w buszu, wracała dopiero za parę tygodni. Nie chciałem czekać z założonymi rękami, poza tym mówiłem sobie, że świeży kapitał może jedynie pomóc mojemu przedsięwzięciu. Poszedłem więc do MSF.

Dyrektor ds. logistyki powiedział mi, że ma ogromne kłopoty w sekcji samolotów programu pomocy żywnościowej dla południowego Sudanu. Ponieważ od czasu Sarajewa miałem doświadczenie z samolotami, zaproponował mi powtórzenie tego show.

– Obiecuję ci, że kontrakt będzie krótki. Nasz budżet to tylko milion dolarów. Zważywszy na ceny samolotów, to nie była wielka suma.

W ten sposób znalazłem się w Bahr el-Ghazal na południu Sudanu. To oznaczało koniec krawatów i powrót do nieformalnych strojów.

Tragedia Sudanu trwa już wiele lat. Pomoc humanitarna również. Ekrany naszych telewizorów regularnie nawiedzają trudne do zniesienia obrazy młodych Sudańczyków umierających z głodu.

Moja misja polegała na utworzeniu mostu powietrznego na południu kraju, by uzupełnić dostawy żywności, bo Światowy Program Żywnościowy nie był w stanie sam sprostać zadaniu. Administratorem projektu, mającym siedzibę w Nairobi, w Kenii, był dziwny osobnik, którego żona, dziennikarka, wypompowywała informacje z biura MSF. Facet wydawał się mieć poważne problemy z koksem. W tym czasie, z powodu masowej obecności cudzoziemców w Kenii, narkotyków było w bród, a ceny niewysokie. Po moim przybyciu administrator poinformował mnie, że podpisał już kontrakt z liniami lotniczymi Southern Air Transport.

Dwa dni później leciałem do Lokichokio na północy Kenii. Stamtąd kontynuowaliśmy podróż w kierunku południowego Sudanu, do Bahr el-Ghazal. To bagienne tereny, których nazwa pochodzi od rzeki Bahr el-Ghazal, rzeki gazeli, wpadającej do Bahr el-Gebel, by utworzyć Nil Biały. Zamieszkują je głównie Dinkowie.

Na miejscu natychmiast zabrałem się za wytyczanie terenu do zrzutów żywności. Samolot miał zniżać lot do 300 metrów, otwierać luki i spuszczać tobołki z żywnością. Ponieważ uznano, że przygotowanie pasa byłoby zbyt drogie i zajęłoby za dużo czasu, wielkie transportowce nie mogły tu lądować. Natomiast lądowały mniejsze samoloty, wyładowane produktami nie bardzo nadającymi się do zrzucania, takimi jak oliwa.

Pierwszy samolot przywiózł także ciągnik z przyczepą. Pojazd terenowy, który miał nam służyć do przewożenia żywności do sąsiednich regionów.

Pierwsza dostawa przebiegła bez problemów. Ekipa MSF działająca w Therapeutic Fedd Center (Terapeutyczny Ośrodek Odżywiania) nie próżnowała: leczonych było tam ponad 500 osób. Ekipa liczyła siedmiu zagranicznych pracowników.

Ten zakątek naprawdę przywodził na myśl wzorzec miejsca na ziemi zapomnianego przez boga i ludzi. Niczego do zobaczenia, niczego do podziwiania, oprócz komarów, chorób, niedożywienia. Niewiele do wpisania do folderów turystycznych. Tak wyglądała misja dla twardzieli.

Dinkowie byli dziwnym ludem. Człowiek, który dla ciebie pracował, pewnego dnia wstawał o trzeciej po południu i odchodził, aby wrócić cztery dni później. Bez żadnych wyjaśnień. Nie warto było zadawać pytań.

– Dlaczego pana nie było?

– Musiałem odejść.

To wszystko, co można było z niego wyciągnąć.

Na dodatek coś podejrzanego działo się z samolotami. Znałem pilotów, chłopaków, którzy służyli w Sarajewie. Pilotowali stare C-130 armii amerykańskiej, pomalowane na tę okazję na biało dla firmy Southern Air Transport zarejestrowanej na Florydzie.

Kiedy odbywałem z nimi loty, podróż do Bahr el-Ghazal i z powrotem zabierała nam cztery godziny. Ale kiedy byli sami, potrzebowali dwóch godzin więcej. Co dziwniejsze, nie wystawiali nam nawet o grosz wyższych rachunków, choć musieli zużywać więcej paliwa.

Piloci wyjaśnili mi, że w wolnym czasie organizują safari. Skorzystałem z ich zaproszenia i muszę przyznać, że była to wspaniała wycieczka. Jednak zastanawiałem się, czy nie knuli czegoś innego, znacznie poważniejszego.

Ostro starłem się z moją współpracowniczką do spraw żywieniowych. Przekazywaliśmy żywność szefom wiosek, którzy zobowiązywali się do rozdzielenia jej pomiędzy członków swego klanu. Tak wyglądała gospodarka wojenna. Nie było co marzyć o uniknięciu haraczu dla bojowników. Równie dobrze więc można było dać go lokalnemu szefowi, który umiał lepiej od nas targować się o udział jego wioski z siłami SPLA, Ludowej Armii Wyzwolenia Sudanu, partyzantki, która kontrolowała Południe. Następnie mógł podzielić resztę sprawiedliwie – przynajmniej taką mieliśmy nadzieję. Dinkowie nie żyli w dużych wioskach, ale raczej w małych wspólnotach, co czyniło je jeszcze bardziej rodzinnymi i pozwalało mieć nadzieję na sprawiedliwy podział zasobów.

Moja koleżanka się z tym nie zgadzała. Jej zdaniem należało przekazywać żywność bezpośrednio kobietom, filarom rodziny. Na papierze wyglądało to ładnie, wręcz rozczulająco. *Gender equity*[40] stała się konikiem wszystkich tych młodych działaczek humanitarnych wywodzących się z prestiżowych uniwersytetów Zachodu.

Dać żarcie kobietom? Nie widziałem absolutnie żadnych przeciwwskazań, ale w Mali czy w Senegalu. Nie w Sudanie. Nie w strefie wojny. Nie w tym wielkim kraju Afryki pogrążonym od lat w dziwnym konflikcie. Względna cisza broni nie oznaczała końca działań zbrojnych. To, że rzadziej dochodziło do potyczek, mogło zmylić. Ale eksplozja nadal była możliwa. Ostatnie słowo wciąż należało do dowódców wojennych.

I faktycznie skończyło się to źle. Żołnierze SPLA przyszli po to, co im się należało. A ponieważ zapasy zostały dostarczone kobietom, to na nie spadły gromy ze strony milicji, a wiele z nich – te, które próbowały się przeciwstawić – zostało okrutnie pobitych. To było tragiczne.

---

[40] *Gender equity* (ang.) – Równość płci.

Przepowiedziałem to. I powtarzałem. Nie chciano mnie słuchać. Trzeba było zmienić cały plan interwencji. Pojechałem do Nairobi, żeby im wytłumaczyć, że jeśli powtórzymy tę głupotę, oberwą już nie kobiety, ale my sami.

Czułem to. Coś tu mocno śmierdziało. Są rzeczy, których nie można wyjaśnić, ale które odgaduje się dzięki instynktowi. Administrator jeszcze się nie wydobył z oparów koksu. Zadowolił się nawymyślaniem mi od gnojków. Nie zdołałem też przekonać o niebezpieczeństwie Paryża, bo administrator zapewniał, że ma wszystko pod kontrolą dzięki kontaktom z SPLA w Nairobi. Wierzył słowom generała X czy pułkownika Y. Nie zdawał sobie sprawy, że pomiędzy oficerami SPLA w Nairobi i bosonogimi żołnierzami w Bahr el-Ghazal była przepaść.

Moje biuro w Paryżu musiało wybrać między nim i mną. Orzekło, że nie mam racji. Kazano mi wrócić w teren i wznowić dystrybucję wśród kobiet.

Opuściliśmy bazę we czterech, w samochodzie wypchanym żywnością. Ale sprawy szybko wymknęły się spod kontroli. Wczesnym popołudniem byliśmy gotowi rozpocząć dystrybucję żywności. Nagle ludzie zaczęli biegać we wszystkie strony, a my nie mieliśmy pojęcia, co tak naprawdę wzburzyło tłum. Pozostawanie tam stawało się jednak niebezpieczne; ledwo zdążyliśmy wskoczyć do samochodu, by wrócić do bazy. Była czwarta rano, kiedy tam dotarliśmy po wycieńczającej podróży. Wielokrotnie samochód ugrzązł; staraliśmy się nie zapalać świateł ze strachu, że ci, którzy nas ścigali, zdołają nas zlokalizować. Piekło.

Nazajutrz poszliśmy do lokalnego dowódcy, który nam przysiągł, że nie słyszał o żadnym ataku rebeliantów w pobliżu naszego miejsca dystrybucji żywności. Niemożliwe było zidentyfikowanie odpowiedzialnych za chaos z dnia poprzedniego, bowiem każdy obóz zrzucał winę na przeciwnika. My zaś znajdowaliśmy się pośrodku.

Zadzwoniłem do Nairobi, ale nie miałem już nastroju do pogaduszek.

Wszystkie NGO w regionie postanowiły się wycofać, nie mając pewności, czy incydenty nie będą narastały lawinowo. Administrator po drugiej stronie linii powtarzał do znudzenia jak mantrę:

– Robię wszystko, by was stamtąd wydobyć!

Nie znalazł lepszego rozwiązania, jak posłanie po nas samolotu z dwunastoma miejscami na pokładzie. Na ewakuację czekało dwadzieścia jeden osób. Nie warto było już nawet wrzeszczeć. To było zbyt głupie, zbyt smutne, zbyt wkurzające. Musiałem zostać, żeby upewnić się, że cały personel wyjechał. Cztery osoby zgłosiły się na ochotnika, by dotrzymać mi towarzystwa.

Schroniliśmy się na terenie misji MSF i modliliśmy, by nic złego się nie stało przed powrotem samolotu. Ale było już południe, wątpiliśmy, by maszyna mogła odbyć lot w tę i z powrotem jeszcze tego samego dnia,

Ponieważ nieszczęścia chodzą parami, tej nocy rozpętała się burza. Nazajutrz samolot nie był już w stanie wylądować. Tkwiliśmy jak w potrzasku w południowym Sudanie, otoczeni hordami morderców, którzy zbliżali się do nas z zawrotną prędkością. Tylko tego nam brakowało: jeden z moich kolegów, biedaczysko, wybrał ten moment na atak malarii. Przypominało to zły scenariusz jakiegoś horroru.

Na szczęście deszcz, który podtopił region, opóźnił także marsz ścigających nas wojsk. Cztery dni później mogliśmy zostać ewakuowani. Obóz wyludnił się. Ci uchodźcy, którzy mogli chodzić, uciekli w obawie przed atakiem jednego z panów wojny.

To była bardzo krótka misja. Dlatego że pewien administrator okazał się zbyt tępy, żeby uświadomić sobie swój błąd. Byłem rozczarowany, że MSF uwierzyli jemu zamiast posłuchać kogoś, kto był w terenie. Ludność została pozostawiona na pastwę głodu.

Dla pracownika misji humanitarnej nie ma nic bardziej przykrego niż porzucenie zagrożonej ludności. Ale dzięki zdobytemu doświadczeniu jakoś zdołałem się z tym pogodzić. To nie była moja wojna, a ponieważ robiłem co było w mojej mocy, mogłem wyjechać ze spokojnym sumieniem.

Nic nie może jednak przygotować człowieka na widok kobiet oddalających się w ciemnościach nocy, trzymających w ramionach dzieci, które prawdopodobnie nie przeżyją. Nie mogę również zapomnieć spojrzenia tej pielęgniarki z MSF, która odwróciła się do mnie w chwili, gdy wchodziła do samolotu, by rzucić mi w twarz: „Jesteś łajdakiem!". Miała do mnie żal, że zmuszam ją do wyjazdu i porzucenia wszystkich tych matek, do których się przywiązała, niemowląt, które udało się jej przywrócić do życia. Liczby nie były dla niej abstrakcją, to były twarze, nazwiska, osobiste historie, dramaty, których udało się lub nie udało uniknąć. To byli dorośli, których trzeba było karmić przez smoczek, żeby nie połknęli za szybko pierwszego łyka wody od wielu dni. To były istoty ludzkie. Nie miałem do niej pretensji o to, że wyzwała mnie od łajdaków, ale cios zabolał. Zwłaszcza że wychodziłem ze skóry, żeby uniknąć tego katastrofalnego scenariusza.

To jednak ja musiałem zostać dzień dłużej w towarzystwie uchodźców będących w najgorszym stanie, tych, którzy nie byli zdolni do ucieczki. Znalazłem się w środku nowego Auschwitz. Wychudzone istoty, drżące z rozpaczy, z szeroko otwartymi oczami i świadomością, że wkrótce zwali się na nie horror.

W tym momencie czułem się mały, niepotrzebny. Miałem ochotę wrócić, żeby już na to nie patrzeć, żeby zrobić jak wszyscy inni ludzie z Zachodu. Co z oczu, to z serca. Wrócić do siebie, podarować sobie trochę odpoczynku i prawo do obojętności.

Szczyt ironii: kiedy przybyliśmy do Nairobi, administrator wyjechał na wakacje – „tak bardzo był zmęczony". Miał szczęście, bo zamierzałem zdefasonować mu gębę. Nawet gdybym miał zostać wykreślony z listy pracowników MSF do końca życia. Wróciłem do Paryża, zdecydowany wskoczyć do pierwszego samolotu lecącego do Mozambiku. Miałem dosyć. Dosyć wszystkiego.

Postanowiłem spędzić tydzień w Paryżu, żeby się rozerwać i zapomnieć o moich sudańskich nieszczęściach. Odwiedzałem bary i nocne lokale.

Ale we wszystkich telewizorach widziałem tę samą historię i te same obrazy masakry na wielką skalę, która odbywała się w Rwandzie. Na początku lata 1994 roku dziennikarzom udało się tam dotrzeć. Napływały świadectwa sił Narodów Zjednoczonych i organizacji humanitarnych, które pozostały na miejscu; wszyscy powtarzali to samo, ogłaszali te same oszałamiające liczby: prawie milion Tutsich i Hutu zginęło podczas czegoś, co trzeba było już wtedy nazywać ludobójstwem.

Oprócz ludobójstwa, przemoc szalała również na froncie wojny, jaką toczyły ze sobą Rwandyjski Front Patriotyczny (FPR), rebeliancki ruch uchodźców Tutsi i Rwandyjskie Siły Zbrojne (FAR).

Po miesiącach karygodnej nieobecności Narody Zjednoczone właśnie zezwoliły na operację Turkus, zaproponowaną przez Francję, której celem było wymuszenie zawieszenia broni pomiędzy FAR i FPR, a także zapewnienie bezpieczeństwa obozom dla uchodźców Hutu, które zaczęły powstawać w krajach graniczących z Rwandą.

Fakt nowy w historii ludobójstw, ludność cywilna pod wodzą milicji bardzo aktywnie uczestniczyła w masakrach. Ta sama ludność, która – w obliczu klęski FAR – zdecydowała się uciec z Rwandy, by osiąść na wschodzie Zairu, w miejscowości Goma, u stóp wulkanu Nyiragongo. Około 800 tysięcy osób w rekordowym czasie dwóch dni przekroczyło granicę.

Z politycznego punktu widzenia misja francuska została potępiona przez tych, którzy uważali, że pozwoli ona przede wszystkim uciec FAR i milicji odpowiedzialnej za ludobójstwo. Nie byli w błędzie, z tym że większość mózgów ludobójstwa zdołała już i tak uciec. W dodatku pozostawienie otwartych drzwi dla odwetu wojskowego spowodowałoby jedynie kolejną tragedię w kraju, który już i tak właśnie przeżył szczyt ludzkiego barbarzyństwa.

To właśnie wówczas odebrałem wezwanie od MSF.

– Marc, czy można by się z tobą zobaczyć jutro rano? Jak najwcześniej?

Sytuacja była identyczna jak w przypadku innych dramatów: duża liczba uchodźców, obozy do zbudowania, co należało zrobić, w jakim czasie?

W tym momencie MSF Holandia byli już w Gomie i wysyłali sygnały, że wszystko idzie dobrze, że sytuacja jest pod kontrolą. Telewizja zaś upierała się przy pokazywaniu czegoś zupełnie odwrotnego. MSF Francja postanowili wysłać misję na miejsce. Ponieważ nie zdołałem jeszcze dołączyć do Lucrecii, mówiłem sobie, że nie zaszkodzi trochę się poruszać.

Zważywszy, że w niektórych regionach Rwandy toczyły się jeszcze walki, byliśmy przekonani, że strumień uchodźców nieprędko wyschnie. Chcieliśmy zbudować obóz dla chorych na cholerę w Bukavu na południe od Gomy.

Przygotowałem zamówienie na wyposażenie i pojechałem natychmiast do Burundi. W Bujumburze dołączyłem do ekip MSF znajdujących się już na miejscu. Pomogły mi znaleźć szybko ciężarówki do transportu materiałów: wyposażenia potrzebnego do przyjęcia co najmniej 60 tysięcy uchodźców. Sześć ciężarówek i trzy samochody ruszyły w drogę w kierunku Bukavu.

Do Zairu dotarliśmy 24 godziny później. Ponieważ wjechaliśmy tam bez zezwolenia, logistyk obozu poszedł negocjować naszą obecność z lokalnymi władzami. To nie było moje zadanie, przyjechałem tu wyłącznie z powodu cholery. Ale trzy godziny później nadal tkwiliśmy w tym samym miejscu. Poszedłem więc do szefa celników.

– Na czym polega problem?

– Problemem szefie jest to, że nie macie papierów, a to nie jest dobre...

Miał wypisane wielkimi literami na czole: „Chcę bakszyszu!" Znajdowaliśmy się w Zairze. Pewne zwyczaje były niemożliwe do wykorzenienia, nawet w kontaktach z delegacją organizacji humanitarnej.

– Całkowicie się z panem zgadzam szefie. Gdybym był na pana miejscu, zażądałbym grzywny...

– Czyżby?

Jego twarz mówiła: „Dobrze prawi ten młody człowiek, kiedy wspomina o pieniądzach!".

– Oczywiście. W Kanadzie kara wyniosłaby po 250 dolarów od ciężarówki i po 50 dolarów od samochodu za złamanie przepisów. Co czyni w sumie 1650 dolarów za uzyskanie 48-godzinnej przepustki na wjazd do kraju i wyładowanie wyposażenia.

– Tak czy inaczej szefie sądzę, że to dobra inicjatywa.

Poczerwieniał, myśląc o banknotach, które wkrótce miały znaleźć się w jego kieszeni.

Logistyk oczywiście nie był zadowolony. Miał nadzieję, że wykręci się gadką: „Jesteśmy dobrzy, mili, pomożemy waszym braciom, nie ośmielicie się wyciągać od nas pieniędzy". Nie rozumiał, że zairski celnik miał totalnie w nosie uchodźców rwandyjskich. Prawo Trzeciego Świata brzmi: „Każdy dla siebie i Bóg dla siebie". W końcu złamaliśmy prawo, nieprawdaż? Nie mogliśmy spędzić paru dni na negocjacjach. Pomoc była pilnie potrzebna po drugiej stronie.

Przybyliśmy do Bukavu około trzeciej nad ranem. Na ulicach nie było żywej duszy. Zaparkowaliśmy samochody i poszliśmy spać. Nazajutrz wyruszyłem na rekonesans do miasta i zobaczyłem dwa samochody MSF zaparkowane przed jednym z hoteli. To był mój kumpel Luc Legrand. Przybył z Tanzanii. Jako „Pan Cholera" musiał się znaleźć w Zairze. Pomyślałem sobie, że wykonamy wspaniałą robotę. Był wśród nas najlepszy.

Bukavu było spokojne. Jeszcze nie przybyli tu uchodźcy. Wojna toczyła się na drugim brzegu jeziora Kivu, po stronie rwandyjskiej. Wojska francuskie zajęły już pozycje w Cyangugu, ostatnim mieście Rwandy. Sama ich obecność odwodziła od starć. Uchodźcy nie przybędą prędko. Luc i ja postanowiliśmy, że nie zostaniemy w tym miejscu z założonymi rękami, czekając na ich nadejście.

Podzieliliśmy więc misję na dwie części: jedna grupa miała zostać na miejscu, gotowa stawić czoło wszelkim ewentualnościom, druga – w tym Luc i ja – pojedzie pomóc tam, gdzie było najwięcej powodów do obaw, do Gomy.

Problemem była podróż. Drogą trzeba by jechać przez Rwandę, aby dotrzeć do Gomy sześć godzin później. Niemożliwe – starcia trwały w Kigali. Inne rozwiązanie: można było lecieć do Gomy samolotem, lot trwał mniej niż 20 minut. Luc poszedł porozmawiać z francuskimi wojskowymi, jedynymi, którzy mieli samoloty. Wyjechaliśmy jeszcze tego samego dnia.

ROZDZIAŁ SZESNASTY

Goma

Nie wiedziałem, że tak piękna nazwa, kiedyś będzie oznaczała piekło. Goma, skrawek Ziemi opuszczony przez Boga, przez wszystkich bogów. Diabeł paradował tu z triumfującym uśmiechem.

W samym mieście tułały się po ulicach – z błędnym wzrokiem i rysującym się na twarzy przygnębieniem – setki tysięcy rwandyjskich uchodźców; inni siedzieli na ziemi, czekając nie bardzo wiadomo na co. Poza Gomą, na zboczach wulkanu Nyiragongo, 300 tysięcy innych.

Wszędzie trupy. I żywi podobni do trupów.

Po opuszczeniu lotniska Luc powiedział: „Marc, licz trupy po lewej stronie, ja będę liczył po prawej". Zaczęliśmy liczyć te dziwne trumny, utworzone z materaców owiniętych wokół ciał, z małym kawałkiem drewna wetkniętym w ziemię, by wskazać miejsce ratownikom. Byłem przy dwudziestym drugim ciele, kiedy Luc stuknął mnie w plecy: „Marc, przestań. To na nic. Tylko popatrz!".

Faktycznie liczenie niczemu nie służyło. Nie było niczego innego oprócz trupów. Żywi chodzili jak zombi, potykali się o martwych, nawet nie spuszczali oczu, by na nich spojrzeć, podnosili się i rozpoczynali na nowo swe beznadziejne poszukiwania. Z daleka dochodziły odgłosy wystrzałów w rwandyjskim Gisenyi; tam wojna trwała nieprzerwanie.

Pył w kolorze zielonkawoczarnym unoszący się spod milionów stóp dudniących po wulkanicznym gruncie Gomy, upodabniał całość do futurystycznego filmu z gatunku horroru.

Jeszcze bardziej nierzeczywiste było to, że połowa z tych nieszczęśników właśnie dopuściła się potwornej zbrodni przeciwko ludzkości albo stała się jej wspólnikiem. Kim byli? Co działo się w głowach tych morderców? Czy faktycznie rozpoznam zbrodniarzy i odróżnię ich od prawdziwych ofiar? Czy kiedy stajemy w obliczu zła i cierpienia, możemy dzielić ludzi na dobrych i złych – winnych? Czy powinienem zadawać sobie tego rodzaju pytania? A może, przeciwnie, nie należało myśleć, tylko działać? Działać, ruszać się, aktywizować, by nie pozwolić śmierci zwyciężyć.

Czułem jak obok mnie małe ciało Luca pręży się, gotowe do działania. Nie był ani podniecony, ani zaniepokojony, po prostu gotowy. Ale także trochę osłupiały.

Mieszkańcy Gomy próbowali prowadzić zwyczajne życie, co czyniło widok jeszcze bardziej surrealistycznym. Mój mózg zastygł, nie był w stanie przetwarzać wszystkich informacji, którymi był bombardowany. Bez wątpienia, to było duże, bardzo duże, za duże. Gardłowałem, żeby tu przyjechać; miałem, co chciałem.

Usiedliśmy w przyczepie MSF Holandia, by ustalić plan działania. Był Xavier Emmanuelli – jeden z ojców założycieli MSF, był dyrektor ds. sytuacji kryzysowych MSF Francja Marc Castillu, byli pielęgniarz Luc Legrand, logistyk Thierry Fournier, François Antenne – specjalista od uzdatniania wody, no i ja. Uzgodniliśmy, że najpilniejsze było utworzenie obozu dla chorych na cholerę. Musiał być gigantyczny. Minimum 700 łóżek.

To nie była moja opinia, ale ocena wszystkich ekspertów, którzy wszakże niemało widzieli. Przygnębiony Xavier Emmanuelli wyznał mi:

– Marc, to gorsze niż Etiopia, gorsze, gorsze niż Biafra!

Zrozumiałem, że mieliśmy do czynienia z gigantycznym kryzysem. Skoro założyciel MSF był zmuszony stwierdzić, że przewyższa on ten z Biafry i Etiopii, to znaczyło, iż naprawdę jest paskudnie.

Jakbyśmy nie zobaczyli już dostatecznie dużo, dowiedzieliśmy się, że Hutu są linczowani przez innych Hutu, bo oskarżano ich o kolaborację z wrogiem Tutsi. Jakiś człowiek właśnie został zasiekany maczetą. Mówiono, że nie był w 100 procentach Hutu. Nawet będąc pogrążeni w rozpaczy, niektórzy uchodźcy potrafili wzbudzić antypatię.

Było za dużo broni w tym regionie. To proste: pierwsi uciekli niezbyt dzielni żołnierze FAR. Zajęli pozycje wyżej, na wzgórzu wulkanicznym. Ale przyszli tu z bronią i z amunicją. Było też dużo śmigłowców i moździerzy. Karabinów szturmowych i rewolwerów. A także maczet, całe tony maczet. Maczety były przede wszystkim, i są jeszcze dziś, niezbędnym narzędziem pracujących na rwandyjskich polach. Ale te zostały unurzane we krwi, przekształcone w narzędzia ludobójstwa.

Należy sprecyzować, że jeszcze przed ostatnim napływem uchodźców Hutu był tu obóz rwandyjskich wygnańców z plemienia Tutsi, wypędzonych z kraju podczas pierwszych masakr międzyetnicznych w 1959 roku. Normalnie, gdy dochodzi do wielkich przesiedleń ludności, trzeba ją kierować poza ośrodki miejskie, których sieć sanitarna nie może sprostać zapotrzebowaniu, co powoduje całą kaskadę innych tragedii. W takich wypadkach należy poprowadzić ludzi na otwartą przestrzeń i zacząć budować infrastrukturę.

Organizacje humanitarne działające na miejscu stosowały tę złotą zasadę, ale wykazywały brak doświadczenia, połączony z pośpiechem i przerażeniem w obliczu rozmiarów zadania. Powiedziały uchodźcom, by kierowali się na wzgórza wulkaniczne, na których chciały założyć obozy. Uchodźcy posłuchali, gotowi uczepić się kurczowo wszelkiej pierwszej pomocy, jaka została im ofiarowana. Ale ledwie 300 tysięcy z nich opuściło miasto, gdy siły zbrojne zairskiej armii zablokowały drogę, by przeszkodzić im w powrocie. Zairczycy mieli dość tej masy uchodźców, sprawców ruiny ich kanałów zaopatrzenia w wodę. Mieli powyżej czubka nosa przyglądania się z założonymi rękami, jak wszędzie pozostawiają nieczystości. Milion osób szybko zanieczyści miasto. Nie mówiąc o zwiększeniu liczby trupów, żebraków i złodziei, a także o lawinowym wzroście przemocy. Ich zdenerwowanie było koniec końców całkowicie uzasadnione.

Instalując się w górach wulkanicznych, organizacje humanitarne odcinały się od dostępu do wody pitnej. Dziś szacuje się, że na cholerę zmarło od 70 do 75 tysięcy osób, a odwodnienie spowodowane przez pobyt w tych obozach walnie się do tego przyczyniło. Jak na ironię losu, Goma jest położona na brzegu jednego z największych jezior Afryki.

Świadomi wszystkich tych mankamentów opracowaliśmy nasz własny *modus operandi*: MSF Holandia mieli kontynuować pracę w obozach uchodźców, budowanych na zboczach wzgórza, a MSF Francja – zająć się tymi, którzy pozostali na ulicach miasta. François Antenne miał skoncentrować się wyłącznie na sprawie wody. Trzeba było wykorzystać wszystkie możliwe źródła, łącznie z jeziorem, oczyścić ogromne ilości wody w zbiornikach, a następnie, we współpracy z Oxfam, rozprowadzić ją wśród uchodźców.

Jeśli o mnie chodzi, zostałem przydzielony do ekipy Luca Legranda, by otworzyć obóz dla chorych na cholerę w mieście. W ferworze dyskusji zapytano mnie, ile czasu mi na to potrzeba. Nie wiem, co mnie napadło, by udzielić takiej pretensjonalnej odpowiedzi: „Cztery dni!" – odrzekłem. Widziałem spojrzenie Luca, który zmarszczył brwi ze zdziwienia, ale potwierdziłem, że jestem gotowy zbudować w ciągu czterech dni szpital na 700 łóżek.

Tak naprawdę mówiłem sobie, że w ciągu czterech dni mogę stworzyć jednostkę zdolną do działania i skończyć pracę, gdy pacjenci będą już w łóżkach.

Znaleźliśmy boisko do piłki nożnej w pobliżu szkoły Białych Ojców. Uczniowie zdawali jeszcze egzaminy. Potrzebowałem godziny, by ocenić lokalizację, pomyśleć w ciszy o budowlach, jakie należy wznieść, o elementach środowiska, które trzeba będzie uwzględnić, o niezbędnych narzędziach, o robotnikach. Kiedy wszystko zostało już zmagazynowane w komputerze, który miałem w głowie, byłem gotów przejść do działania.

Pierwsze zadanie polegało na przeniesieniu dziesiątków trupów, które zostały tu zgromadzone. Jeden z uczniów ostatniej klasy podszedł do mnie i zapytał, co robię. Objaśniłem mu projekt szpitala dla nagłych przypadków:

– Pasowałoby ci trochę popracować dla mnie?

– Oczywiście. Tak się składa, że jestem już wolny.

– Bardzo dobrze, zaczynasz zaraz.

– OK. Szefie, co mam robić?

– Masz dziesięć minut na przyprowadzenie mi pięciu innych silnych ludzi.

Musiałem myśleć z zawrotną prędkością. To było gigantyczne ćwiczenie z zarządzania zasobami ludzkimi. Ale wiedziałem dokładnie, czego chcę: zręcznych robotników, zdolnych wykonać każdą robotę.

Zgłosiło się pięciu mężczyzn. Natychmiast posłałem ich, by każdy znalazł kolejnych pięciu. Czekając na nich, poszedłem do dyrekcji szkoły i poprosiłem, by zebrano wszystkich nauczycieli. Zapytałem, który z nich uczy matematyki. Podniosła się jedna ręka.

– Doskonale, jesteś księgowym!

Dwaj nauczyciele literatury będą administratorami, ten od geografii – moim asystentem odpowiadającym za magazyn. Zainstalowałem moje biuro w sali lekcyjnej. Przed zapadnięciem zmroku udało mi się stworzyć ekipę złożoną z prawie dwustu osób: trzydziestu stolarzy, prawie tyle samo murarzy. W kulminacyjnym momencie robót kierowałem ekipą 430 pracowników.

Dostałem już wszystkie narzędzia: łopaty, maczety... Wytyczyłem teren i umówiłem się z armią francuską, że pożyczy mi koparkę. Kiedy przyjechała, poprosiłem typa, który ją przyprowadził, żeby wykopał mi rów, a nie latryny. Wymyśliłem sobie, że zbuduję sracze w górze, jak w filmie *Platoon*: trzy schodki, podłoga, a poniżej beczka, którą będzie można opróżniać, kiedy się zapełni.

Byłem gotów otworzyć plac budowy nazajutrz.

Noc była krótka.

Podzieliłem ekipę na grupy po dziesięć osób, by praca trwała nieprzerwanie. Miałem wystarczająco dużo personelu, by pracować w dzień i w nocy. Sobie samemu dawałem kilka godzin snu raz na dwa dni.

Na placu budowy wciąż było głośno. Okrzyki pracujących, którzy z zapałem przystąpili do roboty, odpowiadały na wyszczekiwane przeze mnie rozkazy. Nikt nie wiedział tak naprawdę, co wyjdzie ze wszystkich tych ćwiczeń. Tylko ja miałem ostateczny plan, był starannie ułożony w mojej głowie. Kiedy zaczęły się wznosić mury i namioty, wzięto mnie za geniusza.

Powierzyłem prace murarskie młodemu logistykowi, który właśnie przyjechał, a kopanie drugiemu, który wysiadł z tego samego samolotu. Ja zajmowałem się stolarką i ogólną koordynacją. Jeden z Kongijczyków pełnił funkcję szefa ekipy; dobrze się między nami układało.

Rezultat: rankiem piątego dnia obóz był gotowy. Tego samego wieczora mogliśmy przyjąć 270 pacjentów w szpitalu, w którym była nawet elektryczność.

To był największy obóz dla chorych na cholerę w historii MSF. Liczył 740 łóżek. Był podzielony na dwie części: jedna dla chorych na cholerę, druga – na szigelozę. Była woda, pralnia, kostnica, kuchnia. Chociaż murarze nie skończyli jeszcze komina, można było gotować na znajdującym się obok kamieniu. Jeśli chodzi o łóżka, zwróciliśmy się do lokalnej firmy, która zdecydowała się na najprostsze rozwiązanie, chcąc zrealizować w krótkim czasie moje zamówienie opiewające na trzysta sztuk. Szef firmy chciał mieć na nie trzy tygodnie, ale pożyczyłem mu czterdziestu pracowników i termin został dotrzymany. Sprawy posuwały się naprzód.

Podczas gdy ja się tak uwijałem, Luc Legrand skończył kompletowanie ekipy medycznej. Zwerbował asystentów, zwłaszcza wśród miejscowych Hutu. Zgromadziliśmy także lekarstwa na półkach aptecznych; jedna z ekip podjęła się ich dystrybucji.

Obóz dla chorych na cholerę to w końcu tylko to – mnóstwo drobnych szczegółów, których nie należy nigdy tracić z pola widzenia: prysznice, kostnica, pomysłowy system odprowadzania ścieków (jak odprowadzić czterdzieści ton ścieków dziennie?), drogi itp. Niech zabraknie jednego z elementów, a zagrożone będzie życie wielu ludzi.

MSF właśnie dali światu mistrzowską lekcję szybkiego zarządzania w czasie kryzysu. Przede wszystkim jednak będziemy w stanie zredukować ten okropny wskaźnik tysiąca zmarłych dziennie.

Trzeba było dwóch tygodni intensywnej pracy, by dokończyć dzieła. Pracowałem po trzydzieści sześć godzin bez przerwy, potem kładłem się spać: dzień, noc, dzień, potem do łóżeczka; dzień, noc, dzień i znowu do łóżeczka. Ten rytm mnie zabijał.

Tak naprawdę już nazajutrz po otwarciu tego monumentalnego placu budowy nie czułem się zbyt dobrze. Korzystałem z usług licznych weteranów Rwandyjskich Sił Zbrojnych jako siły roboczej, podczas gdy Kongijczycy pracowali jako murarze i stolarze. Robotnicy, którzy nawet nie zadali sobie trudu, by zdjąć mundury. Mieli jeszcze oczy nabiegłe krwią, gdy – w stanie otępienia – kopali moje rowy i moje latryny. Kiedy wbijali w ziemię łopatę, czuło się ból, który musiał przeszywać ich ofiary, gdy na ich karki spadały inne ciosy – maczety.

Zaczęła się formować grupa facetów mocnych w gębie. Nie zwróciłem uwagi na dwóch typów, którzy po południu zaczęli podnosić głos. Trzech, potem pięciu, wreszcie ośmiu innych poszło w ich ślady. W końcu wszyscy przestali pracować.

Odłożyłem ołówek na stół i wyszedłem z biura, żeby zobaczyć, co się dzieje. Zważywszy na niezwykle pilne zadanie, które mieliśmy na głowie, na pewno nie było mnie stać na marnowanie czasu. Nie zdawałem sobie nawet sprawy z niebezpieczeństwa, jakie wiązało się z moją sytuacją: jedyny biały wśród tych Hutu, którzy mieli ręce splamione krwią.

Odłożyli narzędzia i otoczyli mnie. Podszedł jeden z ich rzeczników.

– Szefie, niech pan mówi, co chce, ale tak nie może dłużej być!

– Naprawdę?

– Nie. Robimy strajk.

Krew zaczęła się we mnie gotować. Miałem ochotę wszystko rzucić, pójść sobie, żeby ci idioci zrozumieli, że to nie jest odpowiedni moment na mówienie mi o strajku, że mnie ten obóz nie był potrzebny, że zdychały ich dzieciaki i ich żony. Ja mogłem spakować walizki i wrócić do Paryża albo do Mozambiku, do mojej kobiety. Przez głowę przeleciało mi: „Cholera, zapomniałem zadzwonić do Lucrecii. Czuję, że będzie się złościć".

Kto jak kto, ale ja nie miałem najmniejszego interesu, by pozostać w tym piekle. A te głupki przychodzą mówić mi o strajku, jakby moja firma miała ogłosić upadłość. Przyjąłem to bardzo źle. Mimo to spytałem bardzo poważnie:

– Proszę?

– Chodzi o to szefie, że pan nie respektuje praw człowieka.

– Jak to?

– Płaci nam pan tylko po dwa dolary dziennie. To nam nie wystarczy. Naprawdę cierpimy z tego powodu.

Miałem ochotę zatłuc tego faceta o spojrzeniu pełnym dziecięcej nadziei.

Dokładnie w tym momencie przybył mój pikap. Wszedłem na niego, by móc górować nad całą grupą. I przestałem się hamować:

– Na czym polega wasz, kurwa, problem, bando kretynów. Chcecie porozmawiać o prawach człowieka, gromado morderców dzieci?

Oczywiście nie wszyscy nimi byli, ale spora grupa – tak, zwłaszcza ci, którzy najgłośniej gardłowali.

– Powtórzcie mi to jeszcze raz. Prawa człowieka?

Ponownie zobaczyłem trupy, którymi usłana była droga prowadząca z mojego hotelu do tego obozu. Rozpoznawałem wśród zmarłych tych, którzy zostali posiekani nożem poprzedniego dnia wieczorem.

– Ja jestem Kanadyjczykiem. Wiem, co to są prawa człowieka. Wiem, co to jest demokracja. Pozwólcie więc, że coś wam wyjaśnię: największa demokracja, to szef! A kto tu jest szefem? Ja. Zanim zaczniecie wzniecać wasze rebelie do bani, powinniście się zwrócić do mnie. Jeśli macie jakieś pytania, podnosicie rękę do góry i zadajecie mi je!

Facet, który mówił w imieniu grupy, i trzech innych podnieśli ręce. Nic nie było już w stanie mnie powstrzymać:

– Wy czterej, którzy podnieśliście ręce, zastanawiacie się, co to znaczy demokracja? Otóż jest to prawo szefa do wyrzucenia za drzwi, kogo zechce. Jesteście zwolnieni. Wynocha!

Nikt nie spodziewał się takiego zakończenia, ja również nie.

Sprowadziłem strażników, aby ich wyprowadzili.

– Czy ktoś jeszcze ma jakieś kurewskie pytania?

– Tak szefie, to dotyczy...

– Precz stąd (Nie miał czasu, by skończyć zdanie.) Wy tam – pozostali – posłuchajcie mnie uważnie: Nazywam się Marc Vachon. Jeśli będziecie mnie nadal wkurzać, wskakuję do samolotu i się ulatniam. A wam nie pozostaje nic innego, jak wrócić na bezrobocie. Natychmiast wracajcie do pracy. Nie mogę podwyższyć wam pensji, bo nie mam pieniędzy. Oprócz tych dwóch dolarów dziennie, żywię was i daję wam pić. Poza tym, pracując dla nas, nie jesteście zamknięci w obozach i nie włóczycie się po ulicach, na których wasi kumple są masakrowani o każdej porze dnia. Jeśli nie jesteście zadowoleni, spływajcie, pięć tysięcy kandydatów czeka na wasze miejsca. Macie pięć minut, żeby z powrotem zabrać się do pracy.

Trzydzieści sekund później, brzęk narzędzi ryjących ziemię stał się ogłuszający.

MSF Belgia przysłali kamerzystę, by zrobił ze mną wywiad o obozie chorych na cholerę. Miałem opowiedzieć, jak połączyłem ze sobą poszczególne elementy, aby wszystko było w porządku i gotowe na czas. MSF Belgia chcieli mieć ten dokument w swoich archiwach na potrzeby szkolenia przyszłych logistyków, coś w rodzaju kasety, którą pokazano mi w Lézignan.

Oczywiście poruszona została kwestia zarządzania personelem.

– Jak zdołał pan skłonić do pracy tylu ludzi reprezentujących różne grupy etniczne, kultury i narodowości?

– Trzeba unikać lawirowania. Rwandyjczycy byli niedawno świadkami ludobójstwa – jeśli sami go nie dokonali. Nie są, że się tak wyrażę, w nastroju do bawienia się w uprzejmości. Z kolei Zairczycy od dwóch dziesięcioleci są nabijani w butelkę przez Mobutu, nie mają już ochoty pozwalać wodzić się za nos. To są wszystko ludzie prawi, pod warunkiem, że rozmawia się z nimi szczerze. Szef musi umieć narzucić swoją wolę. Opowiedziałem im, jak mój personel stał się skuteczny nazajutrz po pseudostrajku. Podzieliłem na nowo ludzi na ekipy, opierając się na łączących ich pokrewieństwach, i poprosiłem każdą, by wydelegowała jednego reprezentanta, jedynego, który miał prawo zadawać mi pytania. Byli członkowie FAR doskonale zrozumieli moje rozkazy. Połączyli się w plutony, kierowane przez podoficerów. Pod koniec reorganizacji stałem więc na czele małego kontyngentu FAR.

Z kolei Kongijczycy podzielili się w sposób naturalny według zawodów: z jednej strony murarze, z drugiej stolarze. Żeby być w stanie rozróżniać cały ten personel, rozdałem wszystkim czapki baseballowe w różnych barwach: w czerwone paski dla murarzy, niebieskie dla stolarzy, zielone dla robotników niewykwalifikowanych.

Poza tym – piekło czy nie piekło – w Afryce nie można nigdy zapominać o pewnych obyczajach: świętuje się początek i zakończenie budowy. To byli Zairczycy. Najlepszy naród w świecie do balowania.

Kiedy obóz już działał, umówiłem się na mieście z całą ekipą. Zgarnąłem całe piwo i lemoniadę z bistro. Od razu zaczęła się fiesta. Pracownicy wkrótce zaczęli kołysać biodrami i gwizdać na dziewczyny.

Wtedy jeszcze tego nie wiedziałem, że przyjdzie mi drogo zapłacić za mój wywiad dla tych belgijskich filmowców.

ROZDZIAŁ SIEDEMNASTY

Ta dziwna choroba, która mnie trawi

Powoli nauczyliśmy się przyzwyczajać do horroru. Przypominam sobie ten wieczór w domu MSF Francja, dawnych biurach Air Zaïre. Byłem z Lukiem Legrandem i François Antenne'em. Z pierwszego piętra roztaczał się apokaliptyczny widok. Około 50 tysięcy uchodźców kleiło się – jedni do drugich – wokół małych ognisk, by się rozgrzać. Nieprawdopodobny spektakl: te lampiony, które opowiadały o całym ich życiu, i które gasły jeden po drugim. W tle sceny wulkan Nyiragongo – wybrał nieodpowiedni moment na erupcję. Widziany z bardzo daleka stwarzał wrażenie imponującego czerwonego talerza, z którego unosiły się kłęby białego dymu. Poza tym to nieustanne rzężenie umierających ludzi. I dochodzące do nas od czasu do czasu odgłosy wystrzałów. Sceny linczu na domniemanych zdrajcach.

Rano, kiedy wychodziliśmy do pracy, schodząc ze stopni schodów biur Air Zaïre, musieliśmy robić duże kroki, by nie nadepnąć na trupy tych, którzy poprzedniego wieczora wybrali sobie właśnie to miejsce, by umrzeć. Ponieważ dowiedzieli się, że w tym domu żyją biali. W nocy nie ośmielali się nam przeszkadzać, czekali, aż nadejdzie ranek, byśmy zabrali ich do obozu chorych na cholerę. Często było już za późno. Musieliśmy mocno pchać drzwi zablokowane przez ich ciała, udawać, że ich nie widzimy ani nie słyszymy. Jeśli piekło nie przypomina tego, to co przypomina?

Powoli wszystko zaczęło się układać. Ekipy wyznaczone do zbierania trupów przystąpiły do pracy. Nie byliśmy już sami; byli skauci z Gomy, irlandzka pozarządówka GOAL, Czerwony Krzyż. Powstawały obozy. Ciężarówki zaopatrujące uchodźców w wodę kursowały coraz częściej. Śmierć zaczęła się cofać.

Z przyczyn politycznych Kinszasa postanowiła wysłać wojska, aby rozbroiły uchodźców rwandyjskich i przywróciły porządek w Gomie. Gwardia Republikańska od chwili przybycia zastosowała metodę twardej ręki. Po mieście krążyła ciężarówka wyposażona w głośnik, przez który ogłaszano, że uchodźcy mają dwadzieścia cztery godziny na opuszczenie miasta i powrót do obozów na górze.

Nadal pamiętam ten wieczór, kiedy Zairczycy wprowadzili w życie swoją groźbę. Zielone berety z Gwardii Republikańskiej Mobutu w ciemnych okularach Ray-Ban wysiadły z pikapa. Nie patyczkowali się, szli ulicą, strzelając do każdego napotkanego Rwandyjczyka. Lufy ich karabinów pluły śmiercią w metalicznym *staccato*. Przez wieczór i większą część nocy trwało „oczyszczanie" miasta w rytm tego przerażającego takatakatak. To było straszne, bezlitosne. Nazajutrz ci, którzy przeżyli, znów podjęli exodus, tym razem ku obozom przyczepionym do zbocza wzgórza Nyiragongo.

Nie zdawałem sobie jeszcze z tego sprawy, ale było ze mną coraz gorzej. Przede wszystkim fizycznie, z powodu braku snu. Musiałem palić co wieczór skręty, żeby nie pęknąć. Jeśli chodzi o moją psychikę, bardzo źle znosiłem sceny horroru. Goma była największym wyczynem w moim życiu, ale zapłaciłem za to gigantyczną cenę. Wszystkie szczegóły tego piekielnego pobytu pozostają zakotwiczone w mojej głowie.

Pamiętam naszą pierwszą wizytę w Gisenyi, pierwszym mieście rwandyjskim po drugiej stronie granicy. Rwandyjczycy z plemienia Tutsi jeszcze zbierali swoich zmarłych. To tam widziałem ludobójstwo. Doły i zbiorowe groby wypełnione były po brzegi ciałami mężczyzn, kobiet i dzieci pociętymi w plasterki maczetami. Staruszków i niepełnosprawnych, ofiar szaleństwa tych sadystycznych debili. Wszędzie trupy, były ich tony. Minęły tygodnie, odkąd je porzucono, znajdowały się już w zaawansowanym stadium rozkładu. Zostały ułożone jedne na drugich na środku drogi, potem zabójcy umieścili między zwłokami granaty, by te wybuchowe barykady powstrzymały marsz rebeliantów z FPR. Wśród tych złowieszczych konstrukcji błądzili żywi, próbując rozpoznać twarze. Ale większość siedziała obojętna, nieprzytomna, na wpół martwa.

W głębi kraju, w Ruhengeri, ludzie byli zabijani w kościołach, pacjenci dobijani na łóżkach szpitalnych. I ten odór, odór, który drażni płuca i atakuje mózg.

Myślałem, że ucieknę od tego, wracając do Gomy. Ale tam również diabeł nie złożył jeszcze broni. Pracowałem ze słuchawkami od walkmana, który ogłuszał mnie muzyką rockową, żeby już nie słyszeć rzężenia umierających, nie wychwytywać głuchego odgłosu ciał, które dołączały do innych w zbiorowych mogiłach, aby nie rozpoznawać wśród dźwięków płaczu sierot. Ale gdy tylko zdejmowałem słuchawki, horror wracał.

W moim obozie dla chorych na cholerę pół tuzina pacjentów zmarło nie bardzo wiadomo z jakiego powodu. Później zdaliśmy sobie sprawę, że w nocy mordercy wślizgiwali się do namiotów i zapychali rurki, przez które były podawane serum antywirusowe. Oskarżali swoje ofiary o to, że mieli krewnych Tutsi. Znajdowaliśmy dzieci ze strzaskanymi czaszkami. Tylko dlatego, że ich matka poczęła je z Tutsim. To było przerażające. Trzeba było dzień w dzień walczyć z chorobą, która zbierała codzienne żniwo istnień, z głupotą ludzi, którzy upierali się przy dalszym czynieniu zła, ale przede wszystkim z przygnębieniem, które nas ogarniało, kiedy patrzyliśmy na ciała bez życia pacjentów wykończonych poprzedniego wieczora.

Pewnego wieczora postanowiliśmy skończyć z tymi niewyjaśnionymi stratami. Po dyżurze zmusiliśmy wszystkich pracowników, by poddali się rewizji osobistej. Zrzędzili: „Coś podobnego, szefie, naprawdę, to jest niezgodne z prawami człowieka i prawem pracy. Bierzecie nas za bandytów!". Rozumiałem, że czują się upokorzeni, ale Luc musiał uświadomić sobie, co tu się dzieje. W rezultacie znaleźliśmy pod koszulą jednego z pielęgniarzy, największego i najlepiej zbudowanego, tego który najwięcej pyskował, sześć opakowań sifloksu, stosowanego przez nas leku. W namiocie, za który był odpowiedzialny, mieliśmy codziennie czterech, pięciu zmarłych. To był jeden z zabójców. Mały Luc skoczył zbyt szybko, bym mógł go powstrzymać, złapał gościa za uszy i wymierzył mu dwa brutalne ciosy kolanem w nos. Robiłby to dalej, gdyby nie przeszkodzili mu strażnicy. Zamierzaliśmy przekazać złodzieja policji, ale Luc chciał tylko jednego:

– Niech spływa, nie chce go więcej widzieć, nawet przed sądem. Niech zniknie! Bo jeśli jeszcze kiedyś go spotkam, to go zabiję, bez uprzedzenia.

Wcześniej dowiedziałem się, że dowódcą błękitnych hełmów podczas operacji Turkus w Rwandzie był pułkownik Sartre, mój stary znajomy z Bośni. Kiedy koleżanka, która miała otworzyć obóz dla przesiedlonych w strefie Hutu w południowo-zachodniej Rwandzie, przyszła prosić mnie o radę, natychmiast zaleciłem jej, by skontaktowała się z francuskim oficerem, powołując się na mnie. W kwaterze głównej armii francuskiej w Gomie połączono mnie drogą radiową z pułkownikiem, który przebywał gdzieś w Rwandzie pomiędzy Ruhengeri i Gisenyi. Od razu zaczął mówić mi na „ty":

– Miło cię słyszeć, Vachon.

Nie musiałem go o nic prosić.

– Słuchaj synku, jeśli przyjedziesz pracować po tej stronie granicy i będziesz czegokolwiek potrzebował, w żadnym razie się nie krępuj!

– No właśnie panie pułkowniku, posyłam panu koleżankę, która być może będzie pana potrzebowała.

Kiedy dziewczyna znalazła się w Rwandzie, uświadomiła sobie, że musi mieć ciężki sprzęt, by zbudować swój obóz. Pomogła jej jednostka francuskich wojsk inżynieryjnych.

Tego rodzaju współpraca, która pomogła przecież MSF, była źle widziana przez niektórych ludzi w firmie: „Taki flirt z armią francuską nie jest dobry dla MSF. Kwestionowana będzie nasza neutralność. W końcu to armia francuska wyszkoliła typów z FAR, którzy dopiero co kierowali ludobójstwem w Rwandzie". Nie byłem mocny w polityce, ale ten dogmatyzm wydawał mi się straszną hipokryzją. Bo jeśli mieliśmy już sięgnąć do źródeł odpowiedzialności, jest rzeczą jasną, że armia nie decyduje nigdy o porozumieniach o współpracy wojskowej. Wypełnia tylko rozkazy i realizuje umowy zawarte przez polityków. We Francji, w tym czasie, polityka afrykańska była w gestii François Mitterranda i jego otoczenia. A większość członków MSF głosowała na lewicę. Większość przywódców MSF zrobiła karierę w Partii Socjalistycznej. Z kim więc należało się jak najmniej zadawać, z wojskowymi czy z ministrami?

Miałem bezustannie bóle brzucha i biegunkę. Brałem tony leków. Z każdym dniem czułem się coraz słabszy. Pewnego ranka dotarł do nas anonimowy list, który doprowadził nas do ostateczności. Był zaadresowany do jednej z naszych asystentek, Tutsi, która wyszła za mąż za Hutu. Przytrzymywał go nóż wbity w drewniane drzwi. List mówił, że ta pani zostanie zamordowana jeszcze tego samego wieczora, jeśli nie porzuci MSF.

Luc Legrand wyszedł z siebie. „Pierdolone dranie!" – wrzeszczał. Opuścił obóz nazajutrz. Uścisnął mi rękę, wziął swoją małą torbę i odszedł, nie oglądając się za siebie.

Rozchorowałem się z tego powodu. Jadałem byle co. Nie sypiałem wystarczająco długo: pięć, sześć godzin co dwie noce.

Gdy zadzwoniono do mnie z Paryża, byłem w stanie skrajnego wyczerpania. Rozkaz brzmiał: zbudować jak najszybciej ośrodek żywieniowy. Zorganizowałem plac budowy. Zrealizowałem projekt zaledwie w 75 procentach. Widziałem, jak wznoszą się budynki etapu pierwszego i drugiego. Nie mogłem kontynuować. Nie byłem już nawet w stanie pójść do łazienki. Straciłem prawie dwadzieścia kilo. Musiałem wydobyć się z tego szamba.

Właśnie wtedy wreszcie spotkałem Sylvaina Charbonneau, słynnego Kanadyjczyka, o którym tak często opowiadano mi w MSF. Przyjechał do Gomy jako administrator. Oznajmił, że załatwił mi ewakuację do Paryża przez Bangui w Republice Środkowoafrykańskiej i Ndżamenę w Czadzie. Przydzielił mi lekarza i pielęgniarkę na wypadek, gdybym poczuł się jeszcze gorzej.

Nazajutrz w Bangui rzeczywiście było ze mną jeszcze gorzej. Żeby nie pobrudzić siedzeń, musiałem nosić podpaski. Nie tylko z powodu kokieterii; to zabezpieczenie miało mnie uchronić przed kwarantanną po przybyciu do Francji.

Na lotnisku był pułkownik Sartre, który kończył misję w Rwandzie. Przyszedł uścisnąć mi dłoń. Personel linii lotniczych traktował go jak gwiazdę. Kiedy pilot powitał go na pokładzie, Sartre szepnął mu do ucha:

– Proszę posłuchać, jeśli pozostały wolne miejsca w pierwszej klasie, chciałbym zaprosić przyjaciół, którzy siedzą w tyle, żeby do mnie dołączyli. Czy to możliwe?

– Zrobimy co w naszej mocy panie pułkowniku.

Na krótko przed startem, ktoś z załogi przyszedł po mnie i moich dwóch towarzyszy podróży, by zaprowadzić nas do klasy de luxe. Kompletnie zapomniałem o chorobie, kiedy wtuliłem się w miękkie siedzenie i słuchałem pułkownika opowiadającego mi o swoich planach.

– Muszę pojechać na dwa lata do Dżibuti jako dowódca stacjonujących tam sił. Lubię cię młody człowieku. Jeśli chcesz do mnie dołączyć, będę miał dla ciebie robotę w charakterze doradcy do spraw humanitarnych. Nauczysz naszych ludzi pracować w innych szerokościach geograficznych niż znane im.

Kazał mi obiecać, że do niego zadzwonię.

Po czterech dniach intensywnej terapii przeciw biegunce, zameldowałem się u MSF. To był zimny prysznic.

W biurach MSF, gdzie wszyscy akurat wracali z wakacji, czekało mnie lodowate przyjęcie. Ale miałem to w nosie. Jedyną rzeczą, która mnie interesowała, był powrót do Mozambiku, spotkanie z moją rozkoszną kobietą i spanie. Ale i tym razem nie udało mi się pojechać do Lucrecii.

Dowiedziałem się, że MSF próbowali organizować nową misję w Sudanie i że trzej faceci wysłani na rekonesans zostali zatrzymani przez rebeliantów z SPLA. Niesamowita historia. Charles Pasqua, wówczas minister spraw wewnętrznych, zdołał położyć łapę na Carlosie, zwanym Szakalem, jednym z najbardziej poszukiwanych na całej planecie terrorystów. Wszyscy wiedzieli, że Francja będzie musiała zapłacić haracz za to zatrzymanie dokonane w Sudanie. Ile to ją tak naprawdę kosztowało? Tajemnica. Krążyły pogłoski, że Paryż upoważnił Chartum do zapuszczania się na terytorium sąsiedniej Republiki Środkowoafrykańskiej w celu zaopatrywania jednej z jego pozycji na południu: jeśli Wao nigdy nie wpadło w ręce wojsk SPLA, to było tak prawdopodobnie dlatego, że armii nigdy nie zabrakło amunicji. Inna nagroda: Francja podobno przekazała zdjęcia lotnicze obozów szkoleniowych wojsk SPLA. Bardzo precyzyjne odbitki, co skłaniało do myślenia, że zostały zrobione raczej z samolotu niż z satelity. A jakie samoloty miały prawo latać nad południowym Sudanem, prócz kursujących w tę i z powrotem maszyn MSF zrzucających żywność?

Powróciły wspomnienia historii z samolotami Southern Air Transport, które znikały, rzekomo po to, by uprawiać turystykę powietrzną.

– Kurwa mać, daliśmy się nabrać!

Faceci z SPLA nie są głupkami, powiązali MSF i te zdjęcia. Jestem nadal przekonany, że paryscy MSF nigdy nie maczali palców w tych machinacjach. Podejrzenia budzi raczej administrator z Nairobi. Nie wiadomo tylko, czy był manipulowany bez jego wiedzy, czy świadomy tego, co się działo.

Byłem tym wszystkim zniechęcony. Krętactwami, Narodami Zjednoczonymi, które opuściły Rwandę, Kanadą, która należała do dezerterów, chowających się za literą prawa, by nie działać. Ja w Iraku nie wahałem się nigdy zboczyć na nielegalną drogę, by ratować życie ludzi. Bo w to wierzyłem.

Kilka lat później kanadyjscy wojskowi przyznają, że są moralnie złamani, bo nie otrzymali rozkazów, które pozwoliłyby im przestać być wyłącznie bezsilnymi świadkami najgorszego barbarzyństwa końca XX wieku. Złamani również dlatego, że ich sztab główny nie miał odwagi postawić się, gdy było trzeba. Sądzę, że gdy chodzi o ratowanie życia ludzi, to albo wraca się do domu i udaje, że nie wie się, co się święci, albo zostaje, bierze radiotelefon i odgrywa komedię: „Nowy Jork, Nowy Jork, nie słyszę was!". A potem rozkazuje się swoim ludziom, by robili wszystko, co jest w mocy ludzkiej. Działa się, zamiast lamentować jak psiak, który zgubił zabawkę. Znam kanadyjskich żołnierzy, odpowiedzieliby swemu dowódcy: „Umrzemy na stojąco, nie będziemy żyć na klęczkach". Nie mówię o uratowaniu całej Rwandy, ale zapewniliby przynajmniej bezpieczeństwo części Kigali, stworzyli sanktuarium pokoju, gdzie mogliby się schronić zagrożeni Tutsi i Hutu. Nie zrobili tego.

Tak jak nie wysłali ekspertów, którzy zaprzeczyliby propagandzie milicjantów Hutu rozpowszechnianej w radiach nienawiści.

Sądzę, że wbrew temu, co chętnie się powtarza na temat Rwandy, zdrada nadeszła również z terenu, od tych, którzy widzieli, ale nie ruszyli palcem. Gdyby zaczęli walczyć, by zapewnić bezpieczeństwo kilku regionom kraju, Nowy Jork i Ottawa nie mogłyby się już cofnąć. Świat zostałby zmuszony do wysłania jednostek wsparcia. Interweniowaliby Francuzi, Kanadyjczycy, Belgowie. Przysłaliby komandosów, doborowe jednostki, by powstrzymać masakry. Oczywiście byłyby pierwsze dziesiątki tysięcy zabitych, ale potem uniknęłoby się pogorszenia sytuacji i uratowano by 500 tysięcy lub 600 tysięcy istnień ludzkich. To byłoby wielkie. Ale tego nie zrobiono. Dlatego, że ci, którzy znajdowali się na Zachodzie, odwracali szybko głowę w drugą stronę, a ci, którzy byli na miejscu horroru, próbowali sobie wmówić, że uda się im uciszyć karabiny słowami. Takich ambicji nie mieli nawet mnisi.

Pomstowałem na kanadyjskiego generała Dallaire'a na czele jego małej bezsilnej armii. Mógł zrobić więcej, niż spędzać czas na narzekaniu na Narody Zjednoczone, na organizacje pozarządowe, na nieobecne media. Ale nigdy na własne tchórzostwo ani własną nieudolność. Słyszałem o innym Kanadyjczyku, w Bośni, generale MacKenzie, który się odważył. Na początku wojny na czele wielonarodowych sił, wystawiając się na ogień ze wszystkich stron, otworzył lotnisko.

Ja, który dopiero co byłem świadkiem masakr, widziałem tysiące pociętych na kawałki ciał, czułem mdlący zapach rozkładających się istnień ludzkich, zostałem przyjęty w Paryżu przez ludzi, którzy wracali z wakacji na plażach południa. Byłem milczący i głuchy. Chciałem tylko pić, pić i jeszcze raz pić, jakbym liczył na to, że utopię mój ból w palącym alkoholu.

Potrzebowałem co wieczór półtorej butelki whisky, by móc spać. W przeciwnym razie prześladował mnie ciągle jeden i ten sam sen: jestem w pikapie, a na poboczu drogi leżą trupy. Scena mojego przybycia do Gomy. Powracała w kółko. Bez przerwy. Oblewałem się potem. Czułem strach.

Traciłem grunt. Było tego za dużo: zakwestionowanie mojej misji w Kongu przez MSF, świadomość, że mimo woli służyliśmy za szpiegów w Sudanie (chociaż trzej pracownicy MSF zostali uwolnieni kilka tygodni później), obojętność społeczeństwa francuskiego, obrazy, które prześladowały mnie podczas snu, alkohol, którego nadużywałem teraz od rana do wieczora. Szedłem na dno. Czułem to, ale nie wiedziałem, jak powstrzymać to powolne staczanie się w dół.

W końcu poznałem powód zastrzeżeń MSF wobec mojej osoby: wideo Belgów. Nie zdawałem sobie sprawy, że już wtedy żyłem w ogromnym stresie i że nie liczyłem się ze słowami. Moje wyjaśnienia wydały się niektórym osobom cyniczne. Chciałem wszystko wytłumaczyć, o wszystkim opowiedzieć. O systemie odprowadzania ścieków. O kostnicy. O pierwszych zabitych, którymi musiałem się zająć. O trudnościach z przekonaniem przesądnych Kongijczyków, by wykonywali tę ohydną robotę. Zajęcie, które sprawia, że flaki ci się przewracają w brzuchu za każdym razem, kiedy jesteś zmuszony je wykonywać. Moim pierwszym zmarłym był młody człowiek w wieku około szesnastu lat; leżał powalony z otwartą gębę, w pokracznej pozie. Jak gdyby to miało w tym momencie jakiekolwiek znaczenie. Trzeba było użyć mnóstwa waty, którą wepchnęliśmy mu w usta, żeby zatkać gardło. Następnie zrobić z waty kulę, którą wsadziliśmy mu za pomocy pincety do odbytu. Zatkaliśmy mu w ten sposób obydwa otwory, żeby uniemożliwić wypróżnienie, miał bowiem jeszcze w sobie przecinkowce cholery. Następnie polać go wodą i chlorem, żeby go zdezynfekować. Potem zawinąć w plastik jak kiełbasę, związać i to była cała jego ceremonia pogrzebowa. Wreszcie położyć na poboczu drogi i czekać, aż zabierze go samochód zajmujący się zbieraniem trupów.

I powtarzać tę operację raz, dwa, dziesiątki razy. Można było oszaleć. Tylko kongijskie poczucie humoru chroniło nas przed załamaniem. Nawet w najokropniejszych sytuacjach Kongijczycy sięgają do niewyczerpanych zasobów śmiechu: „Hej, szefie, chcesz dziś jeszcze trochę zimnego mięsa na wynos...". Albo rano, kiedy ich witaliśmy:

— Cześć przyjaciele, jak leci?

— Spokojnie szefie. Mieliśmy dziś tylko czterech klientów! Interes naprawdę idzie źle. Grozi mi bankructwo.

Cholerni Kongijczycy.

Właśnie w takiej supernapiętej atmosferze odwiedziła mnie ta belgijska ekipa filmowa. A ja o wszystkim im opowiedziałem, także o moim gardłowaniu na temat praw człowieka, kiedy Kongijczycy odmówili pracy. Właśnie ta tyrada zszokowała MSF. Z całej mojej misji w Gomie został zapamiętany tylko ten odlot: „Tak to właśnie funkcjonuje. Wywalam was!".

To oczywiście było nie do przyjęcia dla tych, których zaangażowanie humanitarne sprowadza się do wycierania tyłkami wyściełanych krzeseł w domu numer 8 na ulicy Saint-Sabin. Głupota niektórych ludzi, maskowana przez pewność siebie urzędników, oto jedna z przyczyn klęski działalności humanitarnej.

Wyjechałem do Mozambiku.

Tam czekał mnie inny wielki chłód – chłód Lucrecii. Prawda, wyjechałem przed ośmioma miesiącami. Nie za dużo ze sobą rozmawialiśmy.

Trzeba umieć na nowo podbić kobietę, którą na tak długo straciło się z oczu. Ale ja nie miałem już na to siły. Nie byłem już do tego zdolny. Chciałem tylko, żeby była blisko. Chciałem położyć się obok niej. Żebyśmy zaciągnęli zasłony i zgasili światło. Nawet nie musiałem się z nią kochać; tylko spać i obudzić się trzy tygodnie później, uwolniony od wszystkich moich koszmarów. To była jedyna rzecz, której pragnąłem. Tylko spać.

Ale nie ułożyło się tak, jak oczekiwałem. Począwszy od mojego mieszkania. W Mozambiku, kraju przez długi czas komunistycznym, kamienice należały do państwa, które symbolicznie wręczało ci klucz, kiedy stawałeś się lokatorem. Z powodu mojej długiej nieobecności, w moim mieszkaniu osiedliła się nielegalnie pewna rodzina. On był kapitanem sił zbrojnych.

Nie można było nawet marzyć o wyrzuceniu go siłą za drzwi. Kupiłem ten lokal, ale nie mogłem nigdzie się poskarżyć, bo sprzedawanie własności państwa było nielegalne. Dałem się wykiwać jak ostatni osioł.

Z mojego pikapu pozostała tylko nazwa i karoseria, reszta została rozkradziona. Byłem zmuszony poprosić o gościnę MSF, którymi kierowali akurat dwaj moi przyjaciele. Dopiero na drugi dzień zdołałem odnaleźć Lucrecię. Przyjęła mnie z transoceanicznym dystansem. Stałem się dla niej obcym człowiekiem.

Zbyt trudno było mi cokolwiek mówić, bym mógł jej wszystko wyjaśnić. Żeby zrozumiała. Zamiast spróbować, poszedłem do baru się upić. Nie wiem, w jaki sposób zdołałem złapać taksówkę, by wrócić do MSF. Dyskretnie, żeby nie obudzić śpiących facetów, rzuciłem się na apteczkę i opróżniłem opakowanie valium. Spałem osiemnaście godzin. Bez przerwy.

Nazajutrz zabrałem moją kobietę na piknik nad wodą. Butelka wina, potem dwie kolejne, znowu byłem pijany.

Tak żyłem przez dwa tygodnie. Tylko piłem, popadałem w etylową śpiączkę, spałem, a nazajutrz zaczynałem od nowa. Nie chodziłem nawet sprawdzać, czy moje narzędzia przybyły kontenerowcem. Nie miałem już domu. Ani samochodu. I powoli traciłem moją kobietę. Ile czasu bym to wytrzymał? Nie wiem. Musiało się coś zdarzyć.

Doszedłem już do takiego stanu, że pewnego wieczora w barze angielskiego pubu trzymałem właściciela za kołnierz metr od ziemi. Zamierzałem rozwalić mu głowę. Musieli interweniować klienci, wyrzucili mnie za drzwi. Nie będę mógł już postawić nogi w tym lokalu, tak jak zresztą w sześciu czy siedmiu innych w Maputo. Szukałem guza wszędzie, gdzie się znalazłem. Biłem się ze szwedzkimi marynarzami. Obrzucałem zniewagami mozambijskich żołnierzy przepijających żołd. Zaatakowałem tylu ludzi, że nawet policja bała się mnie zatrzymać.

Zdecydowanie było ze mną źle, bardzo źle.

A przecież chciałem tylko spać. Ale za każdym razem, gdy zamykałem oczy, powracał – by mnie prześladować – ten kurewski obraz. Zmarli, ci zmarli, których twarze były coraz bardziej wyraźne, zamiast się zacierać.

200

Dzień po awanturze w angielskim pubie zadzwoniłem do Air France, by zapytać, kiedy odlatuje następny samolot. Zrobiłem rezerwację. Tego wieczora spustoszyłem wszystkie bary w Maputo.

Dwa dni później, o godzinie dziewiątej rano zjawiłem się na lotnisku, chociaż lot był przewidziany dopiero dwanaście godzin później. Poszedłem do baru na dachu dworca lotniczego i opadłem na krzesło. Przez cały czas pochłaniałem alkohol i sikałem na podłogę.

Wyjechałem, nie mówiąc nikomu do widzenia. Ani Lucrecii, ani moim kolegom z MSF. Właśnie wszystko straciłem; wszystko spartaczyłem. Nadawałem się na złom. Moim jedynym, wiernym i perfidnym przyjacielem było piwo.

Nie wiedziałem, co będę robił w Paryżu. Nie miałem już tam nawet mieszkania, bo powiedziałem Élisabeth, że wyjeżdżam do Mozambiku na zawsze.

Nie udało mi się, w sposób żałosny wszystko straciłem. Kongo, kurewskie świństwo. Dlaczego mi to zrobiłoś?

Kiedy samolot wystartował, schowałem głowę pod koc i płakałem, jak jeszcze nigdy w życiu.

ROZDZIAŁ OSIEMNASTY

Odkupienie

Élisabeth powiedziała mi: „Tak, głupolu, oczywiście, że możesz wrócić do mieszkania".

Nie zadawała żadnych pytań. Nie potrzebowała wyjaśnień. Nikt nie zadaje pytań karetce pogotowia, wszyscy wiedzą.

Znów ruszyłem do barów. Tym razem, by zapomnieć o zawodzie miłosnym.

Po moim powrocie z Sudanu, a przed wyjazdem do Konga, MSF poinformowali mnie, że planują misję eksploracyjną w Pakistanie wzdłuż granicy afgańskiej. Chodziło o zbadanie terenu na wypadek, gdyby coś zaczęło się dziać w tym regionie. Obiecali mi, że przetrzymają tę misję do mojego powrotu. Coś w rodzaju rekompensaty, dowód wdzięczności za moją dobrą służbę. Właśnie tam chciałem jechać.

Spotkałem się z Jeanem-Christophe'em Rufinem, który mnie ostrzegł: „Uważaj chłopie, jest z tobą niedobrze. Naprawdę niedobrze". To łapiduch. Potrafi wykryć chorobę. Ale ja nie chciałem go słuchać. MSF zaś nie przewidzieli ze swej strony żadnego programu opieki nad cierpiącymi na to, co później będzie znane jako „syndrom stresu potraumatycznego", dotykający pracowników humanitarnych, którzy byli świadkami wielkich dramatów. Fakt, po moim powrocie z Konga lekarz słuchał mnie przez godzinkę. Nie dłużej. To nie wystarczyło. Za krótko na prawdziwe otwarcie: facet wprowadza cię do swojego biura, naciska guzik i oświadcza, że masz godzinę. Ładne wprowadzenie w nastrój do zwierzeń! A ty masz tyle rzeczy do powiedzenia, że nie wiesz od czego zacząć. Nie wiesz, jak się za to zabrać. Trochę ci też wstyd. Więc się jąkasz. Opowiadasz wszystko nie tak. A dokładnie po upływie godziny ten konował wręcza ci wizytówkę jednego ze swoich kolegów, który będzie mógł ci pomóc. Dzwonisz do tego faceta, wyznacza ci na następny wtorek spotkanie. O którym nie będziesz pamiętał, bo przez weekend tak się zaprawisz, że kiedy położysz się w poniedziałek wieczorem, obudzisz się dopiero w środę rano.

Pewnego dnia wychodząc z biura szefowej zasobów ludzkich, wpadłem na jednego z dawnych kolegów, którego poznałem w Sudanie.

– Co ciekawego porabiasz?

– No cóż, wyjeżdżam do Pakistanu. Na granicę. Misja rozpoznawcza...

To była moja misja. Odbierano mi ją, żeby dać jemu. Jeszcze i to. Obróciłem się o 180 stopni i pognałem do biura Anne-Marie Glougaen.

– Proszę mi powiedzieć, co tu się dzieje! Chcę wiedzieć.

– Stałeś się NPWW Marc.

– To znaczy?

– Nie Powinien Więcej Wyjeżdżać.

– Dlaczego?

– W Gomie nie zachowałeś się jak pracownik humanitarny. Jeśli to cię może pocieszyć, nie ty jeden jesteś w tej sytuacji.

– Co ja takiego zrobiłem?

– Użyłeś przemocy podczas budowy obozu dla chorych na cholerę. Zachowałeś się w sposób, który w oczach MSF jest nie do zaakceptowania.

Niczego już nie rozumiałem. Zażądano ode mnie zbudowania obozu w ciągu niespełna tygodnia, ale miałem działać tak, jakbym miał na to miesiąc. Wyjaśnienie jakiego udzielano mi teraz, było tak niesprawiedliwe, że poczułem się bardziej przygnębiony niż w najgorszym momencie napadu moich koszmarów. Wyszedłem od MSF, szczypiąc się; ale nie śniłem. Chociaż pracowałem również gdzie indziej, nigdy nie przestałem być jednym z MSF. To była moja pierwsza rodzina wśród działaczy humanitarnych. Ale oto ona także mnie zdradzała, porzucała.

Telefon od mojego przyjaciela Stéphane'a wyrwał mnie z otępienia alkoholowego. To był typ, z którym zaprzyjaźniłem się w Malawi i któremu sprzedałem motor po powrocie z Iraku.

– Marc, nie miałbyś ochoty przejechać się do Rosji?

– Do Rosji?

– Tak, skontaktuj się z pozarządówką o nazwie Atlas Logistyczny, która ma biuro na wyspie Świętego Ludwika. Zanieś twoje CV. Pilnie potrzebują logistyka.

Poszedłem do biura tej małej firmy, której nie znałem. Nic dziwnego, bo dopiero powstała i nie miała nawet pół tuzina stałych pracowników. Dowiedziałem się, że projekt będzie realizowany w Kirgizji. Chodziło o dystrybucję pomocy żywnościowej.

– Potrzebujemy logistyka dużego kalibru, by zapoczątkować ten show... Czy to panu odpowiada?

Kiedy tylko przybyłem do Biszkeku, od razu poczułem, że zdołam się podźwignąć.

Po pierwsze, ludność nie miała w sobie nic z Afrykanów. Była głównie azjatycka albo pochodzenia kaukaskiego. Żadnego ryzyka pomylenia jej z twarzami z Rwandy.

Poza tym robiło się już zimno. Był październik 1994 roku. Nadchodziła zima, a małe domki z cementu nie były odpowiednio zabezpieczone.

Jedyną NGO na miejscu była Francja Wolność, która zatrudniała sześć osób, podobnie jak my rzuconych w ten zagubiony zakątek planety Ziemi. Właśnie ta atmosfera końca świata pozwoliła mi przezwyciężyć w sobie Rwandę. I czymś się zająć. Określić zadania każdego z nas, zorganizować niezbyt reprezentacyjne biuro. Wówczas przyplątała się jednak do mnie ta dziwna choroba: zapalenie jądra. Moje lewe jądro spuchło tak, że stało się większe od pięści.

Łapiduch ze szpitala w Biszkeku zaordynował mi tetracyklinę, ale okazała się za słaba. A doktor z ambasady amerykańskiej uprzedził, że jeśli w ciągu dziesięciu dni choroba się nie cofnie, trzeba będzie odesłać mnie do Francji, bym mógł poddać się leczeniu u specjalisty z prawdziwego zdarzenia.

Od jednego z moich kolegów, dentysty, dowiedziałem się, że kiedy pacjent cierpi na zapalenie ścian jamy ustnej, lekarze zalecają mu branie aspiryny. Opchałem się więc nią w nadziei, że dzięki temu zejdzie mi opuchlizna z jądra. Kirgizi sugerowali okłady z wódki. To nie był dobry pomysł, bo stan zapalny tylko się zaostrzył.

Ta choroba, która zaczęła się zaraz po moim przyjeździe, ledwie dała mi czas na rozpoczęcie porządków w magazynach, z pomocą zwerbowanych przeze mnie miejscowych pracowników i na podzielenie obowiązków. Był ten młody „pierwsza misja", Loïc (kiedyś zostanie recepcjonistą u MSF), który kompletnie stracił orientację, rozdarty z powodu sprzecznych rozkazów szefa misji i koordynatora logistyki, czyli moich. Pierwszy mówił jedno, drugi postępował zupełnie inaczej. W końcu postanowił, że będzie posłuszny moim wytycznym.

I tak co wieczór, leżąc w łóżku z powodu mojego zbuntowanego jaja, miałem u wezgłowia Loïca, który przedstawiał mi bilans dnia i dopytywał się, co ma dalej robić.

Dziesiątego dnia wstrzymano terapię i postanowiono ewakuować mnie do Francji.

W Paryżu zostałem natychmiast hospitalizowany. Miałem niebezpiecznie niski poziom hemoglobiny. W żołądku wykryto mi krwawiący, siedmiomilimetrowy wrzód: tak podziałał kwas z aspiryny. Krew zaczęła mi zalewać organy wewnętrzne. Dwa dni dłużej w dawnym ZSRR i byłbym skonał. Skończyło się na czterech transfuzjach.

Na szczęście trafiłem do szpitala Pitié-Salpêtrière. Jeden z lekarzy na oddziale chorób tropikalnych był w Gomie w tym samym czasie co ja. Kiedy się dowiedział, że leżę na oddziale zakażeń dróg moczowych, przyszedł, by przenieść mnie do siebie.

Trzeba było ośmiu dni, by uporać się z zapaleniem jąder i z moim wrzodem.

205

To doświadczenie pozwoliło mi uświadomić sobie wagę posiadania w ekipie w czasie misji humanitarnej osoby o kwalifikacjach paramedycznych. W jakimś kasynie poznałem Christophe'a, który – jako były strażak – przeszedł przeszkolenie z udzielania pierwszej pomocy. Zapytałem go, czy chce przyjechać do mnie do dawnego ZSRR. Obstawałem przy stworzeniu tego stanowiska, które uwzględniłem już z myślą o nim w nowym schemacie organizacyjnym, sporządzonym dla mojego zwierzchnika w Paryżu.

– Daj mu szansę. Będziemy go potrzebować bardziej niż szefa misji, którego i tak nikt nie słucha.

Niespełna trzy dni po wyjściu ze szpitala ponownie wyruszyłem do Kirgizji. Atlas Logistyczny postanowił podziękować szefowi misji, kierowanie nią powierzono mnie, a Christophe został logistykiem. Tak oto stworzyłem sobie rodzinę w Biszkeku.

To uratowało mi życie.

Nie mówiąc o tym, że Rosjanie byli dla nas bardzo mili.

Zaczął padać śnieg. Przemierzaliśmy te wspaniałe góry położone za Himalajami, dostarczając żywność. Jezioro Issyk-Kuł, które nigdy nie zamarza, było zawsze niebieskie. Nie mógłbym sobie wyobrazić lepszej terapii. Powoli zatarły się koszmary. Nauczyłem się myśleć o czymś innym. Znów zacząłem się śmiać.

Przypominam sobie 31 grudnia tego roku. Niczego nie świętowałem. Odczuwałem potrzebę podsumowania tego gównianego roku, który przeżyłem pomiędzy Gomą, Sudanem, Bośnią, moją kobietą i wrzodem. Spędziłem wieczór zupełnie sam, na zewnątrz, przed „Pochodnią kobiety kirgiskiej", tym pięknym posągiem w centrum miasta. Sam z półlitrówką wódki, robiąc bilans.

Zrozumiałem, że jest ze mną lepiej, bo byłem zdolny do logicznego rozumowania.

Tydzień po obchodach końca roku odwiedziła nas w Biszkeku delegacja Unii Europejskiej. Znałem jednego z jej członków. Wracał z Tadżykistanu, gdzie spotkał misję MSF. Opowiedział mi, że pewnego wieczora, przy szklaneczce, parę osób wspominało Gomę. W rozmowie pojawiło się nazwisko Marca Vachona. Kompletny wariat – mówiono ponoć. Facet, który podobno bił Murzynów. Popełniłem rzekomo wszelkie grzechy znane religii humanitarnej: przywłaszczanie sobie samochodów, handel bronią. W tej opowieści stałem się prawie agentem tajnych służb. Ogarnęła mnie wściekłość.

Pracowałem w Kirgizji do jasnej cholery! Tu nawet dla kawału nie rozprawiało się tak nierozważnie o zarzutach szpiegostwa. Zwłaszcza że były one fałszywe. Zadzwoniłem do MSF do Paryża. Natknąłem się na niejaką Martine Lochin z działu zasobów ludzkich:

– Proszę posłuchać: to że mnie już nie chcecie, jest OK, macie do tego prawo. Ale proszę powiedzieć waszej bandzie podejrzanych typków w terenie, że zabraniam im wymawiania mojego nazwiska. Nie wiedzą, co się stało, jedynie kolportują pogłoski, jakby chodziło o jakiś banalny romans. To niesprawiedliwe z waszej strony, ze strony MSF, którym poświęciłem tyle lat służby...

– Owszem Marc, ale ludziom w terenie nie można zabronić mówić. Przecież nie zaszyjemy im ust.

– Doskonale Martine. W takim razie nic mnie nie powstrzyma przed udaniem się tam. Jeśli jeszcze raz usłyszę choć jedną taką uwagę, osobiście pojadę do Duszanbe w Tadżykistanie i załatwię sprawę po swojemu.

Myślałem o tym całkiem serio.

– Uspokój się Marc, kiedy wrócisz do Paryża, przyjdź do nas, wszystko sobie wyjaśnimy.

– Zobaczymy...

Ta rozmowa sprawiła mi straszny ból. Ale od mojego zmartwychwstania czułem, że już nic nigdy mnie nie znokautuje.

Zaczynałem nudzić się w Kirgizji. Brakowało tu akcji, kręciłem się w kółko. W dodatku coś mi zaczynało śmierdzieć: chodziło o paryskie kierownictwo Francji Wolność. Organizacja ta miała jakiś dziwaczny program dystrybucji buraków czy korniszonów. Z punktu widzenia wartości odżywczych, korniszony nie są nic warte. Jeśli były na to pieniądze, dlaczego nie kupiło się czegoś innego, na przykład cukru, makaronu, mąki? Zwłaszcza że w tej okolicy każdy ma kawałek ogrodu i może uprawiać ogórki.

Dosyć się napatrzyłem na Kirgizję. Zasugerowałem – i uzyskałem na to zgodę – aby Loïc został szefem misji. Christophe pozostanie jeszcze rok jako logistyk.

Wróciłem do Francji. Z zamiarem pójścia do MSF i postawienia kropki nad „i".

Pod koniec naszej rozmowy, szef do spraw kryzysów MSF oświadczył: „OK Marc. Damy ci kolejną szansę". Nie rozumiałem, dlaczego uważał, że daje mi szansę. Zwłaszcza że o to nie prosiłem ani nie przepraszałem za moje postępowanie w Kongu. Mniejsza z tym. Kontynuował:

– Dobrze się składa, że tu jesteś. Potrzebujemy kogoś takiego jak ty w Gwinei. Są tam uchodźcy przybywający z Sierra Leone. Chcielibyśmy, żebyś pojechał tam budować obozy!

Gwinea miała przyjmować codziennie od 2000 do 3000 uchodźców z Sierra Leone. Na miejscu była już ekipa MSF składająca się z pielęgniarek zajmujących się szczepieniami. Zamierzaliśmy stworzyć misję, która miała współpracować z UNHCR-em, by lepiej zorganizować te obozy.

W ciągu dwóch dni większość prac została wykonana. Wyznaczyłem tereny nadające się na założenie obozów i kupiłem mapy kraju. Chcieliśmy utworzyć nad brzegiem rzeki około dziesięciu małych ośrodków zdolnych przyjąć każdy od 5000 do 10 000 osób, zamiast jednego dużego.

Rano jeździłem na granicę i byłem pod wrażeniem fali uchodźców, którzy ją przekraczali. Trzeba było godzin, by wyczerpał się ten strumień ludzi. Kobiety i mężczyźni milczący, jak bywają często ci, którzy byli świadkami horroru.

Ale – rzecz dziwna – kiedy się przechadzałem pod koniec dnia, nie było już widać żadnych uchodźców. Gdzie się podziali? Gwinejskie rodziny nie mogły tak szybko wchłonąć 2000 uchodźców dziennie. Pielęgniarki były przerażone, bo powinny szczepić dzieci. Tymczasem dzieciaków również nie było widać. Zamiast 500 czy 600 szczepień dziennie, których się spodziewaliśmy, robiliśmy ich zaledwie marny tuzin. To było naprawdę dziwne. Pielęgniarki utworzyły trzy ekipy i przystąpiły do bezowocnego polowania na dzieciaki.

Powiedziałem sobie, że coś tu musi być nie tak. Ale nie ośmielałem się tego głośno powiedzieć w obawie, że znowu zarzucą mi sianie zamętu. Pewnego dnia o świcie pojechałem w stronę granicy. Gdy tam przybyłem, nie było jeszcze nikogo. Szlaban posterunku granicznego był zamknięty, strażnicy spali. Usadowiłem się wygodnie w samochodzie, z kawą, i czekałem.

O godzinie szóstej szlaban się podniósł i – nie wiadomo skąd – zaczęli napływać uchodźcy. Naliczyłem ich około 1800. Potem strumień zaczął wysychać. Około dziewiątej rano granicy nie przekraczał już prawie nikt. Poszedłem porozmawiać ze strażnikami.

– Tylu jest każdego ranka?
– Oczywiście, codziennie jest tak samo.
– Czy to trwa od dawna?
– Mniej więcej od miesiąca. Prawda panie kapralu? Miesiąc...

Niczego nie rozumiałem. Dwa tysiące dziennie w ciągu miesiąca dawało 60 000 osób. W jaki sposób rozpływały się one w przyrodzie?

– Gdzież więc się oni podziewają?
– Oczywiście pracują.
– Jak to?
– To są pracownicy, szefie. Przychodzą rano, a wieczorem odchodzą...

Nie mogłem się powstrzymać i wybuchnąłem śmiechem. Wszystko było jasne, a my – pracownicy humanitarni czekający na uchodźców – daliśmy się nabić w butelkę.

– Co też mi tu pan opowiada? Chce pan powiedzieć, że gdybym wrócił tu po południu, zobaczyłbym, jak odchodzą?
– Będzie pan mile widziany.

Faktycznie, wieczorem zobaczyłem ten sam sznur pseudouchodźców opuszczających Gwineę, by wrócić do Sierra Leone. Trzymając zbyt gorliwie rękę na pulsie, zapomnieliśmy, że w Afryce może dochodzić do codziennych migracji wielkich rzeszy ludzkich, niekoniecznie zwiastujących dramat.

Przez moment wydało się to nam bardzo śmieszne.

Ale należało szybko się zastanowić, czy kontynuujemy misję, czy też się wycofujemy.

Niestety, kilka miesięcy później historia przyznała nam rację. W Sierra Leone na dobre wybuchła wojna. I nasze obozy posłużyły do przyjęcia prawdziwych uchodźców. Pogrążonych w prawdziwej rozpaczy. Zastali gotową infrastrukturę, zgromadzone wyposażenie, latryny nadające się do użytku.

W Gwinei zaprzyjaźniłem się z pewnym Anglikiem z Oxfam, który nazywał się Richard Luff. To był inżynier zajmujący się problemem wody. Zostaliśmy kumplami. Przed wyjazdem Richard zasugerował mi, bym wysłał CV do Oxfam Zjednoczonego Królestwa.

– Jeśli masz dosyć MSF, możesz popracować przez jakiś czas z nami, to będzie dla ciebie jakaś odmiana. Stale poszukujemy logistyków...

Zrobiłem to, jeszcze zanim wróciłem do Paryża, by zapytać MSF, czy mają dla mnie inne misje. Niespełna tydzień później zostałem wezwany do Oxfordu na rozmowy. Po dwóch dniach zaoferowano mi roczny kontrakt w charakterze logistyka. Oxfam pierwszy raz tworzył takie stanowisko. W Gomie ta organizacja zdała sobie sprawę, że ktoś taki był jej cholernie potrzebny, gdy okazało się, że ma zbiorniki na wodę, ale bez śrub umożliwiających ich zmontowanie.

Tym razem to ja postanowiłem zostawić MSF. Tak jak w wieku piętnastu lat i jak w wieku dwudziestu sześciu lat, zdecydowałem się na porzucenie rodziny.

ROZDZIAŁ DZIEWIĘTNASTY

Kabul

Wyjechałem do Afganistanu w towarzystwie Anne, irlandzkiej katoliczki. Oxfam słynął z tego, że był organizacją najbardziej wyczuloną na sławetną kwestię *gender equity*[41]. Robiliśmy nawet z kumplami zakłady o to, ile czasu wytrzymam z Anne w Afganistanie zanim zwariuję albo zostanę wylany. Bo to ona miała pełnię władzy. Wystarczyło, by napisała negatywną notkę na mój temat, żeby mi podziękowano. Musiałem naprawdę uważać.

Anne wyglądała mi na miłą osobę i profesjonalistkę, ale jej irlandzki akcent można było kroić nożem, ledwie się rozumieliśmy. I to my byliśmy parą, która miała otworzyć misję w Kabulu.

Kraj był jeszcze wówczas w rękach bojowników komendanta Ahmada Szacha Massuda i innych frakcji zbrojnych, które przeciwstawiły się okupacji kraju przez siły rosyjskie. Kiedy tylko Rosjanie odeszli, te różne grupy zbrojne zawładnęły Kabulem, ale nie zdołały dojść do porozumienia w sprawie podziału władzy. Bardzo szybko znów zaczęły ze sobą rozmawiać przy pomocy dział i rakiet.

To wówczas pojawił się ów ruch młodych studentów teologii, wykształconych w medresach, szkołach koranicznych działających w pakistańskich strefach plemiennych na granicy z Afganistanem. Ci młodzi bojownicy, nazywani talibami, którym przewodził tajemniczy szef znany jako mułła Omar, opowiadali się za porządkiem zbudowanym wokół szariatu,

---

[41] *Gender equity* (ang.) – Równość płci.

prawa islamskiego odrzucającego w teorii handel narkotykami, który wyniszczał kraj, zabraniającego kobietom pracować itp. Zorganizowani w ruch zbrojny rozpoczęli marsz na Afganistan, napotykając bardzo mały opór. W maju 1995 roku talibowie zajęli duże, symboliczne miasto Południa – Dżalalabad i kontynuowali marsz na Kabul. W stolicy właśnie skończyły się wielkie bombardowania, ale oddziały „panów wojny" czasem ludzie Gulbuddina Hekmatiara, czasem ludzie Raszida Dostuma, a czasem Tadżycy Massuda organizowali wypady przeciw swoim przeciwnikom. A riposta tych ostatnich znów skazywała kraj na logikę otwartej konfrontacji.

Musiałem znaleźć biuro, przyszłą siedzibę Oxfamu, kupić pojazdy, zaangażować personel: kierowców, strażników, sekretarki, zainstalować łączność radiową, przeszkolić operatora. W tym czasie Anne miała wymyślać i opracowywać projekty. Współpracowała z małymi lokalnymi organizacjami kobiet.

Wyszukałem piękny dom do wynajęcia, tuż za Czerwonym Krzyżem. Biuro znalazłem już wcześniej niedaleko stamtąd.

Poszedłem złożyć kurtuazyjną, sąsiedzką wizytę Międzynarodowemu Komitetowi Czerwonego Krzyża i natknąłem się tam na jedną taką rudą, po prostu wystrzałową. Metr siedemdziesiąt pięć, dobrze zbudowana, włosy opadające w kaskadach do połowy pleców, prowokacyjnie wypięta pierś i uśmiech, który naraziłby mudżahedina na potępienie. Szwajcarka z najpiękniejszych pocztówek.

– Dzień dobry, nazywam się Laurence.

Od razu poczułem, że chciałbym jak najczęściej słyszeć jej śpiewny akcent. Zobaczyłem ją dwa dni później w Klubie Narodów Zjednoczonych. Minęły kolejne dwa dni, Czerwony Krzyż organizował przyjęcie: zaprosiła mnie. Nie rozstałem się z nią przez cały czas, jaki spędziłem w Afganistanie.

Trochę później przybył człowiek, który miał się zająć przebudowaniem całego systemu zaopatrywania miasta w wodę pitną. To był mężczyzna około pięćdziesiątki, profesor inżynierii jednego z angielskich uniwersytetów, którego nie przerażała gigantyczna misja uruchomienia całej sieci wielkiego Kabulu. Byłem zafascynowany wszystkim, czego się od niego dowiadywałem.

Rozpocząłem przygotowania całej logistyki niezbędnej do realizacji jego planów. Musiałem jechać do Dubaju, do Zjednoczonych Emiratów Arabskich, by zbadać, czy może tam wylądować samolot Ariana Afghan Airlines, który miał zabrać sprzęt. Byłem w swoim żywiole. Przeprowadziłem – za kierownicą ciężarówki – misję rozpoznawczą w Heracie, niewątpliwie najpiękniejszym mieście kraju, położonym na północnym zachodzie.

W weekendy ja i Laurence wyjeżdżaliśmy z Kabulu, by odwiedzać inne mityczne miejsca, jak dolina Panczsziru, mała enklawa w górach północnego Afganistanu, gdzie komendant Massud stawiał przez długie lata czoło najpierw Rosjanom, następnie talibom, do tego stopnia, że zasłużył sobie na przydomek „lew Panczsziru".

Wielokrotnie przemierzyłem słynną przełęcz Chajber: magiczna nazwa dla niesamowitej drogi łączącej Pakistan z Afganistanem. Długa na pięćdziesiąt osiem kilometrów, ma półtora kilometra w najszerszym miejscu i szesnaście metrów w najwęższym. Musiałem tam negocjować z talibami przejazd ciężarówek przybywających z Pakistanu. Byli mili i chętni do współpracy.

Podobało mi się w tym kraju, ale wiedziałem, że to długo nie potrwa. Dało się wyczuć, że bliska jest ostateczna eksplozja. Można też było się domyślić, że tłumiona przemoc musi doprowadzić do wielkich zmian. Ludzie rozgłaszali nowinę, że talibowie dotarli już do Dżalalabadu.

Gdy udało mi się już nakłonić naszych miejscowych pracowników, by się otwarli, zdawałem sobie sprawę, że przepełnia ich mieszanina podniecenia i niepokoju. Mój asystent miał żonę nauczycielkę, która przestała chodzić do szkoły, tak niebezpiecznie zrobiło się na ulicach miasta. Ogrodnik mówił mi szeptem, że Kabul potrzebuje przede wszystkim porządku. Bardziej niż czegokolwiek innego. Porządku i pokoju.

2 / 3

Problem tego kraju polegał również na tym, że większość jego intelektualistów została wyszkolona w dawnym ZSRR, gdzie wpojono im pojęcia niemające zastosowania w społeczeństwie będącym pod tak dużym wpływem religii. Na przykład dozorca pilnujący naszego domu pojechał do Moskwy uczyć się o planowaniu rodziny. Gdy wrócił do kraju, nie mógł używać tego określenia ani w rozmowach z mudżahedinami, ani z talibami. To termin, którego nie zna tradycja koraniczna. Nie mógł więc dostać pracy odpowiadającej jego wykształceniu i przekwalifikował się na dozorcę domów. Było mnóstwo takich jak on, którzy włóczyli się po ulicach miasta, skrywając swe zaniepokojenie pod fałdami obszernych spodni i luźną koszulą, tradycyjnym *shalwar-kameez*.

Poza tym niemożliwe do przezwyciężenia podziały etniczne i klanowe podkopały jedność sił antyradzieckich mudżahedinów. Hazarowie, Tadżycy, Uzbecy i Pasztuni bez przerwy się ze sobą ścierali.

Dlatego, kiedy mieszkańcy Kabulu wyrażali swą opinię anonimowo, większość z nich mówiła, że woli talibów i chciałaby jak najszybciej zobaczyć ich maszerujących na stolicę. Nie mogli już znieść ciągłej przemocy, niepewności jutra, obojętności świata, handlu narkotykami. Oczywiście „panowie wojny" nigdy tego nie przyznają, podobnie jak afgańscy uchodźcy w Londynie i Paryżu, którzy z góry potępiali rychłe dojście do władzy talibów, nie rozumiejąc tak naprawdę, jak bardzo ich rodacy mają dość *status quo*. Do kategorii niezadowolonych należało zaliczyć też handlarzy narkotyków, którzy podawali się za uczciwych obywateli, oraz obrońców praw człowieka, którzy niepokoili się – słusznie – z powodu radykalnych praw islamskich, ustanawianych przez talibów na kontrolowanych przez nich obszarach.

Ale przeciętny obywatel Kabulu był gotów tanio sprzedać część swojej wolności za większe bezpieczeństwo i jakąś tam godność. Talibowie im to obiecywali. Dopiero później się wykoleili. Dopiero później przesadzili, stali się niepopularni, wręcz – także i oni – okryli się hańbą.

Widziałem więc, jak talibowie powoli zbliżali się do Kabulu. Spotkałem ich dwa, trzy razy w Dżalalabadzie. W tym mieście kobiety nie miały niczego do pozazdroszczenia swym rodaczkom ze stolicy. Wszystkie zakryte, oprócz idących do szkoły dziewczynek. Oczywiście, talibowie zmusili kobiety do chodzenia parę kroków za mężami, ale tak było tu od wieków. Narzucili im czador i burkę, które były już i tak noszone przez 95 procent kobiet dla ich własnego bezpieczeństwa. Kiedy mudżahedinowi udało się dojrzeć fragment ciała albo natknął się na kobietę z innego plemienia, uważał, że może sobie na wszystko pozwolić.

Za tym narodowym dramatem można było też odgadnąć międzynarodowe sojusze: Pakistańczycy stojący za Pasztunami, mafia rosyjska walcząca o rynek opium z Włochami, którzy z kolei eksportowali je do USA. Ci działający w cieniu cudzoziemcy byli dyskretni, ale można było ich rozpoznać po metodach. Opium było wytwarzane na wsi i pakowane do małych woreczków. Ponieważ mieszkaliśmy w pobliżu głównej arterii Kabulu, gdy zapadała noc, widzieliśmy pojazd opancerzony, potem drugi, a za nimi pół tuzina ciężarówek z plandeką, z których każda była strzeżona przez pięciu czy sześciu uzbrojonych po zęby wojskowych. Przejeżdżali przez miasto, by dostarczyć cenny towar nieznanym klientom. Pojazdy opancerzone nie miały chronić ciężarówek, i tak dobrze pilnowanych: służyły do wyciągania ich z błota w razie, gdyby ugrzęzły w podmokłym terenie.

„Panowie wojny" walczyli wprawdzie między sobą o władzę, ale zgadzali się w kwestii przepuszczania narkotyków, które wkrótce potem można było znaleźć na ulicach Paryża czy Nowego Jorku. Wielkie zyski, jakie generował ten przemyt, były następnie dzielone pomiędzy grupy zbrojne, które natychmiast uzupełniały zapas amunicji, by znów rozpocząć walki.

Była też praktykowana prymitywna, pospieszna sprawiedliwość. Ten, kogo uznano za winnego jakiegokolwiek przestępstwa, nawet najbardziej błahego, zostawał stracony na miejscu. Bez żadnego procesu.

To musiało eksplodować. To eksploduje. To eksplodowało.

Ale mnie już tam nie było. Misja się zakończyła. Miałem wrócić do Oxfordu, by zająć się moim następnym przydziałem. Pożegnałem się z Laurence. Dostałem list pochwalny za moją pracę oraz pozwolenie na podróż do Paryża i balowanie tam przez dwa tygodnie.

To Oxfam wyciągnął mnie z oparów alkoholu, by poinformować, że na porządku dziennym znalazła się teraz Liberia i jestem pilnie oczekiwany w Oxfordzie, by natychmiast tam pojechać. Tymczasem jednak wybuchła właśnie wojna w Czeczenii i zastanawiałem się, dlaczego nie udamy się raczej tam.

Podczas zebrań ekipy bez przerwy zadawałem to pytanie. Weterani Oxfamu nie kryli, że to było zbyt niebezpieczne. Dział nagłych kryzysów wydawał się przychylny misji, ale administratorom zbyt zależało na hipotekach ich zadbanych domów w Oxfordzie, by chcieli narażać na szwank własną skórę w Czeczenii. Ciągle nalegałem, ale nikt nie chciał mi wyjaśnić ukrytych powodów tej odmowy. Zaczynało mnie to zdrowo wkurzać.

Potem był ten kolega, odpowiedzialny za sprawy wody, odznaczony przez królową za pracę dla Konga po ludobójstwie w Rwandzie. Wstał wśród oklasków całej sali. Coś zakłuło mnie w sercu, bo choć to on przywiózł zbiorniki, ja znałem tego, który znalazł wodę. To nie był nikt z Oxfamu, ale jeden z moich przyjaciół z MSF.

Denerwowałem się coraz bardziej, gdy szef opowiadał o swojej wycieczce na Haiti, podczas kiedy mnie kazano się zamykać za każdym razem, gdy próbowałem kolejny raz poruszyć sprawę Czeczenii. Ekscytowali się opowiadaniem sobie nawzajem o swoich małych projektach na rzecz równości kobiet. Przywodziło mi to na myśl spotkania otyłych pań, które prawią sobie nawzajem komplementy. Nie ośmielają się wprawdzie pretendować do miana pięknych, ale zapewniają, że mimo wszystko siebie lubią.

Nienawidziłem coraz bardziej hipokryzji facetów, którzy w dzień bawili się w *gender equity*, a wieczorem, w pubach, rzucali seksistowskie uwagi godne pierwszego lepszego chuligana. Debatowali wówczas raczej o cycuszkach tej czy udach innej niż o ustępach kodeksu praw kobiet. Były też rzeczy bardziej absurdalne. Na zebraniach przekazywano sobie kasety z komentarzem: „Słuchajcie: przywiozłem piosenkę, którą ekipa z kraju X, skąd przybywam, zadedykowała wam na dowód wdzięczności za wasze zaangażowanie na rzecz praw kobiet...". Ktoś naciskał klawisz i rozlegała się śmieszna piosenka w lokalnym języku, z którego nikt niczego nie rozumiał: Laoulile sibew, lawouala sibwa… A pięćdziesięciu pracowników skupionych wokół dyrektora udawało, że wyciera oczy ze wzruszenia i kiwało głowami, mówiąc sobie w duchu, że daliby dużo, by być gdzie indziej, zamiast słuchać tych głupot. Jednak nikt się nie ruszał, a na twarzach kwitły szerokie, głupawe uśmiechy. Wzbierał we mnie gniew. I to było widać. Podniosłem się i wyszedłem.

Zostałem wezwany do dyrekcji. Przyjął mnie Paul Smith-Lomas, facet, którego szanuję. Później zostanie zresztą szefem firmy.

– Czyżbyś miał jakiś problem, Marc?

– Tak, nudzę się. Nie jedziemy już do Liberii, bo to przestało was kręcić. Nie chcecie, żebyśmy pojechali do Czeczenii, bo się boicie. Każecie mi wykonywać drobne prace, które uważam za niepotrzebne. Tak, nie jest dobrze.

– Uspokój się Marc. Ja patrzę na te sprawy inaczej. Wyjedziesz bardzo szybko i to nie będzie nic z gatunku *gender equity*.

– Dziękuję, ale daj sobie spokój Paul, to koniec. Nie wierzę już w nasze metody.

Uścisnąłem mu rękę i wyszedłem.

ROZDZIAŁ DWUDZIESTY

Jasnowłosy Afrykanin

Na moją drugą misję z MSF Holandia zostałem wysłany do Nzeto w Angoli.

Było to coś w rodzaju Mozambiku, plus wojna. Zamiast – jak w Mozambiku – RENAMO kontra FRELIMO, tym razem była UNITA (Unia na rzecz Całkowitej Niepodległości Angoli) rebelianta Jonasa Savimbiego kontra MPLA (Ludowy Ruch Wyzwolenia Angoli) prezydenta Jose Eduarda Dos Santosa.

Miałem zostać tu trzy miesiące, nim powierzą mi koordynację logistyczną w Luandzie – stolicy kraju. Ale Ian, którego powinienem zastąpić, zakochał się w pewnej Amerykance i nie chciał wyjechać. To mi było bardzo nie na rękę: po pierwsze dlatego, że po spędzeniu lat na misjach na prowincji, marzyłem wreszcie o placówce w mieście; następnie dlatego, że jej objęcie wiązało się ze znacznym podniesieniem pensji. Jeden z nas musiał jednak ustąpić: złożyłem dymisję i przygotowywałem się do opuszczenia Nzeto.

Otrzymałem jednak drogą radiową wiadomość z biura MSF w Luandzie. Informowało mnie, że ludzie z Programu Narodów Zjednoczonych ds. Rozwoju (UNDP) chcą się ze mną spotkać. Kiedy więc pojechałem do Luandy po mojego następcę, wstąpiłem do UNDP. Szef misji Narodów Zjednoczonych oznajmił mi, że za dwa tygodnie będzie miał dla mnie robotę:

– Szukamy logistyka, który zająłby się koordynacją podczas tworzenia biur i lokali komisji pojednania narodowego dla potrzeb Instytutu na rzecz Pojednania Społecznego byłych Wojskowych (IRSEM).

Chodziło o program przewidziany w porozumieniach pokojowych, który polegał na demobilizacji żołnierzy rebelianckich i ich reintegracji z angolskim społeczeństwem. Byli oni zgrupowani w obozach finansowanych przez Narody Zjednoczone, mieli tam przejść szkolenie, które umożliwi im zamianę kałasznikowa na łopatę. Ponieważ w realizacji programu nastąpiły opóźnienia, UNDP potrzebował logistyka przyzwyczajonego do pracy pod presją czasu.

Tydzień później wprowadziłem się do ładnego domu z widokiem na ocean w pobliżu chińskiej restauracji na półwyspie Luanda. Ten dom stał się moją rezydencją na cały następny rok. Miał trzy pokoje, po których przechadzałem się jak jakiś pasza.

Ponieważ nie chciałem mieć na karku całej chmary pracowników humanitarnych, ubiegłem ich, proponując angolskiemu ochroniarzowi, który pracował dla MSF Francja, by się do mnie wprowadził. Raz w tygodniu sprzątaczka przychodziła odkurzyć dom.

Również w pracy byłem w swoim żywiole. Jeden z samolotów służył niemal wyłącznie do podróży po kraju. Moje wyjazdy były priorytetowe. Wszyscy inni musieli się do nich dostosować. Spędzałem pół tygodnia w powietrzu. Przyjeżdżałem na lotnisko wcześnie rano, a wracałem dopiero, gdy zapadła noc. Zawsze z tym samym pilotem, który w końcu stał się moim dobrym kumplem.

Z wysoka, z chmur, Angola przypominała Mozambik. Zobaczyłem wszystkie zakątki kraju: Malanje, Huambo, Kuito, Benguelę, Moxiko, Luenę. Wszędzie spotykałem się z szefami IRSEM-u, odwiedzałem biura i oceniałem koszt ich uruchomienia. Sporządzałem listy potrzebnego sprzętu i kosztorys, który przekazywałem służbom finansowym. Natychmiast po zaakceptowaniu wydatków, wracałem do danej miejscowości nadzorować początek operacji. W mojej gorliwości posunąłem się nawet do przebudowania biur IRSEM-u w Luandzie, które znajdowały się na trzynastym piętrze jednego z budynków.

Leonardo Di Caprio mógł się schować, to ja byłem królem Ziemi. Jeździłem wielką bryką z kierowcą, proszę ja ciebie! Miałem piękny dom, sympatię, która była uosobieniem afrykańskiej piękności (Paola mogłaby zagrać w teledysku amerykańskiego rapera), pensję nababa, słońca do syta, zdrowie i beztroską młodość. Czego więcej pragnąć? Paola chodziła na targ i przynosiła stamtąd świeże ryby, butelki wina i whisky. Wracała z dwiema lub trzema koleżankami. Zaczynały rozmawiać, śmiać się, podczas gdy zapach smażącej się ryby wypełniał dom. Nie mieszałem się do ich konwersacji. Zadowalałem się podziwianiem tych kobiet, które oszczędziła wojna. Promieniały, odwracając się do nieszczęść plecami. Nawet kiedy mówiły o polityce, nie traciły humoru. Patrzyłem na nie nadal, kiedy czarna noc otulała ich ciemne ciała. Patrzyłem na nie i byłem szczęśliwy.

W biurze wszystko się popsuło, gdy zmieniono nam szefa. Mianowany został Rwandyjczyk. Po masakrach w 1994 roku Narody Zjednoczone czuły się trochę winne wobec Rwandy, zaczęły więc wszędzie w Afryce awansować Rwandyjczyków. Oficjalnie mówiło się, że skoro przeżyli, to znaczy, iż są w stanie poradzić sobie z najgorszymi kryzysami. W rzeczywistości tych, którym powierzano te stanowiska, nawet nie było w kraju podczas ludobójstwa.

Nowy szef nie chciał nauczyć się portugalskiego. Tego nie było w regulaminie Narodów Zjednoczonych, nie widział więc powodów do nadmiernej gorliwości. Angielski i francuski mu wystarczały, firmie nie pozostało nic innego, jak zaangażować dla niego tłumacza.

Zaczął wymieniać personel, odsyłać pracowników z Zachodu i zastępować ich Afrykanami: tu Etiopczyk, tam Kameruńczyk, jeszcze gdzie indziej ktoś z Ghany. Prawdziwy *Black Power*[42].

Tym urzędnikom pochodzącym z Afryki, którzy spędzają czas na koktajlach, często brakuje logiki. Nie można się jej nauczyć w szkolnej ławce, nie zmienią tego dyplomy z Sorbony czy Yale, których wszyscy oni mają na kopy. To, jakie decyzje należy podjąć, wynika z zimnej analizy celów.

---

[42] *Black Power* (ang.) – Czarna Siła.

Oni zaś są często zbyt przewrażliwieni na punkcie swego kontynentu i tracą z tego powodu cały rozum i cały realizm.

Byłem jedynym logistykiem i jednym z nielicznych białych, którzy nie zostali przeniesieni. Stałem się Afrykaninem o blond włosach. Ale atmosfera w biurze zaczęła się psuć.

Akurat w tym momencie ONZ zaczęła odwracać się plecami do Angoli. Pieniądze przestały napływać. Żołnierze UNITA byli zamknięci w obozach jak zwierzęta w klatkach. Upłynęło już sześć czy osiem miesięcy, od kiedy złożyli broń, czułem, że byli u kresu wytrzymałości.

Z drugiej strony, z powodu tego pragnienia afrykanizacji personelu, zostały popełnione poważne błędy. Obozami byłych rebeliantów zarządzali teraz angolscy lekarze zwerbowani w Luandzie, a to znaczy, że mogli być zwolennikami MPLA. Traktowali żołnierzy UNITA jak psy. Widziałem na własne oczy, jak lądowały nasze samoloty z dostawami leków. Wieczorem zarządcy zabierali je, ładowali do samochodów i wysyłali do Luandy, do własnych klinik czy prywatnych aptek.

Faceci z UNITA marli w tych obozach jak muchy. Cholera, malaria, dyzenteria – nękały ich wszelakie choroby. W tym czasie na forum Narodów Zjednoczonych mówcy zdzierali sobie płuca krzycząc „Peace is cool!"[43]. *Wszystko w porządku, Pani Markizo*[44].

W Huambo, w biurach oenzetowskiej misji otwarto wystawę poświęconą błękitnym hełmom Narodów Zjednoczonych. W Huije, indyjski kontyngent ONZ nazwał swój obóz „Zanadoo", to znaczy „Raj". A żołnierze UNITA nadal umierali, mając za jedyne okrycie własną dumę bojowników.

To musiało doprowadzić do wybuchu.

Jonas Savimbi, szef rebeliantów, już groził wznowieniem działań zbrojnych. Świat odpowiadał mu pogardą. Traktowano go jak starego przemytnika, niezdolnego do odegrania roli człowieka pokoju. To był błąd. Ryzykował utratą kontroli nad swymi ludźmi, jeśli pozwoliłby, by nadal

---

[43] *Peace is cool* (ang.) – Pokój jest spoko.
[44] *Tout va bien, Madame la Marquise* – początek popularnej piosenki francuskiej z lat 30. XX wieku.

zdychali jak szczury. Przyjechali inspektorzy z Nowego Jorku. Obwiozłem ich po kraju i po obozach. Zobaczyli. Zrozumieli, że sprawa porozumień pokojowych źle się skończy. Powiedzieli mi: „Trzeba szybko zmienić metody Marc. Przydzielimy panu niezależnego administratora. Proszę robić, co w pana mocy. Jeśli chodzi o zakupy, będzie pan współpracował z biurami w Afryce Południowej".

Niewątpliwie dali mi w ten sposób narzędzia, dzięki którym mogłem stać się trochę bardziej skuteczny. Wiedziałem jednak, że niechybnie narobię sobie wrogów zarówno w naszych biurach, jak i w angolskich kołach biznesu, które korzystały z oenzetowskiej manny.

Kilka dni później doszło do incydentu. Narody Zjednoczone wymagają ogłaszania przetargów na projekty i programy odbudowy infrastruktury. Właśnie ogłosiłem taki przetarg na pewien projekt w Huambo, wart prawie 100 tysięcy dolarów.

Nie wiem, jak ten człowiek wszedł do pokoju, w którym spałem. Trzymałem w ramionach Paolę. Obudził mnie chłód metalu na skroni. Najpierw zobaczyłem czarny, groźny otwór makarowa i palec na spuście, zanim podniosłem wzrok na twarz tego, który trzymał broń – Angolczyka w cywilu. To działa rozbudzająco. Ostro. Byłem pewien, że to jeden z tych wygłodzonych facetów i że przyszedł po prostu mnie ograbić. Mój mózg pracował z zawrotną szybkością; chodziło o to, by zachować kontrolę nad sytuacją, dać włamywaczowi to, co chce i skłonić, by odszedł nie popełniając niczego nieodwracalnego.

Paola nadal spała słodkim niewinnym snem.

„Światło!" – nakazał mi napastnik.

Posłuchałem go. Mała jęknęła, ale uspokoiłem ją, pieszcząc jej ramię. Odwróciła się do mnie. Jej oczy były jeszcze zamglone od snu. Natychmiast zrozumiała i zobaczyłem na jej twarzy przerażenie. Podciągnąłem prześcieradło, by zakryć jej nagie ciało zanim napastnikowi przyjdą do głowi brudne myśli. Ale on wydawał się dokładnie wiedzieć, czego chce:

– Jutro musi pan ubić interes z panem Oliveirą w sprawie przetargu w Huambo. Zrozumiano?

Zabezpieczył broń.

– Tak, zrozumiałem. Spokojnie. *No fasse mal*[45].

Zniknął tak, jak przyszedł. Resztę nocy spędziłem na uspokajaniu Paoli. Usnęła z powrotem dopiero o świcie.

Wykluczone, żebym przyzwyczaił się do tego, by ktoś budził mnie o trzeciej nad ranem, przykładając mi do skroni broń. Wstałem, ogoliłem się, włożyłem krawat i udałem się do biura. Poszedłem do szefa i wręczyłem mu rezygnację.

Powiedziałem mu, że straciłem zaufanie do UNDP. Nikt nie poczuwał się do odpowiedzialności za opiekę medyczną w obozach. Jeśli chodzi o bezpieczeństwo, słyszałem o desancie błękitnych hełmów. Wiedziałem, że wkrótce dojdzie do wznowienia działań zbrojnych i nie chciałem ponosić odpowiedzialności za to, co się wydarzy. Odszedłem.

W tym czasie oddziałem MSF Francja w Luandzie (jego biura znajdowały się sto metrów ode mnie), kierowała Catherine, żona Didiera, lekarza, którego poznałem w Gomie. Zair stworzył nierozerwalną więź pomiędzy mną a Didierem. Natomiast jego żona potrzebowała sporo czasu, by mnie docenić.

Logistyk MSF nazywał się Moustache, był starym weteranem, który miał problemy z alkoholem. Moje odejście z UNDP zbiegło się z decyzją MSF o rozstaniu się z nim. Wyjechał na dwutygodniowe wakacje do Francji. Wrócił dopiero po trzech, pijany jak bela. Na domiar złego był w trakcie rozwodu. Upijał się nadal co wieczór. Didier grzecznie go poprosił, by wrócił do kraju.

Zostałem zaangażowany jak logistyk koordynator MSF Francja w Luandzie. Jak na ironię losu znalazłem się dokładnie w miejscu, w którym miałem się znaleźć, kiedy zaangażowali mnie Holendrzy.

Ale poza tym nic nie przypominało początkowego scenariusza. Przede wszystkim dlatego, że na czteromiesięcznym kontrakcie ONZ zarabiałem

---

[45] *No fasse mal* (coś między portugalskim a francuskim) – Nie rób krzywdy.

trzy razy więcej, niż miałem dostać od MSF. A podczas jednej z moich misji w Bengueli poznałem uroczą francuską pielęgniarkę imieniem Viviane. Polubiliśmy się od mojej pierwszej wizyty.

W tym czasie w środowisku humanitarnym chorobą na topie była śpiączka afrykańska, przenoszona przez muchę tse-tse. Wszystkie organizacje miały fundusze na tse-tse, ale ani centa na zwalczanie klęski głodu. Trochę olewaliśmy klęski głodu, bo mówiono, że w Afryce jest to powracające zło. Nie ma roku bez głodujących. Zawsze będzie czas do tego powrócić. Realizując projekty żywieniowe, pracowaliśmy więc z ograniczonymi środkami.

Zabrałem się do budowania nowego centrum żywieniowego. Oszacowałem jego koszt na 75 tysięcy dolarów.

– Postaraj się nie przekroczyć 25 tysięcy – odpowiedziano mi.

Ale nieoczekiwanie otrzymałem pomoc. Amerykańska przyjaciółka Iana, Holendra, któremu zostawiłem robotę u MSF w Luandzie, została mianowana administratorką w Angoli z ramienia USAID, wielkiej amerykańskiej agencji wspierania rozwoju. Nie żywiła do mnie urazy. Wprost przeciwnie. Gdybym nalegał, spowodowałbym wyjazd jej chłopaka. Tymczasem to ja wyniosłem się grzecznie, umożliwiając dwóm turkaweczkom kontynuowanie miesiąca miodowego.

Zaprosiłem ją do Bengueli. Oprowadziłem, tłumacząc, co zamierzam zrobić, by poprawić stan całości. Zrozumiała, więcej, rozwinęła moje plany. Chciała, by w obozie były drzewa. Ojej! I kolory. A dlaczego nie plac zabaw dla dzieci? Budżet wzrósł do prawie 100 tysięcy dolarów. Zobowiązała się, że doda to, co brakowało, do sumy przyznanej przez MSF.

Trzeba było wracać do Luandy.

Objeżdżałem nasze misje, by upewnić się, że niczego im nie brakuje. Didier i ja zajęliśmy się także zbadaniem celowości otwarcia bazy do zwalczania... no właśnie – śpiączki afrykańskiej. Następnie wróciłem tam z Catherine, tym razem, żeby podpisać porozumienie.

Życie płynęło spokojnie. Powoli, nie stawiając najmniejszego oporu, odkrywałem, że jestem zakochany w Viviane. Nie tylko wspaniałej kobiecie, ale i osobie o ogromnej kulturze.

Pomyślałem, że być może wreszcie potrafię być szczęśliwy.

Po kilku miesiącach pobytu w terenie Didier i Catherine postanowili nie odnawiać kontraktu. Didier chciał poświęcić swą karierę medyczną zwalczaniu AIDS. Miał dość teorii, potrzebni mu byli teraz pacjenci, by mógł zyskać wiedzę praktyczną. Catherine zdecydowała się z nim wyjechać.

To był piękny słoneczny dzień pod koniec grudnia 1996 roku. Dostaliśmy teleks z Paryża. To ja go odebrałem. Był adresowany do Catherine. „Proszę zadzwonić pod ten numer. Potwierdzam przybycie nowego szefa misji. Marc Vachon musi do tego czasu wyjechać".

Nie rozumiałem, o co chodzi. Wiadomość nadeszła w dniu dwudziestych piątych urodzin MSF. MSF Belgia zorganizowali wielką imprezę, na którą został zaproszony cały korpus dyplomatyczny Luandy i miejscowe władze. Miał być ogromny grill, orkiestra.

Pod nieobecność Didiera, który wyjechał do Paryża, reprezentować MSF Francja, macierzystą organizację wszystkich MSF, mieliśmy tylko ja i Catherine. Musiałem pójść na to przyjęcie.

Stałem przy wejściu, ściskałem ręce wszystkim gościom. Miałem krawat i elegancką marynarkę. Do wewnętrznej kieszeni wsunąłem papier, który mówił, że muszę spływać, zanim przybędzie nowy szef misji. Zadzwoniłem do Paryża, żeby spytać, co się dzieje.

– Przykro mi Marc, ale nowy kierownik nie chce z tobą pracować.

– Ale ja nawet nie znam tego faceta!

– Taaa… Ale on o tobie słyszał. Kinszasa, Marc. To mu się nie spodobało…

A więc o to chodziło: zarzucano mi, że kilka tygodni wcześniej odmówiłem otwarcia bazy zaopatrzeniowej w Kinszasie. Słyszałem o Kabili idącym na Zair, by obalić prezydenta Mobutu. Nie rozumiałem, dlaczego MSF chcieli umieścić centrum zaopatrzenia na tym wulkanie w stanie erupcji.

Sugerowałem, by wybrali raczej Namibię. Skoro poczuli się do tego stopnia dotknięci moim sprzeciwem wobec ich pierwotnego wyboru, to znaczy, że w grę wchodziły zupełnie inne interesy, które przede mną ukryto.

Wysłałem moje CV tu i tam. Kilka dni później zadzwoniła do mnie Norweska Rada ds. Uchodźców (NRC). Potrzebowali logistyka, który zająłby się uchodźcami angolskimi przybywającymi z Konga.

Trochę popracowałem z NRC, zanim poczułem się wyczerpany. Miałem dość Angoli, Angolczyków, przemocy. Luanda stała się jednym z najbardziej niebezpiecznych miast, jakie poznałem. Za dużo broni wymykało się spod kontroli państwa. Poza tym moja dziewczyna była za daleko, dzieliło nas czterysta kilometrów. Miałem dość. Stawałem się zbyt agresywny, zbyt łatwo się irytowałem. Musiałem się stąd wyrwać, zanim znowu zacznę robić głupstwa.

Viviane również postanowiła opuścić Angolę. Poczekałem na nią. Wyjechaliśmy razem do Francji. W Paryżu czekały na nas dwa bilety do Quito w Ekwadorze. Byliśmy obydwoje trochę SDF[46]. Ekwador jest piękny, ale po siedmiu tygodniach wakacji mieliśmy ochotę wracać.

Byłem od niedawna z Viviane. Tu, w Ekwadorze, przebywaliśmy pierwszy raz sami, pozbawieni jakichkolwiek problemów zawodowych. I okazało się, że brakuje nam tematów do rozmowy.

Złowili nas MSF z Luksemburga. Była placówka dla dwojga w Mali. Skromna misja rozwoju wspólnot zaplanowana na cztery lata. Interesująca propozycja, zwłaszcza że w Mali panował pokój.

Projekt miał być realizowany w Sélingué, mieście nowo zbudowanym w celu przesiedlenia mieszkańców wiosek ewakuowanych z powodu budowy zapory i elektrowni wodnej, niecałe dwie godziny drogi od Bamako – stolicy kraju.

Misja w Mali okazała się najpiękniejsza w całej mojej karierze. Dlatego też była najdłuższa: trwała rok.

---

[46] SDF (*Sans Domicile Fixe*) – bez stałego miejsca zamieszkania.

Tym razem nie pracowałem z ludnością, która niszczyła swoje otoczenie, ale raczej je budowała, upiększała.

Nasz projekt polegał na zebraniu pewnej liczby wiosek, które miały dostarczyć siłę roboczą do budowy ich własnego ośrodka zdrowia. My dawaliśmy wsparcie techniczne, sprzęt i technologię. Celem było tworzenie wspólnot po 15 tysięcy osób, czyli około dziesięciu wiosek, aby ośrodek był rentowny. Oprócz zapewnienia ludności usług wysokiej jakości, to odciążyłoby malijską służbę zdrowia, której groziła upadłość. Na szczęście Malijczycy wpadli na pomysł, by zacząć tworzyć system spółdzielni, nazywanych CESCOM – Wspólnotowe Ośrodki Zdrowia.

Odkrywałem ukryte oblicze Afryki, tak naprawdę najistotniejsze. Afrykę aktywną, śmiejącą się, pokojową, gościnną, zdecydowaną i godną. Mali jest biedne, ale dzielne. A jego muzyka, po prostu boska.

Para, którą zastąpiliśmy Viviane i ja, reprezentowała styl *cool, peace-and-love*[47], długie włosy, „jemy palcami z jednej miski z Afrykanami", „uczestniczymy w podrzynaniu gardła kurze, bo to wygląda tak tradycyjnie". Natomiast nie była już tak bardzo skrupulatna w realizacji projektów. Misja miała straszliwe opóźnienia w realizacji zadań. Rok po jej uruchomieniu utworzyła zaledwie połowę jednego CESCOM-u.

W dodatku nawet ta zbudowana połowa kulała. Drzwi były zamontowane odwrotnie, ściany się chwiały. Nasz raport o stanie misji bardzo zdenerwował MSF Luksemburg, którzy pomyśleli sobie, że traktujemy ich jak debiutantów. Przysłali nam szefa biura. Spędził z nami tydzień. Przekonał się, że mieliśmy rację.

Na domiar złego zapomniano o stowarzyszeniu nas ze szpitalem okręgowym, który poczuł się zagrożony przez projekty MSF. Nie mogliśmy się zadowolić wyposażeniem wspólnotowych ośrodków zdrowia i pozostawić własnemu losowi szpital, który musiał brać na siebie najcięższe przypadki. Nie miało sensu wyposażanie naszych CESCOM-ów w aparaturę do

---

[47] *Cool, peace-and-love* (ang.) – Luz, pokój i miłość.

prześwietleń, jeśli szpital nie dysponował karetkami, które mógłby wysyłać po najciężej chorych pacjentów.

Razem z przedstawicielem Luksemburga zmodyfikowaliśmy projekt, dołączając do niego plan przebudowy szpitala. Zaktualizowaliśmy budżet, zwiększając go zaledwie o osiem tysięcy dolarów. Centrala dała nam swoje błogosławieństwo i mogliśmy wreszcie pracować.

Nasze obiekty odznaczały się wysoką jakością. Wykopaliśmy dwadzieścia sześć studni, naprawiliśmy około czterdziestu oraz uruchomiliśmy prom, by mieć czym pokonywać rzekę.

Viviane także dobrze się układało. Wiedliśmy szczęśliwe życie. Miałem nawet zodiaca, co umożliwiało mi wyprawy na ryby. Zabierałem przedstawiciela MSF Oliviera Marchettiego, który stał się moim dobrym kumplem, od kiedy włączyłem go do kampanii szczepień przeciwko polio.

Powierzyliśmy mu lud Bozo, czyli ludzi rzeki Niger. O tej porze roku Bozom trudno było jeździć do ośrodków zdrowia. Pożyczyliśmy dużą łódź i w trzech – nasz przyjaciel Cissé, przedstawiciel MSF Francja i ja – pojechaliśmy do nich. To była fascynująca wyprawa. Szczepiliśmy nawet ludzi mijanych na jeziorze, nie wychodząc z łodzi.

W ciągu roku utworzyliśmy cztery CESCOM-y, prawie wszystkie były gotowe do działania, jeśli chodzi o infrastrukturę i personel. Zrealizowaliśmy w dwanaście miesięcy to, co było przewidziane na cztery lata. Nadrobiliśmy spóźnienie naszych poprzedników, a nasi następcy mieli czas niezbędny do wyszkolenia personelu technicznego.

Niespodziewanie MSF Luksemburg odmówili jednak odnowienia naszego kontraktu. Pozostała nam jeszcze ostatnia studyjna misja demograficzna, którą mieliśmy przeprowadzić wspólnie z ekipą MSF Francja w Mali. Ale pewnego ranka odebrałem ten zabójczy telefon:

– Nigdzie już pan nie jedzie, to koniec!

Dowiedzieliśmy się, że MSF Luksemburg zwrócił się do Paryża, by nie zezwolił mi na ponowny wyjazd do Mali. Dlaczego? Czyżby bali się, że sukces, jaki odnieśliśmy wśród lokalnej ludności, przyćmi zasługi ich personelu?

Tego dnia naprawdę zwymiotowałem Lekarzami bez Granic. Zadałem sobie gwałt, by im wybaczyć wszelkie ciosy zadane mi w przeszłości, by przełknąć urażoną dumę i znowu z nimi wyjechać.

Ale oni uwzięli się, by dać mi do zrozumienia, że nagradza się tylko miernotę, a sukces jest w ich oczach obciążeniem. Działalność humanitarna, to również to: wielkie serce, by wybaczyć wiele niekompetencji. Naprawdę mnie zemdliło.

Cierpiałem też z powodu Viviane, karano ją, by zemścić się na mnie. Tymczasem dla niej ta misja była bardzo trudna. Walczyła, by zostać zaakceptowana w tym społeczeństwie *machos*. Udało jej się tam, gdzie mnóstwo innych przed nią poniosło fiasko. Trzeba powiedzieć, że znacznie przekroczyliśmy zwykły mandat budowy CESCOM-ów. Aktywnie zaangażowaliśmy się w życie społeczeństwa malijskiego. Była nawet ekipa piłki nożnej, która grała w barwach MSF Luksemburg. Zdobyła puchar na szczeblu prowincji.

Rok później, całkiem przypadkowo, dowiedziałem się, że MSF Luksemburg otrzymali nagrodę od rządu Mali. Nikt nie uważał za stosowne skontaktować się z nami, by nas zawiadomić o tym dowodzie uznania za sukces, którego byliśmy w końcu głównymi architektami.

To mnie dobiło. Obiecałem sobie, że już nigdy w życiu moja noga nie postanie u MSF. Dotrzymałem słowa.

Tymczasem nękał mnie pomysł, który dojrzewał we mnie od miesięcy.

Wszystko zaczęło się w Kenii po naszym fiasku w Sudanie. Administrator zdołał wyjść obronną ręką wyłącznie dlatego, że wysławiał się lepiej ode mnie, że zredagował lepszy raport. W Mali, kiedy jeden ze współpracujących z nami lekarzy poprosił mnie, żebym znalazł mu stypendium, które umożliwi mu kontynuowanie studiów, poszedłem zasięgnąć informacji do ambasady Kanady w Bamako.

Zaprzyjaźniłem się z panią odpowiedzialną za wymianę kulturalną i naukową.

Zobaczyłem ją ponownie dwa dni później z mężem. Spytała o moją przeszłość, dosłownie zatkało ją, gdy dowiedziała się, że nie skończyłem szkoły średniej.

– Nigdy nie kusiło cię, żeby wrócić do szkoły i zrobić dyplom?

– Nie. Tak. Nie.

– Posłuchaj, sprawdzę, czy nie ma specjalizacji takich jak zarządzanie projektami, współpraca międzynarodowa czy coś w tym rodzaju.

Nie rozumiałem, co chciała przez to powiedzieć, ale to było nieważne, wyglądała sympatycznie. Za jakiś czas zadzwoniła, by mi powiedzieć, że ma dla mnie dwie przesyłki. Pierwsza to był opis programu zarządzania międzynarodowego w Narodowej Szkole Administracji Publicznej, druga informowała o magisterium z zarządzania projektami na Uniwersytecie Quebecu.

Tak oto zaczęło mnie nękać, z każdym dniem silniejsze, pragnienie powrotu do szkolnej ławki.

ROZDZIAŁ DWUDZIESTY PIERWSZY

Słońce – i cień Al-Kaidy

Wybrałem program Narodowej Szkoły Administracji Publicznej (ENAP). Tak czy inaczej nie miałem już wyboru. Z całym moim doświadczeniem i osiągnięciami w terenie nie mogłem być nadal tylko zwykłym logistykiem. Nie chciałem już poruszać się w poziomie. Byłem skazany na pięcie się w górę lub na zniknięcie. A po to, żeby zajść wyżej, potrzebny był mi dyplom.

ENAP, przez wzgląd na mój bagaż zawodowy i referencje (Jean-Christophe i Geneviève szarpnęli się na list), zaproponowała mi, bym zaczął od krótkiego programu wymagającego uzyskania piętnastu punktów zaliczeniowych. Jeśli zdobędę świadectwo, mógłbym następnie zrobić DESS – dyplom wyższych studiów specjalistycznych. A jeśli uda mi się zakończyć również ten etap, mógłbym przymierzyć się do zrobienia magisterium.

W oczekiwaniu na moje pójście do szkoły (było już za późno na zapisanie się na rok 1998–1999), Viviane i ja zgłosiliśmy się do pracy w Akcji przeciw Głodowi (ACF). Tę organizację, założoną w 1979 roku przez grupę francuskich intelektualistów, w tym Françoise Giroud, Marka Haltera, Bernarda Henri Lévy'ego, Guya Sormana, nazwano „French Doctors druga generacja". W związku z wojną w Afganistanie chciano położyć nacisk na problem głodu, który dotychczas stanowił tylko fragment ogólnych zmagań humanitarnych.

Chodząc na rozmowy kwalifikacyjne, byliśmy świadomi, że długoletnie doświadczenie czyniło nasze kandydatury niezwykle interesującymi. Jedyna trudność polegała na tym, że chcieliśmy wyjechać we dwoje, bez względu na miejsce przeznaczenia i rodzaj misji.

Trzy dni później ktoś zadzwonił do nas, by nam zaproponować Chartum w Sudanie. Miałem zacząć dwa czy trzy tygodnie wcześniej, nim dołączy do mnie w terenie Viviane. To było doskonałe rozwiązanie.

Zastałem misję ACF w Chartumie w stanie kryzysu. Pracownicy byli skłóceni. Dziewczyny płakały co wieczór, Hiszpan, szef misji, wydawał się tracić kontrolę nad sytuacją. Najwyraźniej nie był stworzony do tej roboty i miał ją gdzieś. Właśnie ożenił się z Sudanką i zamierzał osiedlić się w tym kraju. Był też *watsan* (*Water Sanition*)[48], pierwszy raz na misji, miły, ale niedoświadczony.

Mieliśmy dwie misje na południu, w Wao i w Dżubie, i jedną na północy, w Chartumie. Bałem się, że będą mieli do mnie pretensje o to, że kilka lat wcześniej pracowałem na południu. Ale tak naprawdę nikt nie robił z tego wielkiego problemu. Koniec końców zawsze dobrze się rozumiałem z Sudańczykami, zarówno z chrześcijanami z południa, jak i z muzułmanami z północy.

Wylądowałem tu podczas wielkiego głodu w 1998 roku. Ludzie masowo umierali. W Wao szacowano liczbę zmarłych Dinków na 10 000.

Problem Sudanu polegał na tym, że ponieważ kryzys trwał od dziesięciu lat, wszyscy mieli go w nosie. Nie tylko ACF, również wszystkie inne pozarządówki. Były to czasy, kiedy w środowisku działaczy humanitarnych w modzie były raczej prawa człowieka, a nie podstawowe potrzeby humanitarne. Wszystkie NGO miały w związku z tym własnego eksperta od *human rights*[49], który sprowadzał konflikt sudański do wygodnego uproszczenia: muzułmanie z północy byli źli, podczas gdy chrześcijanie czy animiści z południa byli ofiarami.

Nie podzielałem tego odczucia. Widziałem, jak rząd z północy sam dwoi się i troi, by rozwiązać kryzys humanitarny, a żadna NGO nie chciała przyjść mu z pomocą. Przypominam sobie jedno ze spotkań humanitar-

---

[48] *Watsan, od Water Sanition* (ang.) – uzdatnianie wody.
[49] *Human rights* (ang.) – prawa człowieka.

nych, na którym jakaś dziewczyna z którejś z amerykańskich organizacji otwarcie stwierdziła, że celem jej misji jest przyczynienie się do obalenia reżimu. Podniosłem się i wyszedłem: po pierwsze, to oznaczało kompletny brak szacunku dla obecnych tam Sudańczyków; po drugie, nie można było mieć pewności, że nie jesteśmy na podsłuchu; po trzecie – bardzo przepraszam, ale jestem w organizacji humanitarnej i nie uprawiam polityki. Moja rola nie polega na wysadzaniu z siodła reżimów.

Poza tym, miałem dość robienia z sił południa aniołów. Ja je znałem, byłem świadkiem ich okrucieństwa. W obozach, w których pracowałem, trzy czwarte uchodźców odmawiało powrotu do siebie, na południe, bo bali się ekscesów dowódców wojennych. Dziękuję za takich aniołów!

Tak naprawdę, główną religią tego ludu zmęczonego latami wojny, daleką od upraszczających stereotypów Zachodu na temat Sudanu, był oportunizm i zasada: ratuj się, kto może.

Oprócz uprzedzeń, które wypaczały działalność pracowników humanitarnych, trzeba też wspomnieć o ich skłonności do gadulstwa zastępującego czyn. Kiedy stało się konieczne zamknięcie rozpadających się ośrodków zdrowia, żadna z NGO, które biadoliły nad nieszczęściem uchodźców, nie była gotowa zainwestować w ich odbudowę. My się zamknęliśmy i przystąpiliśmy do działania. To samo podczas kampanii szczepień: działacze humanitarni piętnowali w pięknych salonach złe warunki życia ludności Sudanu, po czym nadal siedzieli z założonymi rękami. I tym razem ruszyła się ACF.

Chartum. Wielkie, puste miasto położone na pustyni. Niczego do obejrzenia, proszę jechać dalej! Jego nazwa znaczy „Trąba słonia"; Nil Błękitny spotyka się z Nilem Białym, tworząc w istocie coś w rodzaju zarysu trąby. Pięć milionów mieszkańców, w tym trzy miliony uchodźców. To stare miasto. Jest też nowa dzielnica, w pobliżu lotniska, którą tworzą domy z betonu, pałace z marmuru, zamki z mnóstwem sal w amfiladzie. Miasto, jak wnętrze gigantycznego pączka, jest opasane milionami domów sudańskich przesiedlonych, uciekających przed wojną i podzielonych według pochodzenia. Jest strefa ludzi południa, strefa Dinków i Nuerów, część zasiedlona przez Nubów, ta zamieszkana przez Sudańczyków przesiedlonych spod granic z Etiopią czy Czadem.

Aby lepiej zarządzać tym skupiskiem wysiedlonych, często nękanym przez odrę lub cholerę, rząd podzielił obóz na kilka części, nad którymi pieczę powierzył różnym NGO.

Chartum to również miasto pustyni, która zmusza wierćących studnie do schodzenia poniżej stu pięćdziesięciu metrów, jeśli chcą znaleźć wodę. W dzień temperatura podnosiła się czasem do pięćdziesięciu stopni Celsjusza. Kiedy padało, wszystko było zalane. To rodzaj mikroklimatu, który można określić jako koncentrat wszelakich nieszczęść.

Rząd był kierowany przez prezydenta Omara Hasana al Baszira, pupila Hassana at Turabiego, polityka cienia, który chciał ustanowić państwo islamskie. Tak więc, żadnego alkoholu w mieście. Jednak kobiety nie były zakryte jak w Arabii Saudyjskiej; te, które nosiły zasłony, robiły to przede wszystkim po to, by chronić się przed słońcem i piaskiem. Przed wprowadzeniem szariatu, prawa islamskiego, Chartum był wręcz znany jak miasto libacji i niekończącego się świętowania. Najwyraźniej czasy się zmieniły.

Jak wszystkie duże miasta Afryki Chartum żył przede wszystkim z zaradności i handlu. Ale żył też nadzieją na lepszą przyszłość. Wielkie zachodnie towarzystwa naftowe, oskarżone w 2002 roku przez Narody Zjednoczone o bezwstydne wykorzystywanie kraju, stały się dyskretne. Widać było zwłaszcza Chińczyków, około siedmiu tysięcy ludzi, przybyłych do pracy przy budowie rurociągu, mającego przesyłać ropę do miasta Port Sudan. Dwa tysiące z nich pracowało przy samej budowie. Pięć tysięcy pozostałych zapewniało budowie bezpieczeństwo. Nie ulegało wątpliwości, że w Sudanie znajdowała się mała chińska armia.

Amerykanie wrócili dopiero wiele lat później. Nieobecni byli także Kuwejtczycy, którzy wciąż jeszcze mieli pretensje do Sudanu, że stanął po stronie Saddama Husajna, kiedy ten zajął ich kraj w 1991 roku. Zerwanie nastąpiło w momencie, gdy Kuwejt właśnie skończył budowę swojej nowej ambasady w Chartumie. Wspaniały budynek. Pusty.

W Chartumie przebywali kanadyjscy inżynierowie, specjaliści od wydobycia ropy. Pochodzili z Calgary, wydawali mi się sympatyczni, choć ledwie ich znałem. Raz zaprosili mnie na grilla. Zostali wymienieni w miażdżącym raporcie ONZ. Oskarżenia pod ich adresem były moim zdaniem niezupełnie sprawiedliwe, bo ci ludzie przynajmniej pracowali w tym kraju, zamiast odwrócić się od niego jak reszta planety, nie wyłączając ONZ. Widziałem, jak sięgali do kieszeni, by wesprzeć obozy dla przesiedlonych; przekazywali swe dary z dala od kamer, w przeciwieństwie do wszystkich tych „bardziej wspaniałomyślnych dusz" na Zachodzie. Łatwo jest dawać lekcje moralności, kiedy nigdy się nie było w żadnym z tych nieszczęsnych krajów.

Pewnego dnia Historia przyzna być może, że te przedsiębiorstwa przyczyniły się do pokoju w Sudanie. Bo one przynajmniej uwierzyły – choć niekoniecznie z przyczyn mających cokolwiek wspólnego z moralnością – w potencjał ekonomiczny tego kraju. Gospodarka jako motor promowania pokoju, Sudan stał się tego pięknym przykładem. Jeśli dziś trwają negocjacje między bojownikami, to wyłącznie dlatego, że zostały odkryte większe złoża ropy. Północ i południe zrozumiały, że nikt na tym nie skorzysta dopóki będzie trwał konflikt. Zgodziły się złożyć broń.

Chartum miał także opinię kryjówki islamskich terrorystów. Ci ostatni byli dyskretni. Nigdy nie spotkałem bin Ladena, o którym wszak mówiono, że kręci się po okolicy. A trzy czwarte Sudańczyków zawsze było umiarkowanymi muzułmanami.

Miesiąc przed moim przybyciem do tego kraju doszło do owych słynnych, kontrowersyjnych nalotów amerykańskiego lotnictwa na Chartum w ramach represji po niedawnych zamachach na ambasady amerykańskie w Nairobi i Dar es-Salaam, przypisywanych siatce Osamy bin Ladena. Do nalotów doszło pewnej sobotniej nocy, w strefie przemysłowej na drugim końcu miasta, daleko od dzielnicy, w której mieszkali pracownicy humanitarni. Zachodnie NGO obecne na miejscu dowiedziały się jednak o tym za pośrednictwem swych sztabów generalnych w Europie. Amerykanie twierdzili, że wzięli na celownik sekretne ośrodki produkcji broni przeznaczonej dla terrorystów. W rzeczywistości zniszczyli fabrykę farmaceutyczną.

W ACF dowiedziałem się, że tę fabrykę uruchomiła trzy miesiące wcześniej oenzetowska ekipa złożona z Norwegów. Rządom zachodnim zostały wręczone oficjalne raporty w tej sprawie. Później gazety ujawniły, że prezydent Bill Clinton kazał przeprowadzić te ataki, by odwrócić uwagę opinii publicznej w momencie, gdy w jego kraju groziło mu zdjęcie z urzędu przez Kongres, który zarzucał mu kłamstwo w sprawie Moniki Lewinsky.

Jeszcze po moim przybyciu miejscowa opinia publiczna czuła do USA urazę z powodu tych ataków. Moje jasne włosy i wygląd Amerykanina musiały niektórych irytować. Potem jednak nadszedł ramadan, miesiąc postu, miesiąc przebaczenia.

Norwedzy wrócili, by naprawić szkody spowodowane przez Amerykanów. Skorzystali z okazji, by ponownie zapewnić, że w fabryce nie została wyprodukowana ani jedna sztuka broni. Rząd w Chartumie zaprosił także dyplomatów, NGO i zachodnie media, by same sprawdziły to na miejscu.

Ale było oczywiste, że za wysokimi murami wielkich pałaców nowego miasta czaiły się groźne cienie. Sylwetki, których nigdy nie spotykaliśmy, ale o których wiedzieliśmy, że tam są: wpływowe i dyskretne. Mułłowie nie raczyli nawet się do nas odezwać ani nas odwiedzić. Ludność utrzymywała grzeczny dystans. Tylko raz ktoś wyznał mi, że czuje awersję do pewnej części Zachodu: był to bohater wojny narodowowyzwoleńczej, mówił po angielsku. Nienawidził naszych zdegenerowanych obyczajów, brutalności kina amerykańskiego. Ale to wyznanie nie skłoniło mnie do zmiany zdania: muzułmańscy fundamentaliści stanowią w Sudanie nieznaczną mniejszość.

Jeśli chodzi o terrorystów, widywałem zwłaszcza zdjęcia Carlosa, który przed aresztowaniem regularnie i zupełnie jawnie chadzał do miejscowych klubów: niemieckiego lub amerykańskiego. Do miejsc, gdzie oczywiście nie podawano alkoholu, ale gdzie był przynajmniej basen, luksus w tym wielkim piecu pod gołym niebem. Mnóstwo ludzi spotkało Ilicza Ramireza Sancheza, zwanego Carlosem. Mówił po arabsku, podobno z odrobiną akcentu hiszpańskiego, przypominającego jego wenezuelskie pochodzenie.

Ale ani śladu bin Ladena. Nigdy nie zaprosił mnie na fajkę wodną. Sądzę, że przyjąłbym zaproszenie – przez czystą ciekawość.

Była też wielka debata o istnieniu sieci handlu niewolnikami w Sudanie. Niektóre organizacje pozarządowe wyspecjalizowały się w uwalnianiu tych „nieszczęśników". Jednak nie należy dać się zwieść pozorom. Walka z niewolnictwem w Sudanie chybiła celu.

To zjawisko zawsze istniało w tym kraju. Stało się wręcz niemal banalnym faktem kulturowym. Projekt jego zwalczania wznowiono ewidentnie z przyczyn propagandowych. Niektórzy widzieli już powtórkę z abolicji niewolnictwa w Ameryce. Ale Sudan to nie Stany Zjednoczone. Czarni nie byli tu chłostani ani stawiani pod pręgierzem. W Sudanie handel odbywał się pomiędzy klanami południa. Kiedy Nuerowie atakowali Dinków, to zabijali mężczyzn, kradli kobiety, krowy i dzieci, z których później robili swoich niewolników. Dinkowie robili to samo z Nubami. Wszyscy oddawali się tej grze. Zawsze to robili i nie przestaną, dopóki będą trwać konflikty etniczne.

W Sudanie niewolnicy nie nosili łańcuchów. U swoich panów przepracowywali niewątpliwie długie godziny, ale tak samo było w wioskach, z których pochodzili. Zmieniali tylko szefa. Ponadto na tego ostatniego spadały z kolei pewne zobowiązania wobec służących; jakiż interes miałby w tym, by zachorowali? Z kobiet robił swoje kochanki, a z mocnych mężczyzn cenną siłę roboczą. Czuwał zazdrośnie nad nimi, bo leżało to w jego interesie.

To prawda, że może to być szokujące dla naszego zachodniego sposobu myślenia, ale jeszcze bardziej oburzający jest użytek polityczny, jaki zrobiono z tej walki; stała się ona okazją do jeszcze większego demonizowania muzułmanów z Północy. Zły był scenariusz – jak z filmu nie najwyższych lotów, prezentujący pomocną dłoń wyciąganą z Francji, Szwajcarii czy Kanady, by wyrwać niewolników ze szponów ich strasznych właścicieli. Po co? Po to, by odesłać ich do rodzinnych wiosek, gdzie zostaną ponownie schwytani podczas następnego ataku? Albo po to, by umieścić ich w obozie dla uchodźców, gdzie w najlepszym razie ich warunki życia nie zmienią się ani trochę, a w najgorszym ich samopoczucie znacznie się pogorszy z powodu bezczynności? Co wybrać? Na dodatek, czyż odkupując niektórych z nich, nie utrwala się jedynie tego procederu? Właściciel niewolników nie był żadnym głupim fiutem, sprzedawał wam tandetę – starych, bezzębnych, obłożnie chorych – po wygórowanej cenie. Zostawiał sobie sprawną siłę roboczą. A widok zielonych banknotów podsuwał mu pomysł kolejnych napadów. Koniec końców cała ta wrzawa wokół tak bardzo złożonego problemu była idiotyczna. A chwała, jaką sobie przypisywały te NGO po powrocie do domu, była niezasłużona; przeciwnie – jedynie przyczyniały się do rozkwitu haniebnego biznesu.

Kiedy już uzna się, że częścią tego handlu jest komponent kulturowy, narzuca się też jedyna właściwa odpowiedź: edukacja. Żadne prawo – podobnie jak w przypadku obrzezania dziewczynek, które zostało zakazane w licznych krajach Afryki, a mimo to pozostaje popularną praktyką – żadne wykupywanie niewolników nie powstrzyma zła, wprost przeciwnie.

To prawda, że – jak mawiał Bernard Kouchner – podstawą działalności humanitarnej jest przede wszystkim oburzenie, a dopiero potem metoda. Ale źle ulokowane oburzenie jest czasem bardziej szkodliwe niż ostrożne milczenie. Co gorsza, istnieje coś takiego jak oburzenie okolicznościowe, wyrażane przez kilka tygodni, maksimum kilka miesięcy, kiedy media mają zapalone reflektory, kiedy nie ma bardziej „soczystego", bardziej krwawego kryzysu gdzieś indziej. Oburzenie fasadowe, które w końcu zanika, by ustąpić miejsca obojętności kompromisu.

Wreszcie, dlaczego skupiać się na Sudanie? Uganda, Rwanda, Czad, wszystkie kraje Afryki znają niewolnictwo. Na większą czy mniejszą skalę, ale ono tam naprawdę istnieje. Subkontynent indyjski, na którym żyje prawie jedna czwarta ludności planety, również się do niego ucieka. Są nawet Hindusi, którzy kontynuują te praktyki po wyemigrowaniu na Zachód.

Wiadomo jednak, że kiedy już działacze humanitarni się przeciwko czemuś buntują, to musi być egzotycznie; łatwiej jest wyć w górach Kaszmiru, na bagnach Bahr el-Ghazal, niż na ulicach Montrealu, na bulwarach

Paryża czy na autostradach Nowego Jorku. Zwłaszcza, a może przede wszystkim, z racji mniejszego zobowiązania do zajmowania się sprawą przez dłuższy czas. Dowód? Zachodnie media od dawna nie poświęciły niewolnictwu w Sudanie nawet połowy artykułu.

Chociaż byłem tylko koordynatorem logistyki, kierownictwo ACF poprosiło mnie, żebym wziął udział w maju 1999 roku w zebraniu szefów misji. Dyrektor generalny zabrał mnie do restauracji i poinformował, że chciałby mnie widzieć w Paryżu, na jakimś jeszcze bliżej nieokreślonym stanowisku w administracji służb antykryzysowych. Po posiłku spotkaliśmy się w biurze, żeby na nowo opracować schemat organizacyjny firmy. Wiedziałem, że jedynym stanowiskiem, które mnie interesuje, jest funkcja szefa wydziału kryzysów. Nie tylko kryzysów w zagrożonych krajach, ale także w łonie samej ACF, kiedy dotykają one jej ekipy. Takie stanowisko istniało przecież w innych NGO, jak Oxfam czy MSF. Szef zawsze miałby pewną czasową przewagę podczas przewidywania kryzysów. Między dwiema misjami w terenie współpracowałby z biurami zarówno przy rekrutacji wykwalifikowanego personelu, jak i przy jego szkoleniu, uwzględniającym wszystkie szczegóły życia na misji. To, że prowadziło się samochód na francuskiej wsi, czy nawet zimą w Quebecu, jeszcze nie oznacza, że można kierować PCJ75 w zairskiej dżungli podczas pory deszczowej. Chodziło o szkolenie antykryzysowców w posługiwaniu się łącznością radiową, prowadzeniu księgowości itp. Gdyby *watsan* wiedział, czym jest robota żywieniowca, gdyby logistyk był dobry w księgowości, gdyby administrator miał pojęcie o tym, co dzieje się w służbach medycznych, nie tylko istniałoby między nimi lepsze zrozumienie, ale funkcjonowanie misji byłoby bardziej elastyczne i mniej stresujące. Teraz, kiedy zachoruje specjalistka od żywienia, cały ośrodek żywieniowy zostaje zamknięty na kilka dni w oczekiwaniu na przybycie zastępcy.

Nie przekonałem dyrektora generalnego. Rozstaliśmy się bardzo grzecznie.

Skorzystałem z tygodnia spędzonego w Paryżu, by wypełnić papiery potrzebne do zapisania się do ENAP, które wysłałem do Kanady.

W lipcu dostałem list: zostałem przyjęty, rok szkolny zaczynał się we wrześniu. Byłem szczęśliwy. Ale jednocześnie ogarnął mnie niepokój. Minęło dokładnie dziesięć lat i jeden miesiąc, odkąd ostatni raz postawiłem stopę w moim kraju. Nie wiedziałem już zbyt wiele o Kanadzie. Ani o polityce, ani o społeczeństwie. Nie wiedziałem, że w 1993 roku Kanadyjczycy z Montrealu wygrali puchar Stanleya w hokeju na lodzie, co już samo w sobie jest herezją u dziecka urodzonego w tym kraju zimna i śniegu. Po prostu się odłączyłem.

Ale nie mogłem ani nie chciałem przegapić spotkania ze szkołą. Poprosiłem Viviane, żeby pojechała ze mną do Kanady. Byłem przekonany, że pielęgniarka jej kalibru, wyspecjalizowana w opiece nad małymi dziećmi, nie będzie miała problemów ze znalezieniem pracy.

Dwa ostatnie miesiące poprzedzające nasz wyjazd niewątpliwie były najcięższe, bo zmieniono nam szefa misji. Hiszpana zastąpił Francuz około pięćdziesiątki, dobrze znający Afrykę, chociaż pierwszy raz znalazł się w Sudanie. Był ożeniony z Afrykanką z Czadu.

Ale Ndżamena w Czadzie nie jest Chartumem w Sudanie. Jego małżonce czas zaczął się szybko dłużyć: żadnych barów, żadnych kawiarni, żadnych stowarzyszeń kobiet do wspierania, żadnej telewizji ani basenu, w Chartumie nie było niczego. Cholernie się nudziła. A kiedy dwa miesiące po moim wyjeździe szef podał się do dymisji, skrytykował ekipę, która jego zdaniem nie zrobiła nic, by ułatwić jego małżonce integrację. Co na to odpowiedzieć? Wyrośliśmy już z zasiadania wieczorem przy ognisku, jak to robią skauci, żeby sobie powiedzieć, że się kochamy.

W Sudanie zrozumiałem gorzką prawdę, że rozwija się nowa forma działalności humanitarnej, do której – jak się obawiałem – nigdy się nie przyzwyczaję. Byłem z tych, którzy wkładają ręce w smar, którzy nie wygłaszają przemówień, ale działają, którzy nie pozostają nigdzie dostatecznie długo, by zrobić karierę, ale wierzą w wolę tych, którym pomagają i wiedzą, że naszym obowiązkiem jest pozwolić im wziąć swój los we własne ręce.

Zrozumiałem, że z dnia na dzień staję się coraz bardziej izolowany. Ponieważ prawo zabierania głosu w mediach mieli teraz teoretycy, którzy nigdy nie wyruszają w teren. Zważywszy, że ich stopa nigdy nie postała w Sudanie, nie wiedzieli, że Chartum liczy więcej chrześcijan niż muzułmanów. Rozmaite grupy nie wybijały się nawzajem z powodu jakichś tam historii z religią – jak twierdzili nasi pseudoeksperci w swych klimatyzowanych biurach – ale raczej z powodu niesprawiedliwego podziału bogactw. Niewolnicze powtarzanie zachodnich stereotypów służyło im przede wszystkim do pozyskiwania pomocy rozmaitych grup nacisku o charakterze wyznaniowym. Na przykład pewna norweska NGO przekazała ludności południa około czterdziestu sztuk aparatury nadawczo-odbiorczej. Wszyscy wiedzieli, że te narzędzia szybko trafią w ręce SPLA. Ci, którzy myślą, że to w porządku walczyć z Arabami, popełniają błąd, bo tak naprawdę w tym konflikcie Sudańczycy walczyli z innymi Sudańczykami. Wyczerpane społeczności, zarówno na północy, jak i na południu. Matki patrzące z oburzeniem, jak ich synowie umierają za nieistniejące sprawy.

Zwłaszcza że chodziło o wojnę, która wybuchła po to, by chronić interesy ludzi południa. Sprzeciwiali się oni zbudowaniu kanału na Nilu, który – jak sądzili – pozbawi ich kontroli nad transportem rzecznym. Innymi słowy, to była wojna prewencyjna, która przybrała zły obrót.

Powinniśmy byli to powiedzieć, powinniśmy byli zdemaskować to błędne skupianie się na względach religijnych. Powinniśmy byli wrzasnąć: „Koniec z tą maskaradą!". Powinniśmy byli wyraźnie oddzielić organizacje humanitarne od tych, które walczyły o prawa człowieka. Aby nasza interwencja nie zboczyła z kursu.

Działalność humanitarna, nowa działalność humanitarna utknęła w martwym punkcie, bo próbowała do wszystkiego dorabiać teorie na użytek mediów i wszystko uzasadniać politycznie. Obsesyjne poszukiwanie słów jak najprostszych, jak najbardziej wzruszających i strawnych dla zachodniej publiczności darczyńców, sprawiło, że zapomniano o zachowaniu uczciwego podejścia do ofiar. Dla naszych dobrych zachodnich chrześcijan, ludzie z północy Sudanu nie mogli nie być potworami. Wdawanie się w niuanse stało się ułomnością. Przypominam sobie tego badacza z Narodowego Ośrodka Badań Naukowych, którego poznałem w Chartumie. Osiedlił się w tym kraju dziesiątki lat temu, mówił prawie wszystkimi dialektami. Ale kiedy Radio France Internationale chciało podsumować sytuację w Sudanie, przeprowadzało wywiad z przedstawicielem MSF czy ACF. Pomyślcie, gdzie tkwił błąd!

Szalbierstwo działaczy humanitarnych polega właśnie na tym, tej obfitości słów kosztem działania. Teraz spędza się więcej czasu na dyskusjach niż na opracowywaniu strategii zarządzania kryzysami. Bo plan zakłada możliwość fiaska. Toteż zamiast ryzykować i brać sobie na głowę ofiary śmiertelne, wybiera się coraz bardziej stanowczy ton komunikatów: „MSF oświadczają, że sytuacja w Sudanie Południowym się pogarsza i potępia rząd Północy, ponieważ przesiedleńcy są przyjmowani w obozach, w których warunki sanitarne pozostawiają wiele do życzenia". Puste słowa. Bo wszyscy przesiedleńcy i uchodźcy przybywają w rozpaczliwym stanie. W Europie, Afryce, Azji, Ameryce i gdzie indziej.

Sformułowania organizacji humanitarnych celowo są przesadzone, by przesłonić brak działania połączony z cichą nadzieją, że zostaną wydalone przez ten okrutny rząd w Chartumie i w ten sposób odniosą zwycięstwa na dwóch frontach: bezczynności i sukcesu medialnego, który koniec końców uczyni z organizacji humanitarnej – bardziej niż z samych wysiedlonych – ofiarę rozgrywającej się tragedii. Jestem cyniczny? Tylko odrobinę.

Dlatego żywię bezgraniczny podziw dla Międzynarodowego Komitetu Czerwonego Krzyża, którego zasadą jest nigdy nie składać świadectwa. Czasem trudno jest wypełniać tę instrukcję, zwłaszcza gdy jest się świadkiem straszliwych zbrodni, takich jak ludobójstwo, ale ci ludzie działają naprawdę i są wszędzie. Oni wykonują jeszcze autentyczną pracę humanitarną. Troszczą się bardziej o ludzi niż o raporty. Czemu służy raport, jeśli nie umożliwia on poprawy warunków życia ofiary? Czemu służy ujawnianie zła, jeśli następnie trzeba wyjechać i pozwolić wysiedlonemu czy uchodźcy mimo wszystko umrzeć? Po co zdzierać sobie płuca, krzycząc czy wielkim nakładem sił oddawać się redagowaniu raportów, które zostaną zapomniane kilka dni później, bo pojawi się inny aktualny problem?

To nie są niepokoje pracownika humanitarnego zgorzkniałego z powodu nieszczęść, których był świadkiem w całym świecie. To są pytania, które muszą się nam nasuwać, bo śmierć, gniew, rozpacz innych w końcu zawsze powracają, by nas nękać. Zwłaszcza kiedy tragedie są jeszcze – w pewnym stopniu – pogłębiane przez nasze przedsięwzięcia, naszą politykę i nasze błędne wizje planety. Pewnego dnia przychodzi 11 września i ku naszemu zaskoczeniu dowiadujemy się, że są ludzie, którzy nas nienawidzą. Nawet wówczas oczywiście rozwodzimy się nad naszymi trzema tysiącami zmarłych i nie zadajemy sobie pytań na temat ofiar, które nasz rząd powodował wszędzie w świecie przez swą niesprawiedliwą i niemoralną politykę.

Na miejscu zrozumiałem, że tendencja ludów do rozwiązywania problemów drogą wojen nie jest wyłącznie udziałem krajów biednych. To nie jest mania afrykańska. Wszystkie narody tego zakosztowały.

Człowiek jest taki od dziesięciu tysięcy lat. Technologia i nowoczesność niczego tu nie zmieniły. W Sudanie wojowano już przed tysiącami lat. Człowiek zawsze toczył wojny. Europa zaznała w ciągu ubiegłego wieku serii wielkich starć: pierwsza i druga wojna światowa, rozpad Jugosławii. Zapominamy o okupacji Niemiec przez pięćdziesiąt lat przez siły proradzieckie. A dziś jeszcze, co dzieje się w Irlandii? A Baskowie? A Quebec, gdzie wojna gangów motocyklowych w latach 90. pochłonęła jakieś sto sześćdziesiąt ofiar śmiertelnych? A Stany Zjednoczone, gdzie dzieciaki biorą broń i dokonują masakr w szkołach? Taki jest świat.

W Biblii Kain zabija swojego brata Abla, by posiąść jego ziemie. Dlaczego miałoby się to skończyć? Dlatego, że my jesteśmy porządnymi ludźmi? Oczywiście, że jesteśmy dobrzy, ale trzymamy 40 000 więźniów w celach w Kanadzie. A nasi czarni w północnym Montrealu, którzy nie mają wstępu do reszty miasta, bo są *Blacks*? Ale cicho szaaa... nie należy tego mówić głośno. Jesteśmy dobrzy: my frankofoni i anglofoni, którzy nawet nie potrafimy ze sobą rozmawiać inaczej, jak narzekając na dawne krzywdy.

Widziałem najohydniejsze zakątki świata. Dziś wiem, że wojna jest naturalnym zjawiskiem, zakotwiczonym w sercu wszystkich kultur. Chciałbym, żeby było inaczej. Dlatego dla mnie najpiękniejszą utopią nadal są Narody Zjednoczone, świat bez ras, bez koloru i religii. Ale trzeba przestać marzyć.

W 1999 roku stało się: mając przed oczyma całą przebytą przeze mnie drogę, przestałem marzyć. Widziałem za dużo gówna. Nie musiałem już grać, stwierdzając łamiącym się głosem: „Źle się dzieje na naszej planecie". Wiadomo, że źle się dzieje. Wystarczy włączyć telewizor.

Dlatego nie wierzę już w rolę świadectwa NGO, bo to jest tylko teatralne ględzenie i przeżuwanie, by dać złudzenie odkrywania rzeczywistości, którą znamy od dawna. Media są wszędzie. Wyprzedziły organizacje humanitarne w większości miejsc ostatnich konfliktów (Rwanda, Bośnia itp.). Kiedy my nie mogliśmy jeszcze wjechać do Iraku, prasa miała już dostęp do ofiar. Cóż dodać, cóż więcej powiedzieć, kiedy później wreszcie i my tam przybywamy?

Nowością jest genialna broń. Był czas, kiedy proca stanowiła jeden z najbardziej rewolucyjnych wynalazków. Potem przyszły szpady i muszkiety. Następnie wymyślono gaz musztardowy. Dziś, zanim wyśle się pierwszego wojaka, najpierw zalewa się przeciwnika deszczem bomb zrzucanych przez B-52. Albo jeszcze lepiej, tymi bombami, które rozrzucają bomby. *Cluster bombs* [50], które nie zabijają natychmiast, ale czekają, by wciągnąć później w pułapkę ludność cywilną. To gorsze niż niewolnictwo.

Natura człowieka jest tak skonstruowana, źle skonstruowana.

Pilno mi było zobaczyć znów Kanadę. Byłem tym bardziej zdenerwowany z powodu powrotu do domu, że nadal nie wiedziałem, czy niektórzy

---

[50] *Cluster bombs* (ang.) – bomby kasetowe.

z moich dawnych kumpli motocyklistów nie opowiedzieli jakichś głupot policji. Jeśli tak się stało, byłem najbardziej poszukiwanym człowiekiem w Kanadzie.

Poprosiłem mojego przyjaciela Mégota o zwrócenie się do jednego ze swoich znajomych adwokatów, by ten się czegoś dowiedział. Trzy tygodnie później adwokat przysiągł mi, że w kartotece policji niczego na mnie nie mają.

Mimo to bałem się przejechać przez Montreal. A jeśli parę osób o mnie nie zapomniało?

ROZDZIAŁ DWUDZIESTY DRUGI

Wszystkie palmy,
wszystkie bananowce...

Nie bałem się, że będę się nudził w szkole. Nie jestem z tych, którzy wyją ze złości na myśl, że nie znajdą się w kolejnym miejscu, gdzie będzie gorąco. Zrozumiałem, że nie można zaliczyć ich wszystkich.

Wiedziałem, że ominie mnie interwencja w Kosowie, ale nie było mi przykro z tego powodu. Nie podobał mi się ten skrót myślowy, który czynił z kosowskich Albańczyków jedyne ofiary tragedii. Jakby zapomniano, że najohydniejsze i najokrutniejsze siatki prostytucji i handlu narkotykami w Europie były w rękach Albańczyków. Sfinansowali swoją wojnę, wysyłając na ulice miast Francji, Włoch i innych krajów tysiące dziewczynek pochodzących z krajów Europy Wschodniej. Kiedy dziewczyna nie chciała dłużej nagabywać facetów, jechali do niej, do Mołdawii, obcinali rękę jej bratu i wysyłali ją do niej przesyłką poleconą. Jeszcze tego samego wieczora mała wracała na ulicę.

Ale uproszczenie historyczne wymagało wówczas, by mieszkańcy Kosowa pochodzenia albańskiego uchodzili za ofiary czystek etnicznych tych wstrętnych Serbów. Nikt nie chciał zrozumieć, że wojna w Serbii była znacznie bardziej pokręcona. Zamiast sankcjonować czystki etniczne poprzez tworzenie chronionych enklaw, trzeba było wysłać wojska, by zajęły linie frontu i zniszczyć wszystkie przemieszczające się czołgi i działa. Ludzie zrozumieliby od początku, że wojna nie jest dozwolona. Slobodan Miloszević nie szalałby przez tyle lat, gdyby wyłamano mu zęby od razu, w Bośni. Ludzie, którzy wyruszali z odległych zakątków Wojwodiny, Nowego Sadu czy Belgradu, uważali się za patriotów, gdy szli wybebeszać Bośniaków. Tymczasem byli to biedni durnie, manipulowani przez propagandę, która wmawiała im, ze ɔ, ɔ się za Tito. Nie byli z gruntu źli, można było jeszcze ich odzyskać, zamiast czekać lata, przez które ich przekonania jedynie się zradykalizowały.

Postawiłem stopę w Kanadzie trzy dni przed początkiem roku akademickiego. Tak bardzo bałem się Montrealu, powitania bądź przez Królewską Żandarmerię Kanady – GRC (scenariusz bardziej optymistyczny), bądź przez moich dawnych kolegów motocyklistów, że wybrałem lot do Filadelfii i wjechałem do Kanady przez Toronto.

Kiedy wręczyłem paszport celniczce, serce biło mi mocno i miałem wrażenie, że wszyscy na dworcu lotniczym zdają sobie z tego sprawę. Byłem bardziej spanikowany niż na irackim punkcie kontrolnym. Nie miałem wyjścia. Byłem ugotowany. Byłem u siebie, to był ich paszport, ich komputer, mógł wypluć każdą informację, jaką zechciał. Viviane trzymała mnie za rękę, żeby mnie uspokoić.

Podnosząc głowę, celniczka niemal przyprawiła mnie o zawał serca:

– Dużo pan podróżuje...

– Trochę. (Nie znalazłem lepszej odpowiedzi.)

– *Welcome back*[51] w Kanadzie.

Nie posiadałem się z radości. Czułem, że na mojej twarzy rysuje się uśmiech pełen szczęścia.

Gdy wyszedłem na zewnątrz, słońce wydało mi się wyjątkowo piękne.

Nazajutrz wsiedliśmy do pociągu jadącego do Ottawy. To nie było dla mnie bez znaczenia. Wymyśliłem sobie, że wracając do Quebecu, wracając do „domu", powinienem użyć tego samego środka transportu, co w chwili wyjazdu: pociągu.

Wysiedliśmy w Ottawie wczesnym popołudniem. Po drugiej strony rzeki Outaouais był Quebec. Ale nawet nie spojrzałem w tamtym kierunku, nie od razu.

---

[51] *Welcome back* (ang.) – Witamy z powrotem.

Znaleźliśmy mały hotel. Po wzięciu prysznica, zrobiliśmy sobie spacer. Wtedy mogłem wreszcie rzucić okiem na drugą stronę rzeki. Na drugim krańcu spinającej jej brzegi mostów był Quebec. Mój dom. Viviane rozumiała moje wzruszenie, pozwoliła mi zatonąć w myślach.

Rzekę Outaouais przekroczyłem dopiero nazajutrz. Pieszo, po jednym z mostów. Kupiłem lokalny dziennik z powodu działu „Mieszkania do wynajęcia". Wybraliśmy dziesięć numerów telefonów, zadzwoniliśmy tej soboty do ośmiu właścicieli. W niedzielę po południu znaleźliśmy mieszkanie. Nie mieliśmy referencji, ale dysponowaliśmy odpowiednią sumą pieniędzy, by zapłacić za sześć miesięcy z góry.

Tego samego wieczora spaliśmy u siebie. Dzięki temu małemu mieszkanku, którego ściany były zrobione z drewna, poczułem, iż wróciłem do kraju, ale nie byłem jeszcze całkiem u siebie w domu. Byłem na wsi. Domem, moim prawdziwym domem, był Montreal.

Pierwsze rozczarowanie: szkoła. Pragnąłem czegoś prestiżowego, pompatycznego, wielkiego. Widziałem budynki Uniwersytetu Quebecu w Hull, mówiłem sobie, że taki rozmach by mnie uszczęśliwił. Zupełnie przypadkiem, przechadzając się ulicą Laval, zobaczyłem mały szyldzik na pierwszym piętrze sklepu z rowerami: ENAP.

Choleeera jasna!

Ale powiedziałem sobie, że jestem na misji. Drobne przeszkody były do przewidzenia; one mnie nie zniechęcą. Zresztą miałem czym zrekompensować sobie to rozczarowanie: wszystko wkoło było zielone, ludzie wydawali się niezwykle mili. Pilno mi było wrócić do szkoły.

Po południu poszliśmy do centrum handlowego kupić trochę mebli. Kiedy w piątek dostarczono nam nasze zakupy, koło się zamknęło, staliśmy się prawdziwymi mieszkańcami Kanady. Siedząc przed telewizorem, z kieliszkiem wina w ręku, byłem jak ci niezliczeni faceci z Quebecu żyjący z Francuzkami.

Od mojego przybycia upłynęło kilka dni, a policja jeszcze nie zapukała do naszych drzwi. Moje serce zaczynało odzyskiwać normalny rytm. Viviane była pod wrażeniem. Odkrywała *poutine*, to tłuste jedzenie, specjal-

248

ność Quebecu – frytki, ser, sos – oraz hot-dogi z dodatkami. Wiedziałem, że długo nie wytrzyma tej diety, ale bawiło mnie jej oczarowanie. Wszystko ją fascynowało, na przykład wiewiórki na progach domów, zwłaszcza tak blisko stolicy.

Ludzie z Outaouais są niezwykle ujmujący. Prości, przystępni, niezestresowani. Przez dziesięć lat mojego wygnania z Kanady najbardziej brakowało mi dróg. Dwa tygodnie po powrocie wynajęliśmy samochód i wybraliśmy się na przejażdżkę po okolicy, bez określonego celu, ot tak, żeby nawdychać się powietrza, nasycić oczy i dać odpocząć uszom dzięki magicznej ciszy lasów Quebecu.

Ja, znany na wszystkich misjach świata jako człowiek z Quebecu, w sklepikach spożywczych Hull byłem nagabywany o mój francuski akcent.

To był dla mnie nowy świat. Kiedy wyjechałem z Montrealu dziesięć lat wcześniej, nie byłem obywatelem. Byłem zepsutym harleyowcem na haju, który poruszał się w sztucznym świecie kokainistów, brudnych pieniędzy, prostytucji, zbrodni, przemocy, żył na innej planecie. Teraz żyłem w małym mieście, w małym mieszkaniu, uczęszczałem do instytutu, którego 80 procent studentów stanowili urzędnicy rządu federalnego, a resztę głównie zagraniczni dyplomaci korzystający z pobytu na placówce w Kanadzie, by zrobić kolejne magisterium. Ludzie, z którymi nigdy bym nie mógł obcować w moim życiu sprzed działalności humanitarnej. Nie wiedziałbym, jak z nimi rozmawiać. Oni byli uczciwymi ludźmi. Przyjeżdżali do szkoły w samochodach zagraconych fotelikami dla dzieci. We Francji czy w Afryce, kiedy mówiłem, że jestem z Saint-Henri w Montrealu, ludzie uważali, że to malownicze. W Hull urzędnicy, koledzy z klasy, doskonale rozumieli, z jakiego środowiska pochodzę. Zdawali sobie sprawę, że nie jestem tak do końca jednym z nich, oni wszyscy mieli dyplomy uniwersyteckie. Z samego mojego sposobu mówienia mogli wysnuwać najrozmaitsze wnioski na temat tego, czym musiało być moje dzieciństwo.

Potrzebowałem dwóch tygodni, zanim zdecydowałem się wrócić do Montrealu. Szkoła poprosiła mnie o odnalezienie dokumentacji z dwóch ostatnich lat nauki. Tym razem nie zabrałem ze sobą Viviane. Musiałem najpierw samotnie odbyć tę pielgrzymkę.

Pojechałem autobusem. Był poniedziałek rano.

Wróciłem od strony zachodniej, tej samej, przez którą opuściłem Montreal.

Autobus nie zajechał prosto na terminal; zboczył, przejeżdżając przez centrum miasta. Dostałem gęsiej skórki. Wszystkie te ulice, które kiedyś były moje. Brakowało mi słów. Przykleiłem nos do szyby, ogarniało mnie uczucie podniecenia. Ulica Dorchester nazywała się teraz René-Lévesque. Saint-Denis. Berri de Montigny. Ontario. Byłem na moim terenie. Cofnąłem się o dziesięć lat. Ogarnął mnie strach.

Gdy wysiadałem z autobusu miałem spłoszone spojrzenie, jakby wszystko zatrzymało się w dniu mojego wyjazdu i jakby tam, za tym filarem w poczekalni, siedział Gruby z resztą bandy. Przeciąłem szybkim krokiem hall i wskoczyłem do pierwszej z brzegu taksówki, by udać się wprost do biura Komisji Szkolnej. Wręczono mi dokumenty, po które przyjechałem.

Postanowiłem wrócić pieszo. Poszedłem ulicą Sherbrooke, następnie Hochelaga. Potem Bercy. Numer 2363. Zadrżałem. Czy zaraz wyjdzie moja matka, krzycząc, że posiłek jest gotowy? Czy dzieci poznają mnie i zawołają, żebym się z nimi pobawił? Nikogo. Poczekajcie, może ktoś w jednym z tych przejeżdżających samochodów. Nic. Przeszło tędy dziesięć lat. Moja melancholia tego nie zmieni. Tu, na tym wąskim chodniku, kiedy usunąłem się z drogi, by przepuścić matkę o rozpromienionej twarzy pchającą głęboki wózek z niemowlęciem, przypomniałem sobie, że jestem montrealczykiem, prawdziwym, stuprocentowym. Byłem z tego dumny. Dwadzieścia razy okrążyłem świat, ale to tu byłem u siebie. Paryżanie czy prażanie, którzy żyją w miastach muzeach, uśmiechnęliby się, widząc moje przywiązanie do tak brzydkiego miasta; ale to właśnie brzydota Montrealu stanowi jego urok. Druty elektryczne zwieszające się nad głową, żelazne schody uwieszone na fasadach domów. Na tym polega jego oryginalność.

Drzwi domu pod numerem 2363 na ulicy Bercy zostały wymienione, ale balkon wciąż tu był. Naprzeciwko wysoki budynek zastąpił akademię Frontenac. Przeszedłem przed nim, nie zwalniając kroku. Z rękami w kieszeniach. Zobaczyłem siebie w szortach, grającego w baseball na ulicy i zatrzymującego się po każdym uderzeniu, by przepuścić samochody. Przypomniałem sobie Pierre'a, Gaétana Pronovosta, Rogera Burela. Zawróciłem ulicą Sherbrooke, ale było za dużo ludzi. Na rogu Rouen i Havre stał jeszcze dom pogrzebowy Alfreda Dallaire'a. To tu widziałem ostatni raz moją matkę i ojca. Leżeli w trumnach z zamkniętymi oczami, wyglądali na wypoczętych. Czy przebaczyli mi, że przyszedłem naćpany na ich pogrzeb? Czy teraz byli ze mnie dumni?

Skręciłem w lewo, poszedłem ulicą Ontario na zachód. Przeszedłem przed Fontana Pizzeria, gdzie były najlepsze pizze w mieście. Kilka metrów dalej Macdonald Tobacco. Ileż razy przynosiłem tu ojcu lunch?

Zawróciłem, by udać się na dworzec autobusowy. Ale przedtem miałem do przejścia jeszcze tyle ulic – Lorimier, Dorion, Papineau – terytorium brodaczy. Co robić? Odważyć się? Poszedłem pieszo aż na terminal autobusowy. Zadzwoniłem do Mégota, ale nie było go w domu. Zanim wszedłem na dworzec, uszczypnąłem się, żeby się upewnić, iż naprawdę jestem żywy. Nikt do mnie nie strzelał. Ale jeszcze nie wyjechałem. Czekając na najbliższy autobus, kupiłem gazetę i ukryłem się za nią, siedząc w najciemniejszym kącie i nie mogąc się doczekać odjazdu. Kiedy zajechał autobus, przepchałem się na początek kolejki, by wsiąść pierwszy.

Wróciłem do Montrealu z Viviane i tym razem spotkałem się z Mégotem. Dziesięć lat. Wyjeżdżając, zostawiłem go po uszy w gównie z powodu moich wierzycieli i brodaczy. Były też Milly i Nina, jego córki. Kiedy pracowałem w Saint-Sulpice, Nina była niemowlęciem, chowaliśmy ją za barem, by mogła pospać, podczas gdy Mégot sprzedawał działki, żeby mieć za co kupić pieluchy. Widziałem, jak ta dziewczynka rosła, jak stawiała pierwsze kroki, rozpakowywała swoje pierwsze bożonarodzeniowe prezenty, była moją kumpelką. Nie było wieczora, żebym nie wstąpił dać jej buziaka nim poszła spać. Kiedy wyjechałem, miała zaledwie osiem lat. Zapytała, patrząc na mnie swoimi przygnębionymi oczyma dziecka:

– Czy idziesz do więzienia?

– Nie, wybieram się w daleką podróż. Upłynie sporo czasu, zanim wrócę.

– Ach tak! Nie szkodzi, będę na ciebie czekać.

Dziesięć lat później była dziewczyną, prawie dorosłą, o ciele kobiety. Dostała już swoją działkę życiowych problemów. Jak ja, w wieku czternastu lat znalazła się na ulicy. Miała za sobą okres punkowy. Dopiero brała się w garść. Nina jest do dziś moją przyjaciółką, przebywa teraz w Indiach, pracuje dla pewnej NGO zwalczającej uprawy transgeniczne.

Milly miała trzy lata w chwili mojego wyjazdu. Gdy wróciłem szalała na punkcie Ricky'ego Martina i nosiła szmatki w stylu Spice Girls.

W październiku 1999 roku ogłoszono, że MSF otrzymali Nobla. Dostałem depesze gratulacyjne od wielu osób. Czułem się dziwnie. Z jednej strony byłem zadowolony, że praca organizacji, walka Luca Legranda, upór Geneviève Begkoyian, poświęcenie setek pielęgniarek, które bez reszty oddawały się walce, znalazły uznanie. Z drugiej strony, nie mogłem się powstrzymać od uczucia goryczy, kiedy kolejny raz myślałem o moim upokarzającym odejściu. Ogarniała mnie wściekłość, gdy patrzyłem na obrazy, które media uchwyciły z całego tego dnia: urzędnicy w siedzibie MSF w Paryżu rzucający kwiaty przez okna i pozdrawiający tłum. Prasa nadal niczego nie rozumiała: zwyciężyli MSF, a pokazywano kwaterę główną. Cóż za aberracja, jaka monumentalna pomyłka! To nie tam, pod numerem 8 na ulicy Saint-Sabin, był zdobywany Nobel; działo się to gdzie indziej, tam gdzie kamery często nie mają najmniejszej ochoty się udać. Roszczę sobie po części prawo do tego Nobla; przyczyniłem się do jego zdobycia podczas moich jedenastu misji z MSF.

Zasięgnąłem informacji, czy MSF Kanada planują z tej okazji jakieś uroczystości. Dowiedziałem się, że szefem sekcji jest Michael Schull; gościłem go podczas mojej pierwszej misji w Iraku. Zaprosił mnie, bym przyjechał do Montrealu świętować razem z nim. Nie pojechałem. Z mnóstwa powodów; nie wszystkie dałoby się obronić.

Tymczasem Viviane nie mogła znaleźć pracy. To było tym bardziej szokujące, że Quebec narzekał na brak pielęgniarek. Postanowiła nie czekać dłużej, tylko przyjąć pracę w Burundi, w ACF. Miała być przez trzy, czy cztery miesiące koordynatorką medyczną. Ucieszyłem się, że wyjedzie i czymś się zajmie. Stała się zbyt drażliwa, to mi przeszkadzało, a musiałem przygotować parę prac na koniec sesji. Miała do mnie dołączyć po zakończeniu szkoły, żebyśmy mogli razem wyruszyć w drogę.

Około połowy grudnia ACF przysłała mi maila z pytaniem, kiedy będę wolny. Ekipa kryzysowa zainstalowała się w rejonie Pool w Kongu, sześć godzin od stolicy Brazzaville, na końcu diabelskiej drogi liczącej sto pięćdziesiąt kilometrów. Wybuchła wojna między grupami zbrojnymi o fantazyjnych nazwach, takich jak Kobry, Nindża, Mamby i Zulusi. W jej wyniku władzę odzyskał dawny prezydent Denis Sassou-Nguesso, teść prezydenta Gabonu Omara Bongo. Kongo ze stolicą w Brazzaville dzieli od Demokratycznej Republiki Konga, ze stolicą w Kinszasie, tylko rzeka Zair. Krótko mówiąc, ta wojna miała konsekwencje dla całego regionu, a w tle były interesy naftowe. Nieprzypadkowo największy budynek w Kongu należy do francuskiej firmy Elf.

Starcia w kongijskiej stolicy zmusiły ludność do szukania schronienia w dżungli. Pozostała tam długo, żywiąc się liśćmi i korzonkami. Kiedy Kobry Sassou-Nguesso opanowały miasto, ich zwolennicy zajęli domy.

Organizacje humanitarne dopiero podjęły decyzję o tworzeniu misji. To miało być otwarcie, co oznacza, że było jeszcze niebezpiecznie. ACF lokowała się w Boko, głównym mieście Pool. Trzeba było otworzyć ośrodek terapeutyczny.

– To ci pasuje? Uprzedzamy, będziesz pracował wyłącznie z facetami.

Było zbyt niebezpiecznie, żeby ryzykować wysłanie kobiet. To brzmiało obiecująco. Oznajmiłem, że przybędę pierwszym lotem.

*

Miałem trzy tygodnie wakacji. Mojej dziewczyny tu nie było, nie zostawiałem tłumu przyjaciół w Hull, dlaczego nie przeżyć milenijnego sylwestra na słońcu, w towarzystwie tych wychudzonych istot, z którymi stale obcowałem w ciągu ostatnich dziesięciu lat? Zostawić Zachód ogryzający paznokcie w oczekiwaniu na milenijną pluskwę. Skorzystać z tej unikatowej szansy, jaką mi dano, i zakończyć symbolicznie tysiąclecie wśród ludzi, którzy naprawdę potrzebowali naszej pomocy. Nie chodzi mi o obarczanie winą Zachodu – nie ponosi on odpowiedzialności za wszelkie dramaty planety – ale jedynie o uświadomienie sobie, jak wielką nieprzyzwoitością były te tony kawioru i te miliony litrów szampana spożyte w ciągu jednego wieczora, podczas kiedy w innych miejscach globu byli ludzie, którzy nie zjedli posiłku z prawdziwego zdarzenia od niepamiętnych czasów. A przecież był rok 2000. Byliśmy na tej samej planecie, dzieliło nas kilka godzin lotu.

Naprawdę podobała mi się myśl, że spędzę wakacje na budowaniu TFC (Therapeutic Feeding Centre, Ośrodka Żywienia Terapeutycznego) dla tych wysiedlonych.

Byłem wręcz zadowolony.

Mój ostatni egzamin skończył się o godzinie 11. Pół godziny później wskoczyłem do autobusu, by udać się na lotnisko w Montrealu. Zdążyłem na lot o 20.

Siedemdziesiąt dwie godziny później przybyłem do Brazzaville, do biura ACF. Miasto było jeszcze spokojne. Na patrolowanych przez wojsko ulicach kręciło się niedużo ludzi. Najwyraźniej nikt tu nie świętował.

Wróciły dawne odruchy. Od razu poczułem się swobodnie. Anonimowość mi odpowiada. Było przyjemnie, ciepło. I była to Afryka: zarówno w swej nędzy, od której pęka serce, jak i w swej świątecznej żywiołowości.

Spędziłem dwa dni w Brazza. Środowisko humanitarne jest małe, znałem trzy czwarte obecnych tu cudzoziemców.

20 grudnia skończyło się świętowanie, wyruszyliśmy do buszu w dwóch obrzydliwych pikapach, które specjalnie pobrudziliśmy, by nie kusić złodziei. W samochodach sami faceci.

Boko, które właśnie przeszło w ręce regularnej armii, było jeszcze puste, jego mieszkańcy dopiero wychodzili z zarośli, w których się ukryli. Wracali przede wszystkim dlatego, że w mieście byli *Toubabs*, biali, jedyni, którym ufali. Do opuszczonych od miesięcy domów wtargnęły ciernie, ogrody zmarniały, warzywa gniły na łodygach. Wygląd pierwszych wysiedlonych, którzy wracali, wskazywał, jak bardzo wszystkiego im brakowało: byli wychudzeni, mieli obnażone, chwiejące się zęby...

Ulokowaliśmy TFC w szkole, która mogła pomieścić około dwustu pięćdziesięciorga dzieci i paru dorosłych. Miałem doskonałe stosunki z moimi współpracownikami, zwłaszcza z majorem armii kongijskiej, który zarządzał regionem. Wyjątkowym zbiegiem okoliczności był to dawny sierżant, wyszkolony przez Izraelczyków. Prawdziwy twardziel. Ale człowiek honoru. Zapewnił, że będzie mnie ochraniał i nie mieliśmy powodów, by się na niego uskarżać.

W tej wiosze byłem świadkiem rozdzierających scen. Przypominam sobie młodego człowieka, który miał około dwudziestu pięciu lat, a wyglądał na czterdzieści, tak zwiędłą miał skórę. Był chudy jak patyk. Przybył do obozu, popychając taczki, w których wiózł ojca, będącego w jeszcze gorszym stanie niż on. Na plecach niósł córkę. Szedł do nas trzy dni ze swojej wioski. Kiedy dowiedział się, że jego ojciec i córka są w dobrych rękach, nie chciał zostać w TFC. Poprosił tylko o trochę wody. Dałem mu dużą szklankę mleka z proteinami. Usiadłem obok niego.

– Skąd przyszedłeś?

– Czterdzieści siedem kilometrów stąd.

W porównaniu z dżunglą afrykańską lasy kanadyjskie przypominają teren rekreacyjny.

– Dlaczego nie zostaniesz tu, żebyśmy mogli się zająć również tobą?

– Nie mogę. Czekają na mnie syn i żona.

Co mogłem mu powiedzieć? Dolałem mu mleka, potem jeszcze raz. Następnie poszedłem do magazynu po kilka paczek herbatników. Nie zjadł ani jednego, zapakował je w przepaskę na biodra, by zanieść tym, którzy zostali w wiosce. Wstał. Wziął z powrotem taczki i zobaczyłem, jak znika w lesie. Cztery dni później wrócił. Kilka herbatników, parę szklanek mleka, banan wystarczyły, by wytrzymał. Plus oczywiście spora dawka silnej woli. W taczkach – matka i druga córka, na plecach syn. Ale dla tego ostatniego było już za późno. Umarł po drodze.

Stojąc przed tym człowiekiem, który znów wyruszał pieszo ze swymi taczkami, który tak walczył o swoją rodzinę, poczułem się mały. Zacząłem myśleć o moich córkach. O Jacqueline. Dziecku, które miałem z Karen, i o córce, którą dała mi Sophie. Nie znałem ich, ale – rzecz dziwna – pierwszy raz mi ich brakowało.

Wkrótce Boże Narodzenie w tej wiosce żarliwych katolików. Dla nas nic to nie zmieniało: pracowaliśmy 24 grudnia, 25, 26 i w następne dni.

Przed moim wyjazdem z Kanady koledzy studenci z ENAP, z własnej inicjatywy zorganizowali specjalną zbiórkę dla dzieci z Konga. Zebrali około dwustu dolarów. Wysłałem z tymi pieniędzmi pielęgniarkę na bazar do Brazzaville, żeby kupiła jakieś ciuszki dla dzieci.

25 grudnia cała wioska była poruszona: czekała na biskupa, który miał przyjechać, by odprawić mszę. Poszedłem wcześnie do TFC z moimi zakupami i zacząłem rozdzielać prezenty. Widziałem łzy w oczach matek. Ożywili się nawet chorzy leżący w łóżkach.

Byłem szczęśliwy. Pierwszy raz w mojej karierze fundusze na akcję humanitarną nie pochodziły od anonimowych darczyńców. Wielkoduszność miała twarz. Wiedziałem dokładnie, komu zdam sprawozdanie z uśmiechów dzieci.

Z wiejskiego kościoła dobiegły nas kolędy śpiewane coraz mocniejszymi głosami.

Koniec świata miał nastąpić 31 grudnia. Zachód coraz bardziej się niecierpliwił, czekając na katastrofalną pluskwę w komputerach. Ale tu, w TFC w Boko, komputery były najmniejszym z naszych zmartwień.

W ciągu dnia wpuściliśmy parę butelek anyżówki do studni, by ją schłodzić. Pierwszą wyciągnęliśmy o godzinie 18, umawiając się, że następną otworzymy równo o północy. Było nas trzech. Samotnych w sercu dżungli afrykańskiej.

O 20 pierwszy kolega poległ na polu chwały. Musiał się położyć. Trzydzieści minut później, drugi poszedł w jego ślady. O godzinie 21, 31 grudnia 1999 roku, byłem więc sam. Usiadłem na dworze, na plastikowym leżaku ustawionym na trawie w Boko. Moje życie znalazło się na zakręcie, bo przypominam sobie, że kiedy byłem młody, zawsze się zastanawialiśmy, co będziemy robić w roku 2000. Przebiegłem myślą wstecz całe moje życie. Przypominając sobie anegdoty, ważne daty, zapomniane twarze.

Otworzyłem ostatnią butelkę i wróciłem na leżak, otulony w gwiazdy. Znów pogrążyłem się w marzeniach. Myślałem o moim dniu. O Viviane w Burundi, o tych, z którymi nie mogłem porozmawiać.

O mojej rodzinie w Kanadzie. Przed wyjazdem do Konga udało mi się odnaleźć moje siostry i brata. Daniel właśnie rozstał się z żoną i odzyskiwał chęć do życia u boku innej. Nigdy więcej się ze mną nie skontaktował.

Spotkałem się też z moją siostrą Huguette, młodszą, tą, która mieszkała piętro wyżej w domu moich rodziców. Żyła z facetem z Wybrzeża Kości Słoniowej. Miała pięcioro dzieci z pięciu różnych ojców. Każde miało inny kolor skóry. To było piękne jak reklama Benettona. Zawsze żyła z zasiłków socjalnych. Raz podjęła naukę, ale tylko dlatego, że chciała pracować w kostnicy i móc korzystać z darmowego mieszkania nad miejscem pracy. Zaledwie opowiedziała mi, co słychać u jej dzieci, oświadczyła, że nie jest w stanie zapłacić komornego i poprosiła mnie o pożyczenie jej pieniędzy. Nigdy więcej o niej nie słyszałem. Nasze braterstwo było w jej oczach mniej warte niż nędzne trzysta dolarów.

To był sylwester pełen nostalgii.

Znów myślałem o Andrée, o moich rodzicach.

Zwinąłem się w kłębek na leżaku z w połowie opróżnioną butelką w ręku i głupawym uśmieszkiem na twarzy. Pozwoliłem, by zawładnął mną sen.

Cud się zdarzył, obudziłem się rano bez bólu głowy. Wszedłem do domu przygotować sobie kawę.

O godzinie siódmej pierwszy przybyłem do TFC. Czekała na mnie niesamowita wiadomość: świat ani trochę się nie zmienił. Noc przyniosła kolejnych czterech zmarłych.

Ale Afryka ma także szczególną zdolność odbijania się od dna. Podczas gdy zawijaliśmy trupy, na drugim końcu obozu kobiety śpiewały noworoczne pieśni. Zrobiłem boisko do piłki nożnej dla dzieci w trzecim stadium remisji i przyniosłem im piłkę. Utworzyły dwie ekipy i rozegrały iście mistrzowski mecz. Wśród publiczności – matki dumne ze swych urwisów oraz dzieci przyjęte dzień wcześniej. Nie wierzyły własnym uszom, gdy mówiono im, że gracze przybyli do obozu w równie zaawansowanym stanie wyniszczenia, jak ten, w którym teraz one się znajdowały. Dopiero kiedy zobaczyłem tych małych klownów na boisku wygłupiających się i przezywających od Zidane'ów i Ronaldów, poczułem, że mogę mówić o „Szczęśliwym Nowym Roku!".

Sędziowałem podczas meczu, a potem postawiłem wszystkim zawodnikom pączki z cukrem, pomarańcze i banany. Matkom zafundowałem herbatę. Za takie magiczne momenty warto oddać całe życie.

Wyjechałem z Boko pod koniec tygodnia. Mój lot był przewidziany na następny dzień. Z naprzeciwka kusiła mnie Kinszasa. Kin-Piękna, miasto nieustannie świętujące.

Pojechałem tam. Wynająłem pokój w małym hoteliku za Intercontinentalem. Po wzięciu prysznica, wszedłem do pierwszego baru, u Mamy Claude. Drugie bistro – Mama Marie-Jeanne. Nie poprzestałem na tym. To było iście demoniczne świętowanie, orgia śmiechu i dobrego humoru. Kelnerka nazywała się Marie-Hélène. To wszystko, co sobie przypominam.

Nazajutrz w południe ponownie pokonałem rzekę, by wrócić do Brazza. Samolot Air Afrique odlatywał o godzinie 16. Jeszcze do końca się nie pozbierałem po moim szalonym wieczorze w Kinszasie. Na lotnisku spotkałem kanadyjską znajomą, ona także pracowała w branży humanitarnej. Porozmawialiśmy sobie przy piwie Primus. Potem było drugie, dobrze schłodzone. Dołączyło do nich wiele innych. Przerodziło się to w radosną libację. Odreagowywałem trzy tygodnie abstynencji w Boko.

Tak jak było do przewidzenia, wejście na pokład zostało przełożone na godzinę 22.

W Paryżu miałem zaledwie czas, by wskoczyć w taksówkę i złożyć krótkie sprawozdanie ACF. W samolocie do Kanady kontynuowałem mój alkoholowy trans.

Po wylądowaniu w Montrealu myślałem, że śnię. Przyszło mi do głowy, że ktoś zrobił mi kawał. Wracałem z Brazza, gdzie temperatura nigdy nie spadała poniżej 30 stopni C, a tu – może to potwierdzić Meteo Kanada – w styczniu 2000 roku było minus 34 stopnie C.

Zastanawiałem się, w jakim to kraju wariatów wylądowałem.

Czekał na mnie Mégot z moim paltem. Poszliśmy w kierunku wyjścia. Kiedy drzwi się otwarły, ugięły się pode mną kolana; kompletnie odjęło mi oddech. Wróciłem do hali przylotów. Za mną szli Kameruńczycy, którzy przybyli tym samym lotem. Słyszałem, jak krzyknęli: „Musi być naprawdę zimno, skoro nawet biały boi się wyjść!". Zostali tak jak ja przez kilka minut, obserwując z bardzo daleka drzwi, jak gdyby był to ogromny, jadowity wąż. Mégot i jego córka musieli mnie ciągnąć z całych sił, żebym wreszcie zgodził się wyjść. Nie da się ukryć, nie byłem już synem Quebecu.

Kurcze blade!

Nazajutrz pojechałem pociągiem do Hull.

Kiedy tylko dotarłem do domu, od razu przesłuchałem automatyczną sekretarkę. Miałem siedem wiadomości. Ani jednej od brata ani od sióstr. Miałem do nich o to żal. Kupiłem nowy kalendarz i przepisałem adresy, ich pominąłem. To był mój sposób na zamknięcie drzwi. *Khalass!*

O Centrum Lestera B. Pearsona na rzecz utrzymania pokoju przeczytałem w gazecie. Podczas tygodniowych ferii zimowych przeszedłem tam kurs. W sali było nas około trzydziestki, wszyscy związani zawodowo z działalnością międzynarodową: przez misje humanitarne, dyplomację, media czy naukę.

W grupie była dziewczyna imieniem Laurence. Miła i uśmiechnięta. Uważna i dyskretna. Przez cały tydzień zadała zaledwie jedno czy dwa pytania.

Rozmawiałem z nią dopiero ostatniego dnia. Powiedziała mi, że pracuje dla belgijskiej organizacji. Właśnie zdała maturę i zaczynała studia magisterskie na wydziale stosunków międzynarodowych. Pozwoliła mi zadzwonić, jeśli będę potrzebował notatek. W Hull na mój program składały się tylko dwa wykłady. Uznałem, że to nie wystarczy. Postanowiłem dołączyć do tego inne, które były prowadzone tylko w Montrealu. Szczęśliwym trafem obydwa wykłady, które mnie interesowały, odbywały się w poniedziałki. Przez cztery miesiące spędzałem więc początek tygodnia w Montrealu. Spałem u Mégota, a w poniedziałek wieczorem odjeżdżałem do Hull.

Pod nieobecność Viviane męczyłem się z pisaną francuszczyzną. Zadzwoniłem do Laurence, by poprosić ją o pomoc w poprawieniu tekstu.

Skontaktował się ze mną jeden z dyrektorów ds. programowych z Centrum Pearsona. Prosił, bym się z nim spotkał w następnym tygodniu w Montrealu. Powiedział mi, że będzie kierował w Halifaksie nowym, dwutygodniowym kursem i potrzebny mu jest wykładowca. Uczestnikami kursu zatytułowanego „Nowe partnerstwo w utrzymaniu pokoju" mieli być wysocy rangą przedstawiciele armii afrykańskich i wschodnioeuropejskich. Chodziło o przedstawienie głównych graczy: mediów, działaczy humanitarnych, dyplomatów, których ci wojskowi spotkają w czasie misji utrzymania pokoju. Zrozumieć rolę każdego z nich, by ułatwić współdziałanie różnych grup zawodowych. Wydano mnóstwo pieniędzy na tę imprezę. Miało w niej uczestniczyć trzydziestu oficerów wywodzących się z różnych krajów i z różnych formacji. Moja robota polegała na nieodstępowaniu ani na krok dziesięciu z nich, na odpowiadaniu na wszystkie ich pytania i koordynowaniu ich pobytu w Cornwallis, dawnej bazie morskiej armii kanadyjskiej, przekształconej w ośrodek szkoleniowy. Ponieważ w kursie uczestniczyli również oficerowie kanadyjscy, miałem też ułatwiać kontakty pomiędzy „tubylcami" i cudzoziemcami.

Pamiętam tego kanadyjskiego oficera w podeszłym wieku. Nigdy nie odbył żadnej misji poza Kanadą. Ale nie przeszkadzało mu to utrzymywać, że pracownicy misji humanitarnych są denerwujący, bo w terenie za często żądają od wojskowych, by ich chronili, wręcz odwalali za nich całą robotę. Nigdy nie uczestniczył nigdzie w żadnej misji utrzymania pokoju, nawet w likwidowaniu konfliktów na jego własnej ulicy.

Albo ten marynarz, też Kanadyjczyk, który zagadnął mnie tonem nieznoszącym sprzeciwu:

– Marc, zrozum, to nowe partnerstwo na rzecz utrzymania pokoju jest niemożliwe. Dla nas, wojskowych, mandatem jest zabijanie ludzi!

– Przepraszam panie kapitanie, ale zupełnie się z panem nie zgadzam. Waszym zadaniem jest obrona granic i bezpieczeństwa waszych rodaków. Mordowanie wrogów, to tylko skutek uboczny.

Poparło mnie trzy czwarte obecnych.

To był dość przykry pobyt. O mały włos nie pękłem. Niełatwo jednemu pracownikowi humanitarnemu stawić czoło wojskowym. Zwłaszcza gdy niektórzy z nich traktują cię jak wroga.

Było to wyjątkowo wyczerpujące doświadczenie – z tymi oficerami zawodowymi, bardziej przyzwyczajonymi do rozkazywania niż do pobierania nauk. Przy każdej prezentacji nowej grupy zawodowej, trzeba było zaczynać od początku te ćwiczenia z dyplomacji.

Bolesna była również projekcja filmu dokumentalnego o masakrach w Gomie. Wszystko powróciło, zdałem sobie sprawę, że jeszcze się z tym nie uporałem. Ale miałem przede wszystkim dość powtarzania w kółko tych samych scen. Tego samego kawałka ziemi usłanej trupami, tysiąc razy przemierzonego przez kamery. Obrazów, które niewystarczająco opowiadały o masakrach, które nie wyrażały ich zapachu. Dosyć. Byłem też zmęczony. Od powrotu z Boko nie miałem nawet tygodnia odpoczynku między zajęciami, a tym pobytem w Centrum Lestera B. Pearsona.

Ale w końcu wszyscy wyjechali bogatsi o nową wiedzę, nowe przyjaźnie. Ja zaś zostałem członkiem wydziału Centrum Lestera B. Pearsona. Taki tytuł robi bardzo dobre wrażenie w CV.

*

Nie udało mi się natomiast uzyskać wystarczająco dobrych wyników, by zostać przyjętym na studia magisterskie. Zakwestionowałem ocenę jednego z profesorów, który nie zrozumiał świata organizacji humanitarnych opisanego w mojej pracy na zakończenie roku. Dostałem dwa listy z poparciem od innych profesorów. Mój wynik został zweryfikowany i otrzymałem dyplom.

Drzwi do magisterium stały dla mnie otworem.

Przypadek sprawił, że żadna z misji, które podjąłem w następnych miesiącach, nie trwała długo.

Najpierw była Etiopia. Zapowiadano katastrofę humanitarną z powodu suszy, która dotknęła południowe regiony. Prognozy nie przewidywały w najbliższym czasie żadnych opadów. Wszystkich prześladowało widmo wielkiego głodu z 1984 roku.

Trzeba było cudu.

I cud się zdarzył.

W stolicy – Addis Abebie – wysiadłem z samolotu jako jeden z pierwszych. W chwili, gdy stawiałem stopę na schodkach na twarz spadła mi wielka kropla letniej wody. Podniosłem głowę i wtedy zwaliło się na mnie całe niebo. Zaczęło padać.

Padało również, gdy wychodziłem z dworca lotniczego, padało, gdy przybyłem do hotelu, wieczorem, gdy wychodziłem z restauracji, padało całymi dniami. Doszło do powodzi w dolinie Ogaden. Nie mogliśmy nigdzie wylądować. Mimo wszystko była to dobra nowina, bo roślinność zaczynała odrastać i Somalijczycy mieli czym poić bydło.

Pozostałem dwa dni w Addis Abebie, czekając aż samoloty będą mogły lądować w Ogadenie, aby mogła wrócić Viviane.

Następnie było Xai-Xai, stolica prowincji Gaza na południu Mozambiku. Ulewne deszcze zniszczyły okolicę. Szalejący żywioł rozsadził rury wodociągów. Obawiano się niedożywienia i epidemii cholery, bo ludziom brakowało wody pitnej. Pili brudną wodę z rzek. Podczas gdy ja zabrałem się za odbudowę sieci zaopatrzenia w wodę, Viviane zagłębiła się w buszu, by ocenić zapotrzebowanie ludności na żywność. Powróciła z oszałamiającą wiadomością: NIE BYŁO NIEDOŻYWIENIA. Wieśniacy mieli wystarczające zapasy, by wytrzymać do następnych zbiorów. Nie miała powodów, by pozostać tu dłużej. Ja, tak. Rozczarowana i nieco wściekła na mnie, sama wsiadła do samolotu lecącego do Paryża, by następnie udać się na Filipiny, gdzie miała koordynować misję MSF.

Odwożąc ją na lotnisko, czułem niemal ulgę, tak straszne były ostatnie dni. Kiedy jej samolot startował, byłem już w drodze, wracałem na mój plac budowy w Xai-Xai.

Misja skończyła się sukcesem. Mogliśmy dostarczać dziennie miastu 700 tysięcy litrów wody. Liczba przypadków biegunki i odwodnienia znacznie zmalała. Moich czterdziestu pracowników nigdy nie próżnowało, bo mieliśmy prawie dwadzieścia cztery kilometry rur do zakopania w ziemi przy użyciu łopaty na głębokości czterdziestu centymetrów: na wijących się drogach, zboczach wzgórz, polach i w lasach. To robiło wrażenie.

Znając zamiłowanie tego ludu do piłki nożnej, założyłem klub w Xai-Xai. Drużyny musiały mieć jakiegoś bohatera w charakterze emblematu. Zostałem sponsorem drużyny imienia Patrice'a Lumumby. Kupiłem trzy piłki na treningi i stroje z napisem ACF Xai-Xai. Byliśmy lokalnymi mistrzami. Potem zdobyliśmy mistrzostwo prowincji w kategorii drużyn amatorskich. Całe miasto było dumne. Kiedy graliśmy w finałach, jeździło już za nami dziesięć autobusów z kibicami. To więcej, niż przyciąga Paris Saint-Germain do Guingamp. Nic na to nie poradzę, było mi dobrze. Nie myślałem już o Viviane.

Miesiąc później stałem przed moim biurem w Xai-Xai, kiedy ktoś pociągnął mnie za sweter. Odwróciłem się i zobaczyłem uśmiechniętego anioła. Imię: Victoria. Dwadzieścia sześć lat, afrykańska piękność.

– *Bom dia, Senor Marco.*

– *Bom dia, minina*[52].

---

[52] *Bom dia, Senor Marco. Bom dia, menina* (port.) – Dzień dobry panie Marc. Dzień dobry mała.

– To ty jesteś Marco, nieprawdaż?

Będę wszystkim, czym zechcesz – powiedziałem sobie.

– *Sí*[53].

– No bo ja często widzę, jak przejeżdżasz na tym swoim motorze i nigdy się nie zatrzymujesz. Ale następnym razem, jeśli mnie zobaczysz, zatrzymaj się, żeby powiedzieć mi dzień dobry i zapytać, czy chcę pojechać na plażę.

Cóż dodać? To nie było nawet szelmowskie zaproszenie. To było proste i miłe. Dwa dni później spotkałem ją na ulicy i zabrałem ze sobą.

Wszystko co dobre, szybko się kończy. W listopadzie dowiedziałem się, że mam zakończyć naszą misję w Xai-Xai. Zostawiłem mój dom Chrisowi, Anglikowi.

Rozstanie z Victorią było rozdzierające. Pocałowała mnie delikatnie w obydwa policzki: „Ciao, Marco!". Po czym odeszła, nie odwracając się za siebie. Szła po piasku. Jej stopy podnosiły drobny pył, wyglądało to, jakby frunęła. Wspięła się na wydmę i zniknęła po drugiej stronie. O mały włos nie wykrzyknąłem jej imienia. Nie wiem, co mnie powstrzymało.

---

[53] *Sí* – Tak.

ROZDZIAŁ DWUDZIESTY TRZECI

Mój dom – świat

W Paryżu spotkałem Viviane.

Wróciła z Filipin trzy dni po mnie.

Pojechałem po nią na lotnisko. Była w doskonałym humorze. Opalona, krótkie włosy podkreślały jej urodę. Według niej wszystko było w porządku. Nasze kilkumiesięczne rozstanie przywróciło jej wigor i teraz była gotowa ze mną wyjechać.

W hotelu wyznałem jej, że już w to nie wierzę. Kiedy jej nie było, czułem się dobrze, a kiedy wracała, zaczynałem się dusić. Była dla mnie zbyt czysta. Z nią wszystko było takie wyważone. Przeżyliśmy razem cztery lata, a ona ani razu mnie nie opieprzyła. Nie umiała głośno mówić. Była zawsze taka sama. Spędziłem właśnie cztery miesiące z inną dziewczyną, która naprawdę żyła: śmiała się, kiedy byłem śmieszny, płakała, kiedy oglądała smutny film, krzyczała, kiedy robiłem jej krzywdę. Z dziewczyną, która żyła z dnia na dzień, ale nie była głupia. Wiedziała, że urodziła się w biednym kraju i że prawdopodobnie tam umrze. Po prostu żyła i nie robiła sobie złudzeń. Stale mi powtarzała: „Zapomnisz mnie Marc, ale to nic strasznego. Nie załatwisz mi wizy, nie pojadę do Kanady. Nie myślmy o tym, cieszmy się życiem!".

W tym małym pokoju hotelowym w Paryżu nie było nam do śmiechu. Spakowałem torbę. Ale Viviane zaczęła płakać i nie byłem w stanie odejść. Postanowiliśmy, że damy sobie drugą szansę.

Pojechaliśmy do Marrakeszu i do Essauiry, by przeżyć coś w rodzaju miesiąca miodowego.

Miłe wakacje. Ale oboje zdawaliśmy sobie sprawę, że to było sztuczne. Tym niemniej wysłaliśmy nasze CV i poprosiliśmy o pracę dla dwojga. Pozostaliśmy jeszcze miesiąc w Maroku, zanim ACF zadzwoniła, by zaproponować nam misję w Peszawarze, w Pakistanie.

Zaczęły się masowe ruchy uchodźców afgańskich. Obawiano się katastrofy. Gazety były tym bardzo poruszone. ACF proponowała mi koordynowanie misji. Byłem tym bardziej szczęśliwy z powodu tego mandatu, że wiedziałem, iż wyjeżdżam z najlepszą ze współpracownic. Viviane jest doskonałą profesjonalistką, sumienną i ludzką. Choć może się to wydać absurdalne, miałem jej za złe właśnie tę perfekcyjność.

Przybyliśmy do tej zapadłej dziury, jaką jest Peszawar. Miasto, w którym można było się udusić, sprawiające wrażenie, jakby przeżywało historię wspak. Prawa kobiet były łamane w sposób coraz bardziej jaskrawy w miarę jak rozwijały się medresy, które dały początek ruchowi talibów.

Zapowiedziano przybycie 75 tysięcy afgańskich uchodźców.

Amerykańscy dziennikarze pchali się, by zebrać świadectwa „bezmiernej rozpaczy tych wychudzonych istot".

Zastępca sekretarza generalnego Narodów Zjednoczonych, odpowiadający za działalność humanitarną Japończyk Kenzo Oshima przeobraził się w reportera i sam przyjechał ocenić sytuację. Był bez wątpienia jednym z tych urzędników, którzy od dawna nie opuszczali Nowego Jorku. Musiała to być jego pierwsza misja, bo dziwił go masowy napływ mediów. Żeby ich nie rozczarować, uznał za stosowne przyłączyć się do licytacji i oświadczył, że to prawdziwa katastrofa. Ta deklaracja miała poważne konsekwencje: polityczne i humanitarne.

Po przybyciu, Viviane i ja spotkaliśmy się z koordynatorem ACF, który rwał sobie włosy z głowy i stale nam powtarzał, że wszyscy są zawaleni robotą i że to zaczyna się przeobrażać w gigantyczny kryzys.

– Doskonale – powiedziałem mu. Jedźmy więc w teren, by ustalić nasz plan działania!

– Słucham?

– Ależ tak, jedźmy w teren.

Facet sporządzał już czwarty raport na temat „katastrofy humanitarnej", a nigdy jeszcze nie postawił stopy w terenie. Zadowalał się zbieraniem pogłosek.

– Musisz wiedzieć Marc, że aby pojechać do obozu, potrzebne są zezwolenia!

– Nic nie szkodzi, jedźmy po nie.

Uzyskaliśmy je i nazajutrz wyruszyliśmy do obozu uchodźców. O godzinie 9 rano czekał na nas przewodnik.

Przejechaliśmy przez niewielką miejscowość. Przy wyjeździe z niej zobaczyliśmy otwartą przestrzeń nie większą od boiska piłki nożnej. Kierowca zwolnił i oświadczył nam, że to jest właśnie obóz dla uchodźców. Natychmiast go zapytałem:

– Czy to jest część obozu?

– Nie, to cały obóz proszę pana.

Spojrzałem na Viviane i zobaczyłem, że i jej przyszła do głowy ta sama myśl: Ups!

– No dobrze, drogi przyjacielu, proszę mi wyjaśnić, jak to wszystko jest zorganizowane.

– Obóz jest podzielony na trzy części: duży kwadrat i dwa małe obok.

Mogłem sam się o tym przekonać. Nie musiałem się nawet cofać, by objąć całą scenę wzrokiem.

Nic z tego nie rozumiałem. Gdzie do diabła mogło się podziewać te 75 do 100 tysięcy uchodźców? Niemożliwe, by byli wszyscy stłoczeni na tym kwadracie, na który właśnie patrzyłem.

Przemierzyłem obóz, by oszacować jego długość. Miał około ośmiuset metrów. Niemożliwe, by liczby uchodźców, przytaczane przez UNHCR i inne organizacje humanitarne były prawdziwe.

Nasz przewodnik wyjaśnił mi, że UNHCR ma zwyczaj oceniać liczbę uchodźców na podstawie powierzchni. Nie miałem nic przeciwko temu, ale spoglądając ponownie na obóz doszedłem do przekonania, że w tym momencie nie może w nim być więcej niż 20 tysięcy osób. Nastąpiło nieporozumienie. Piękna katastrofa humanitarna obwieszczona przez Kenzo Oshimę.

Ekipa MSF Holandia przybyła, by zainstalować wodę. Kiedy wyjaśniliśmy jej, że doszło do pomyłki, wszyscy wybuchnęli gromkim śmiechem.

Węszyłem tu jednocześnie jakiś wielki przekręt. Naprawdę nie rozumiałem, przed jakim zagrożeniem uciekali akurat w tym momencie ci uchodźcy afgańscy. Byłem przekonany, że ktoś robi na tym kasę i zamierzałem go zdemaskować.

Pozostałem w sąsiednim miasteczku do ostatniej chwili. Widziałem pseudouchodźców opuszczających obóz, by wrócić do domów. Gdy odchodziłem, pozostało tam nie więcej niż 6000 osób. Wszyscy daliśmy się nabrać jak jacyś nowicjusze. Ktoś wymyślił tę maskaradę z exodusem, by nadal dostawać pomoc humanitarną, którą zamierzano obciąć, bo UNHCR uznał, że nie ma do czynienia z uchodźcami z prawdziwego zdarzenia.

Wróciłem do Peszawaru, gdzie dowiedziałem się, że domniemanym uchodźcom zostało rozdanych 200 tysięcy koców. Czyli średnio 40 na osobę. Pod takim ciężarem mogli się podusić.

Spłodziłem raport o blefie w Peszawarze. Następnie Viviane i ja wróciliśmy do Paryża. Oszczędziliśmy ACF niepotrzebnych wydatków.

Spodziewałem się, że dostanę za to kwiaty, ale w ACF zarzucono mi, że nie znalazłem sobie jakiegoś innego zajęcia, by móc zostać, zważywszy, że tak łatwo było dostać pieniądze akurat dla tego regionu. Wpadłem w gniew: „Przyjeżdżam z jednego z najbiedniejszych krajów świata, z Mozambiku, dla którego nie mieliście ani grosza. A wy mi mówicie, że macie dość forsy dla dyktatury, która dysponuje bombą atomową...".

Byłem naprawdę wściekły.

Przypominam sobie pewne spotkanie w Peszawarze.

Viviane i ja byliśmy w English Club, jednym z sześciu miejsc, w których można było napić się alkoholu. Obok nas siedział jakiś Amerykanin; miał brązowe włosy, wąsy. Był bardzo dyskretny. Przedstawił się i spędziliśmy wieczór, rozmawiając.

Nazajutrz znów zobaczyliśmy go w tym samym klubie. Tym razem był bardziej rozmowny, bo wypił za dużo piwa. Zapytał nas, co zamierzamy robić. Odpowiedziałem mu, że wracamy do Francji, bo co się tyczy katastrofy humanitarnej, to Afgańczycy odegrali nam piękne przedstawienie.

– A co pan robi?

– Pracuję dla DEA, amerykańskiej agencji do walki z handlem narkotykami.

Poczułem, jak pot spływa mi po plecach. Powiedziałem sobie, że policja kanadyjska postanowiła znów zająć się moją sprawą, a ten typ został wysłany, by mnie dorwać. A może rozwaliłem plan rządu amerykańskiego, ujawniając maskaradę w Peszawarze, i z tego powodu postanowiono wyeliminować mnie, oskarżając o zażywanie narkotyków.

Nic z tych rzeczy. Wszystko było o wiele prostsze: facet okazał się byłym policjantem z Nowego Jorku. Widział jak jego brat ginie z powodu narkotyków i postanowił zwalczać to świństwo. Myślał, że zostanie wysłany do Kolumbii. Ale DEA posłała go do Peszawaru, by pomógł lokalnej policji rozpracować mafijne siatki robiące interesy z Afganistanem. Mówił, że stracił złudzenia, bo granica afgańsko-pakistańska była jak sito. Wiedział o wszystkim, co działo się po drugiej stronie. Wyliczył nawet z dokładnością do jednego dolara, ile trzeba by wydać, aby odkupić i zniszczyć wszystkie afgańskie plantacje maku: około trzystu milionów dolarów.

Po głowie chodziło mi pytanie: „Dlaczego tego nie robisz?". Zamiast tracić miliardy na walkę z dilerami z uliczek Brooklynu czy Marsylii. Rozumiałem – nie musiał mi tego mówić – że polityka karmi się także takimi niepotrzebnymi wydatkami na bitwy, które mogły zostać wygrane wcześniej.

Amerykanin nagle położył palec na mapie, trochę na północ od Dżalalabadu.

– On jest tam – rzucił.

– Kto?

– Bin Laden, błaźnie.

269

– Pan to wie?

– Ależ tak, jak wszyscy we wszystkich wywiadach świata.

Myślałem, że blefuje. Widziałem skutki nalotów, które Bill Clinton zarządził w Sudanie, podobno przeciwko bin Ladenowi. A on, typ z DEA, oznajmiał mi jak gdyby nigdy nic, że zna jego dokładny adres.

Powiedziałem sobie, że albo jest kompletnie pijany, albo robi mi kawał i za chwilę wybuchnie gromkim śmiechem.

Przechodzili dwaj faceci ze Światowego Programu Żywieniowego i Amerykanin ich zagadnął:

– Wiecie, gdzie znajduje się bin Laden?

– To już nie jest w pobliżu Dżalalabadu?

Wszyscy znali jego adres, nawet najmłodszy z handlarzy na targu w Peszawarze sprzedający koszulki z podobizną szefa al Kaidy.

Wybałuszałem na Amerykanina oczy.

– To dlaczego nie wyślecie mu po prostu przyjacielskiej bomby dostarczonej przez F-18 albo zdalnie wystrzelonego pocisku?

– Marc, Marc, Marc. Polityka, to bardzo skomplikowana rzecz…

Kiedy usłyszałem, jak ACF powtarza mi, że do dyspozycji są tysiące dolarów, nawet na maskaradę w Pakistanie, pomyślałem o całej tej grze, która była tylko jedną wielką serią blefów. Cały ten region był blefem. Zarówno przyjaźnie, jak i nienawiści.

Nie wiedziałem jeszcze wtedy, że ta gra jeszcze bardziej się skomplikuje kilka miesięcy później, po zamachach z 11 września, po których nastąpiła natychmiast brutalna wojna w Afganistanie. Wojna, która pochłonęła tysiące niewinnych ofiar, a ominęła jedyną osobę w kraju, której namiary dokładnie znano.

Znów znalazłem się z Viviane na ulicy.

To zaczynało mnie wkurzać. Od opuszczenia przeze mnie szkoły poprzedniej wiosny żadna z moich misji – z wyjątkiem tej w Mozambiku – nie mogła zostać doprowadzona do końca.

Znowu zatrzymaliśmy się w hotelu. Nie mogliśmy sobie pozwolić na luksus oczekiwania w nieskończoność w Paryżu.

W Internecie wygrzebałem pracę na dziesięć miesięcy jako logistyk koordynator amerykańskiej organizacji o nazwie International Rescue Committee (IRC). Miejsce przeznaczenia: Bukavu w Kongu.

Zgodziłem się, traktując to częściowo jako coś w rodzaju egzorcyzmów po traumie przeżytej w Gomie. Od tamtej pory tam nie byłem. Ale wiedziałem, że nigdy nie będę mógł wyleczyć się z mojej przeszłości, jeśli nie odwiedzę znowu tych stron.

Wreszcie czułem się gotowy.

Mówiłem sobie, że nie będę musiał długo tam pozostać. Że w ciągu czterech miesięcy ujarzmię moje demony i zbiorę dość funduszy, by móc spokojnie czekać, a może nawet wrócić do szkoły.

Viviane, która zaliczyła Burundi, nie miała najmniejszej ochoty wracać w tamte okolice. Rozumiałem ją, bo jest to zakątek świata, który wydaje się rajem, a kryje niewyobrażalne okropności. Ale tak naprawdę nie mieliśmy już wyboru.

Postanowiła wrócić do MSF. Proponowali jej misję w Sri Lance. Sześciomiesięczny kontrakt. Kolejne rozstanie. Ostatnie. Wyjechała, ja też wyruszyłem w drogę. Rozstanie bez hałasu, jak powoli dogasający płomień.

Niedługo byłem z IRC. Nie wytrzymałem czterech miesięcy. Udało się im wcześniej mnie zniechęcić.

Jedyną rzeczą, jaką zyskałem dzięki tej misji, była możliwość powrotu do Gomy. Poszedłem odwiedzić wulkan. Czułem, jak się pocę, mimo woli. Zobaczyłem raz jeszcze granicę, drogę śmierci. Byłem zdziwiony, że ciała nie przybierają swoich trupich póz, że nie wybuchają sardonicznym śmiechem: „Ale cię nabraliśmy!". To był całkiem zwyczajny dzień w Afryce. Dzień targowy. Kongijczycy zachowywali się nadal równie hałaśliwie. A ja byłem nadal równie samotny z moimi wspomnieniami.

Postanowiłem spojrzeć na moje boisko piłki nożnej. Samochód mozolnie piął się po niewielkim zboczu, podłą drogą prowadzącą do szkoły. Zaparkowałem go i dalej poszedłem pieszo, przyciągany jak przez magnes. Więcej się potykałem, niż szedłem. Dotarłem go głównej bramy i natychmiast skierowałem oczy na boisko. Jakiż był mój zachwyt, gdy zobaczyłem grające dzieci. W miejscu, gdzie niegdyś była śmierć. Nie mogłem wymarzyć sobie lepszej metafory odkupienia. Było dużo ludzi, bo rozgrywano oficjalny turniej między dwiema miejscowymi drużynami.

Ktoś do mnie podszedł:

– Marc?

– Tak.

– Tabarnak Marc?

Odwróciłem się. Nazwali mnie tak, bo miałem zwyczaj kląć w języku Quebecu.

– Tak.

– Pan mnie nie poznaje?

To był pierwszy facet, którego zaangażowałem po moim przybyciu do szkoły w 1994 roku, ten, z którym stworzyłem ekipę misji. Teraz pracował jako dziennikarz w lokalnej rozgłośni radiowej, a jego ojciec był gubernatorem Gomy. Zwołał ludzi. Koniec z dyskrecją. Ale czułem się szczęśliwy.

Obiecałem mu, że spotkam się z nim następnego dnia i poszedłem spać do hotelu Caribou.

Nazajutrz chłopak wszedł do restauracji, gdy jadłem śniadanie. Powiedział z konspiracyjnym uśmiechem:

– Szefie, ktoś na pana czeka na zewnątrz.

Wyszedłem, zaintrygowany. Przed drzwiami hotelu stało piętnaście osób. Dawni pacjenci i dawni pracownicy. Kiedy wyjeżdżałem cztery dni później, było ich już sześćdziesięcioro.

Zobaczyłem znów Pierre'a, stolarza. W 1994 roku przeżyłem z nim niezwykle traumatyczne doświadczenie. Tamtego wieczora wiedziałem, że zdarzy się coś paskudnego. Ot, takie przeczucie. Powiedziałem kierowcy, żeby pozwolił mi poprowadzić. W drodze powrotnej do Gomy zostaliśmy zatrzymani na punkcie kontrolnym. Była godzina 18. W mieście zaczynała zapadać noc. Porucznik z oddziału, który pilnował szlabanu, był pijany; zażądał, żebyśmy zostawili mu samochód. Aby pokazać, że mówi poważnie, wyciągnął z kabury swojego makarowa, odbezpieczył go i wycelował w moje kolano. Trzymałem obie ręce na kierownicy, czułem jak Pierre, który powinien być na moim miejscu, kuli się na sąsiednim siedzeniu. Próbowałem przywołać wojskowego do rozsądku, obiecując, że przyprowadzę mu samochód w wybrane przez niego miejsce. Prosiłem go tylko, żeby mi nie robił dziur w kolanie. Miałem szczęście. Za nami pojawił się samochód UNICEF-u z zapalonymi światłami. Królowała w nim wielka zairska Mama. Byłem wtedy świadkiem sceny, która zadała kłam wszystkim tym zachodnim gadkom, sugerującym, że afrykańska kobieta nie ma władzy w swoim kraju. Zobaczyłem, jak porucznik podchodzi, staje na baczność i przytakuje, słuchając wymówek tej pani. Stracił na hardości. Korzystając z tego, ruszyłem. Dwa dni później opuściłem Gomę.

Kiedy doszło do zamachów z 11 września 2001 roku, chodziłem jeszcze do szkoły w Hull. Przypominam sobie, że widziałem ludzi przyklejonych do telewizorów, patrzących na obraz samolotu wbijającego się w drugą wieżę. Początkowo pomyślałem, że to film. Że kręcony jest film.

Ale nie, to była prawda. Okrzyki widzów „Oh! My God!"[54] rozlegały się za każdym razem, gdy pokazywano scenę z drugim samolotem kamikadze.

Od razu zobaczyłem w wyobraźni bin Ladena.

Pomyślałem o moim kumplu z DEA i jego ostatniej odpowiedzi: „Marc, polityka to bardzo skomplikowana rzecz".

Następnie poczułem coś w rodzaju retrospektywnego strachu. Dwa tygodnie wcześniej wróciłem z Kenii przez Boston, przez to samo lotnisko, z którego wystartował Mohammed Atta i jego złowieszcza banda terrorystów. A w kwietniu, zanim wyjechałem z IRC do Bukavu, spędziłem pięć dni w siedzibie tej organizacji w Nowym Jorku. Zabawiłem się w turystę, zwiedziłem World Trade Center. Nie przyszło mi do głowy, że pięć miesięcy później wszystko to obróci się w gruz. Spanikowałem. Widziałem już, jak kanadyjskie służby wywiadowcze i CIA przychodzą mnie aresztować z powodu tych dwóch zbiegów okoliczności. Następnie, sprawdzając mój paszport, zobaczyliby wizy sudańskie, pakistańskie, afgańskie. Łatwo by

---

[54] *Oh! My God!* (ang.) – O mój Boże!

im było konstruować najdziwaczniejsze scenariusze. Widziałem, jak grzebią w moim komputerze i natykają się na napisane przez mnie maile, które z pewnością nie tryskały proamerykanizmem.

Właśnie w tym momencie Viviane i ja zerwaliśmy ze sobą. Wróciła z misji. Czuliśmy już, że nie ma sensu rozpalać tlącej się między nami iskierki. Zadzwoniła, by spytać, czy ma przyjechać do mnie do Hull. Odpowiedziałem jej, że myślę, iż lepiej przerwać to, zanim stanie się to zbyt trudne. Byłem więc w Kanadzie sam.

Nie musiałem się już dłużej powstrzymywać przed zadzwonieniem do Laurence, która nadal pracowała u Belgów. Miło jej było mnie usłyszeć.

– Kiedy wpadniesz do Montrealu, żebyśmy mogli pójść na drinka i porozmawiać?

– Dlaczego nie?

Wsiadłem do pociągu, by się z nią spotkać w Montrealu.

Znów zaczynało brakować mi pieniędzy. Zadzwoniłem do ACF.

– Macie coś interesującego?

– Tak, natychmiast. Na miesiąc. Zadanie: zamknąć misję w Ugandzie.

ACF uwielbiała mnie, bo byłem typem podejmującym się rozmaitych gównianych misji, zwłaszcza takich, które nie trwały długo.

Pojechałem do Ugandy zakończyć misję istniejącą od jedenastu lat na granicy z Sudanem. Załatwiłem wszystko: wypłaty, przechowanie narzędzi itp.

To była paskudna robota.

Ten pobyt przypomniał mi, jakbym kiedykolwiek o tym zapomniał, jak bardzo Afryka potrafi być wredna, niesprawiedliwa i okrutna. Tydzień po moim przybyciu zauważyłem wspaniałą dziewczynę siedzącą przy sąsiednim stoliku w restauracji. Rozmawiając z nią, dowiedziałem się, że jest akuszerką. Odbywała od roku staż w miasteczku i pozostało jej jeszcze sześć miesięcy do otrzymania dyplomu. Już złożyła podanie o ponowne przyjęcie na uniwersytet. Jej rodzice wykrwawili się, by jej opłacić studia. Ale nie żałowali tego. Była dowodem na to, że w Afryce można odnieść sukces.

274

Po panującej w biurze atmosferze smutku, uśmiech tej młodej dziewczyny był najlepszym środkiem wzmacniającym, jakiego mogłem sobie życzyć. Zapytałem, czy mogę się znów z nią zobaczyć.

– Pracuję w szpitalu.

Dwa dni później znalazłem jakiś powód, by powłóczyć się w okolicy szpitala. Zaprosiłem ją na kolację.

Spotkaliśmy się parę razy. Zbliżaliśmy się do siebie powoli, świadomi, że nasze losy były bardzo niepewne. Trzymaliśmy się za ręce, całowaliśmy. Ale nie zdążyliśmy posunąć się dalej.

Pewnego wieczora odprowadziłem ją do domu i zostawiłem tam, obiecując, że szybko znów się zobaczymy.

Kiedy mój pomocnik wpadł nazajutrz do biura, trzaskając drzwiami, wiedziałem, że doszło do tragedii.

– Ta dziewczyna... Ktoś chlusnął jej w twarz kwasem z akumulatora samochodowego.

Pognałem do szpitala. Leżała w łóżku, miała poparzoną twarz i klatkę piersiową. Dopiero co została zaatakowana, jej skóra była jeszcze czerwona, co tworzyło uderzający kontrast z resztą ciała. Początkowo jej stan nie wydawał mi się aż tak bardzo dramatyczny. Miała wprawdzie zapuchnięte oczy, ale kwas nie odebrał jej wzroku. Musiała cierpieć, bo ci kretyni ze szpitala w dodatku posmarowali ją wazeliną. To ostatnia rzecz, jaką należy robić, kiedy jest się poparzonym płynem. W dalszym ciągu się paliła. To był 31 grudnia. Na miłość boską, nie robi się krzywdy aniołom w dniu święta.

Byłem kompletnie bezradny. Przyjechała policja. Rodzina. Kryzys.

Miałem właśnie jechać do Kampali. Zaproponowałem, że przywiozę jej specjalną maść.

Trzy dni później byłem z powrotem. Pobiegłem do szpitala. To było straszne. Została okrutnie oszpecona. Wazelina nie pozwoliła kwasowi się ulotnić. Nie byłem w stanie na nią patrzeć. Niedobrze jest tak się zachowywać, bo ta druga osoba uświadamia sobie, że jest z nią gorzej, niż myślała. Ale Bóg mi świadkiem, że to nie było piękne i miałem problem z wytrzymaniem jej spojrzenia. Całowałem tę dziewczynę, snułem na jej temat rozmaite fantazje, miała najpiękniejszy uśmiech w całym kraju.

Dlaczego jej to zrobiono? Bałem się, że sprawcami okażą się pracownicy ACF, którzy chcieli mi się w ten sposób odpłacić za zamknięcie misji. Ale było inaczej. Zatrzymano kobietę, która wyznała, że popełniła tę zbrodnię z zazdrości. To była banalna historia. Pięć miesięcy wcześniej dziewczyna pomogła „kobiecie z kwasem" urodzić dziecko. Kiedy mąż przyszedł odwiedzić żonę i dziecko, oszalał na punkcie akuszerki. Zaczepił ją w korytarzu i powiedział: „Jesteś najpiękniejszą kobietą, jaką kiedykolwiek widziałem. Mam pieniądze, chcę cię poślubić". Dziewczyna posłała go na drzewo i zagroziła, że wszystko opowie jego żonie, jeśli będzie nalegał. Facet na to nie zważał, nadal ją prześladował, tak że była nawet zmuszona pójść ze skargą na policję.

Ze złości ten mężczyzna zaczął się mścić na żonie. Bił ją. Wykombinował sobie, że nie może mieć akuszerki, dopóki będzie żyła jego żona. Ta ostatnia zaś, zamiast stawić czoło napastnikowi, albo donieść na niego policji, też wolała obrócić gniew przeciwko osobie trzeciej.

Czekała na akuszerkę we wnęce przy drzwiach. Kiedy ta nadeszła, chlusnęła jej kwasem w twarz i pobiegła powiedzieć mężowi: „Mówiłeś, że ta twoja kurwa akuszerka jest piękna. No więc już nie jest…"

Wybiegła. Policja znalazła ją w buszu, w podartych łachmanach, na wpół oszalałą.

Kilka miesięcy po zakończeniu mojej misji, krótkim pobycie bez problemów w Sri Lance i powrocie do Francji, poszedłem do Jeana-Christophe'a Rufina, by podpisał mi formularz potrzebny do odnowienia mojego paszportu. Porozmawialiśmy o robocie. Zapytał, co porabiam.

– Wyjeżdżam do Uwiry w Kongu z ACF. Wyznam ci, że trochę zwlekam. Firma nie funkcjonuje tak, jakbym sobie życzył, jest poważny problem z kierownictwem…

Znał ACF, bo pracował tam w 1984 i 1985 roku.

– Wiesz Marc, powinieneś może nabrać trochę dystansu i spróbować czegoś innego.

– Dobra Jean-Christophe, ale nie bardzo wiem, co robić. Zostało mi tylko cztery czy pięć miesięcy do powrotu do szkoły. Oferty pracy na tak krótki okres nie spadają z nieba.

– Miałbym może dla ciebie pewną sugestię.

– Co?

– Co byś powiedział na to, by popracować trochę dla mnie? Jeśli to ci odpowiada, może być zabawnie.

– Wyjaśnij mi, o co chodzi.

Trzeba tu wspomnieć, że Jean-Christophe nie był już wtedy wiceszefem MSF. Stał się pisarzem. Jego książki były bestsellerami. Zdobył nagrodę Goncourtów.

– Właśnie pracuję nad następną książką. Brakuje mi jednak paru ważnych elementów. Potrzebne mi są pogłębione badania.

Potem wytłumaczył mi, że miałbym pracować nad dwoma tematami. Pierwszy będzie związany z Portugalią, drugi ze środowiskiem. Postanowiłem, że zacznę od drugiego. Miałem odwiedzać NGO związane z tym tematem, pytać ekspertów i jeździć do krajów, w których doszło do istotnych wydarzeń.

Zacząłem zbierać informacje w Paryżu, zanim zdałem sobie sprawę, że przygoda współczesnych organizacji ochrony środowiska zaczęła się od Greenpeace'u. Odwiedziłem biura tej organizacji w Paryżu i Amsterdamie. Uświadomiłem sobie jednak, że dla potrzeb badań powinienem pojechać do Kanady.

Wśród miast, które musiałem koniecznie odwiedzić, był Vancouver.

Co za zbieg okoliczności. Nie postawiłem tam stopy od dwunastu lat.

ROZDZIAŁ DWUDZIESTY CZWARTY

It's been a long time...[55]

W Vancouverze poczułem się jak syn marnotrawny.

Pierwszego popołudnia nagle ogarnęła mnie panika. Przechadzałem się po Stanley Park; w pewnym momencie przestraszyłem się, że zza lasku wyjdą Karen i moja córka, która musiała mieć teraz jedenaście lat.

Od ośmiu lat nie mieliśmy od siebie żadnych wiadomości.

Wróciłem do hotelu, mówiąc sobie, że nie będę w stanie przeprowadzić poszukiwań jak się należy, jeśli gardło będzie mi nadal ściskał strach. Postanowiłem do niej zadzwonić. W książce telefonicznej znalazłem sześć numerów odpowiadających jej nazwisku.

Przy trzecim, telefon odebrał jakiś mężczyzna.

– Czy mogę rozmawiać z Karen?

– Karen już tu nie mieszka, jestem jej bratem. Z kim mam honor rozmawiać?

– Ze starym przyjacielem. Nazywam się Marc Vachon. Jestem w hotelu... Jeśli będzie pan z nią rozmawiał, proszę być tak miłym i powiedzieć jej, żeby do mnie zadzwoniła.

Nazajutrz o godzinie 10 zadzwonił telefon.

„Hi, it's been a long time". To było pierwsze zdanie, które wypowiedziała swoim łagodnym i statecznym głosem. Rozmawiała ze mną, jakbyśmy się rozstali wczoraj.

---

[55] *It's been a long time* (ang.) – Upłynęło dużo czasu.

Nazajutrz poszedłem się z nią spotkać. Nie bardzo się postarzała, raczej dojrzała, była kobietą. Nie spoliczkowała mnie, ale też nie rzuciła mi się na szyję. Zadowoliła się daniem mi buziaka. Rozmawiała ze mną jak ze starym przyjacielem.

Trochę kluczyliśmy, zanim ośmieliliśmy się wspomnieć o Jacqueline. Nadal równie spokojna, opowiedziała mi o niej.

Byliśmy naprawdę jak dwoje starych przyjaciół, którzy spotkali się na kawie wczesnym popołudniem.

Wspominając po kolei wspólnych przyjaciół, spytałem ją:

– Powiedz mi Karen, a pamiętasz Laurenta? Mojego dawnego wspólnika; nie rozmawiałem z nim od czasów Iraku. To już dziesięć lat...

Zarumieniła się, a ja wszystko zrozumiałem.

Po powrocie z Iraku, Laurent poszedł do niej, przypuszczalnie po to, by opowiedzieć jej, co porabiam. To on był ojcem drugiego dziecka Karen.

Poczułem się zdruzgotany, ale nie rozgniewany. W końcu to ja postanowiłem wyjechać.

Dlaczego Laurent mnie okłamał? Dlaczego twierdził, że Karen nie chce o mnie słyszeć, odkąd spotkała nowego faceta?

Dwa dni później zjadłem z nią kolację. Potem spotkaliśmy się trzeci raz. Nie miała do mnie pretensji o to, że wyjechałem. Zawsze wiedziała, że jestem dzikusem, który potrzebuje swojej dżungli, by rozkwitnąć. Byłem jej wiecznym poszukiwaczem przygód.

Karen pokazała mi zdjęcia „naszej" Jacqueline. Była piękna, miała gładką twarz, tryskała zdrowiem. Poczułem się szczęśliwy. Laurent wychowywał ją jak własną córkę; nigdy nie zrobił jej przykrości ani nie odmówił czułości. Występowała w teatrzyku, brała lekcje muzyki.

Ponieważ znów znalazłem się w Vancouverze, twarzą w twarz z moją byłą dziewczyną, matką mojej córki, miałem wrażenie, że życie układa się w cykle. W końcu, chcąc nie chcąc, zamykałem je jeden po drugim. Miałem wrażenie, że zawsze wracam tam, skąd przyszedłem, nie żałując przeszłości, ale w nowych szatach. I tak w Vancouverze nie byłem już tym dawnym facetem, ale chodziłem po tych samych ulicach, które poznałem niegdyś w innych, trudnych warunkach.

Przeszedłem ulicą, na której sypiałem, kiedy nie mogłem sobie pozwolić na opłacenie pokoju. Dwanaście lat później wchodziłem do hotelu za sto dolarów za noc, który służył za scenerię jednego z amerykańskich filmów. Poszedłem do ratusza, do bibliotek, do miejsc, których istnienia nawet nie podejrzewałem, gdy pracowałem w budownictwie.

Pewnego ranka Karen zadzwoniła do mnie, by powiedzieć, że jest przejazdem w Vancouverze u ojca, ale musi potem wracać do Richmond, gdzie mieszka.

– Będę na dworcu o godzinie 16.30. Jeśli chcesz zobaczyć twoją córkę, przyjdź do kawiarni.

Przyszedłem piętnaście minut wcześniej, żeby być pewnym, że ich nie przeoczę.

Nie byłem w stanie czytać gazety ani pić kawy, tak drżały mi ręce.

Zobaczyłem Karen, jak wchodzi niespiesznie do sali razem z dziewczynką. Dzieciak był duży, miał jasne włosy i moją gębę. W tej zatłoczonej poczekalni nie mogłem oderwać od niej oczu. Napawałem się jej widokiem. Była cudowna. Była moją córką. Naprawdę była piękna. Trochę do mnie podobna. Sama tryskała życiem, mnie też napełniała energią. Byłem szczęśliwy, a jednocześnie ogarnęła mnie melancholia. Chciałem móc spacerować z nią po ulicy. Chciałem być tym, który towarzyszy jej podczas kupowania jej ślicznych dziewczęcych sukieneczek. Tam, na dworcu, nie odezwałem się do niej słowem, ale zawdzięczam jej najpiękniejszą chwilę w moim życiu.

Musiałem siłą powstrzymać się od muśnięcia dłonią jej włosów.

Potem obie odeszły.

Zostawiając mnie z walącym mocno sercem i bezgraniczną wdzięcznością dla Karen.

Skończyłem moje pierwsze zadanie i przekazałem Jean-Christophe'owi dokumentację, około tysiąca dwustu stron. Zadał mi drugi temat, który miał mnie zmusić się do powłóczenia się w rejonie Portugalii.

Znajdowałem się w Paryżu, szczęśliwy, spokojny. Miałem trzydzieści osiem lat, nie byłem w stałym związku, ale czerpałem z życia pełnymi garściami. Moja córka była wspaniała.

Miałem i nadal mam abonament na mecze stołecznej drużyny piłki nożnej – Paris Saint-Germain, a także klubu rugby Stade Français Paris. Byłem paryżaninem.

Ale zaczynałem się nudzić.

Chciałem się ruszyć.

Wszedłem do kafejki internetowej, żeby przejrzeć strony z ofertami pracy organizacji humanitarnych. Zobaczyłem, że niemiecka organizacja o nazwie Johanniter-Unfall-Hilfe (JUH) poszukiwała logistyka do Angoli. Zainteresowała mnie nie tyle firma, ile kraj. Brakowało mi Angoli, brakowało mi Afryki i czarnych.

Wysłałem moje CV. Tydzień później zadzwonili do mnie szefowie. Z tym że zamiast do Angoli, chcieli mnie wysłać do Konga, gdzie mieli ogromne problemy. Czekali na mnie w Berlinie, żeby wyjaśnić mi, na czym polega misja.

Kongo. Kolejny raz przyjąłem z ciężkim sercem brudną robotę związaną z zamknięciem misji. Wyrzucałem trzydziestu trzech pracowników i pozostawiałem bezradną ludność; mieliśmy tam program ochrony zdrowia, który zajmował się około 38 000 mieszkańców. Czułem więc raczej gorycz.

Opuściłem Afrykę z poczuciem kompletnej niepewności jutra. Nie miałem już mojej garsoniery w Paryżu. Co więcej, przed wyjazdem do Konga postanowiłem spłacić wszystko, co byłem winien mojej dawnej przyjaciółce, szkole, znajomym.

Ale czekała mnie przyjemna niespodzianka, kiedy spotkałem się z szefami z Berlina zadowolonymi ze sposobu, w jaki poradziłem sobie z kryzysem w Kongu. Zaproponowali mi 150 000 dolarów na realizację projektów w Dżibuti, w Afryce Wschodniej. Morze Czerwone zawsze mnie fascynowało.

Dostałem dwa tygodnie urlopu.

Na początku stycznia 2002 roku pojechałem do Dżibuti z więcej niż przyzwoitą pensją.

Dżibuti to kupa kamieni zagubiona na pustyni, dawna kolonia, gdzie nadal jest rozmieszczonych 4000 francuskich wojskowych, zajmujących tę strategiczną pozycję, która pozwala pilnować jednocześnie Afryki i Bliskiego Wschodu, znajdującego się dokładnie naprzeciwko. Stolica jest sztucznym miastem żyjącym z tej francuskiej obecności i z turystyki. Reszta kraju to jeden wielki pustynny kamień. Właśnie tu została nakręcona pierwsza część *Planety małp*. To daje pewne wyobrażenie.

Nie ma niczego, jest gorąco jak w piecu. I bardzo biednie.

Moje 150 000 dolarów bardzo się przydadzą.

Obszedłem miasto, by zobaczyć, jakie sektory zajęły inne NGO, żeby nie wchodzić im w paradę. Nie było nikogo. Musiałem więc zwrócić się do miejscowych stowarzyszeń i tych z innych dużych miast kraju, by ocenić, jak mógłbym zainwestować skutecznie pieniądze, którymi dysponowałem. Pomysł polegał na znalezieniu projektów niezbyt kosztownych, ale takich, które przyniosą znaczące efekty.

Po półtora miesiąca wybrałem ich jedenaście. Dotyczyły zwłaszcza opieki zdrowotnej: kampanie szczepień, dystrybucja moskitier, akcje uwrażliwiania na pewne problemy z pokazami filmów wideo w szkołach, odbudowa bloku operacyjnego w jednym ze szpitali, zakup około czterech ton mleka dla ośrodka dożywiania itp. Małe inwestycje, które wszystkich uszczęśliwiają, bo pieniądze trafiają tam, gdzie trzeba. Wsparłem także NGO kobiet walczących o równość płci.

W Dżibuti wszystkie projekty posuwały się do przodu bez wielkiej wrzawy, natomiast ze sceny międzynarodowej nie napływały tak dobre wiadomości. Amerykanie mieli działa wymierzone w Irak, któremu grozili atakiem. Stukot buciorów wojskowych z każdym dniem stawał się coraz bardziej ogłuszający. Wydawało się, że nic już nie powstrzyma wojny.

Dżibuti zapełniło się amerykańskimi wojskowymi. Stworzyli oni potężną bazę medyczną, by móc przyjąć i leczyć tysiące żołnierzy, którzy zostaną ranni na froncie. Baza nigdy nie została wykorzystana, bo Francuzi sprzeciwili się wojnie w Iraku.

Do końca myślałem, że to kawał, że nigdy nie dojdzie do tej wojny. Wszystko było zbyt grubymi nićmi szyte. Ponieważ dziesięć lat wcześniej byłem w Iraku, wiedziałem dobrze, że Saddam Husajn nie ma już środków, by stawić czoło armii, zwłaszcza armii największej potęgi wojskowej planety.

NGO już rzuciły się na ten region, przekonane, że to nie będzie wojna, ale prawdziwa masakra.

Berlin zwrócił się do mnie, bym pojechał do sąsiedniego Iranu z misją rozpoznawczą. Chodziło o zbadanie możliwości akcji humanitarnych Die Johanniter w razie katastrofy czy wielkich migracji ludności. Mógłbym zbadać Iran, a następnie wrócić do Dżibuti, by skończyć projekt budowy systemu zaopatrywania w wodę pitną Afarów, ludu żyjącego wśród bajecznych gór. Był to dość ambitny projekt polegający na zainstalowaniu kilku kilometrów rur, pompowni, kranów. Aby zasilić niewielką szkołę, ośrodek zdrowia, studnię w centrum wioski, poidło dla bydła... Johanniter zgodziła się to sfinansować.

W Niemczech irackie szaleństwo sięgnęło zenitu. Telewizje całego świata powtarzały już tylko to jedno słowo: IRAK. Jednak nikt nie znał tak naprawdę rzeczywistych celów tego starcia.

Iran zwlekał z wydaniem nam wiz. Zasugerowałem, żebyśmy dali sobie spokój i spróbowali wjechać do Iraku od południa.

Pojechaliśmy więc do Jordanii zbadać teren, oszacować potrzeby i ocenić plany interwencji rozmaitych organizacji już obecnych w tym regionie. Postanowiliśmy być w stanie gotowości w Ammanie, aby móc wjechać bardzo szybko do Iraku. Z doświadczenia wiedzieliśmy, że potrzebne będą przede wszystkim zestawy chirurgiczne pierwszej pomocy i leków.

Zadzwoniłem do Christophe'a – strażaka, z którym pracowałem już w Kirgizji, a który właśnie skończył trzymiesięczny kontrakt z Oxfam w Jordanii. Znał bardzo dobrze region. Przyjechał spotkać się ze mną w Berlinie, by podpisać kontrakt, i wyruszyliśmy.

Sprawy nabrały przyspieszenia, gdy wybuchła wojna. Zaskoczyła wszystkich.

W połowie kwietnia 2003 roku, gdy wojna rozgorzała na dobre, Die Johanniter powierzyła mi misję dostarczenia lekarstw do Iraku. Pojechałem odebrać paczki w Ammanie, po czym wyruszyłem w kierunku Bagdadu.

Na granicy jordańsko-irackiej wojskowi amerykańscy raczej pobieżnie sprawdzili naszą narodowość. Kontrola zajęła pięć minut. Po czym marine życzył nam szerokiej drogi.

Od granicy do przedmieść Bagdadu jest pięćset kilometrów pustyni. Pustki. Droga, to długa, czarna smuga, która wije się po tym wielkim polu złotego piasku.

Ostatnie sześćdziesiąt czy siedemdziesiąt kilometrów przed Bagdadem są natomiast niebezpieczne. Al Hamidié, przedmieście stolicy mające już i tak reputację miasta bandytów, ogarnęła obłąkańcza anarchia.

Najgorszą zasadzką, w jaką można było wpaść, zbliżając się do tego miasta, było coś, co nazwano „śpiącym policjantem". To garby na środku drogi zmuszające pojazdy do zwolnienia. W chwili, gdy zmniejszało się prędkość, napastnicy wyłaniali się z rowów z kałasznikowami. Kiedy byli wspaniałomyślni, zadowalali się pozostawieniem swych ofiar nagich na pustyni. Nie wiem co robili dziewczynom, ale z pewnością nie było to zabawne.

CARE zakosztowała tego trzykrotnie w ciągu trzech dni. LWF, inna organizacja pozarządowa, też wpadła w zasadzkę. Podobnie jak Włosi. Złapać się dało także wielu dziennikarzy. Co można zrobić samemu, gdy ma się do czynienia z dziesięcioma typami uzbrojonymi i gotowymi posłużyć się bronią? Nic. Daje się im to, czego żądają, modląc się, by im nie podpaść. W przeciwnym razie można zarobić darmowy bilet na tamten świat.

Mieliśmy fart, bo udało się nam przejechać bez przeszkód ten odcinek-pułapkę. Wpadliśmy na pomysł, by ukryć nasz samochód wśród wielkich ciężarówek: jadących przed nami, za nami i po obydwu stronach. Byliśmy jak pestka w owocu.

Skierowaliśmy się do więzienia Abu Ghraib, kilka kilometrów od centrum Bagdadu. Mieliśmy tam umówione spotkania z lokalnymi kontaktami i pracownikami NGO już działających w Iraku. Było około godziny piątej po południu. Jeszcze nie zapadł zmrok. Odetchnęliśmy, widząc, że nasi koledzy stawili się na spotkanie. Więzienie było ogromnym budynkiem opróżnionym z pensjonariuszy. Stanowiło największy ośrodek karny Iraku i z pewnością najnowocześniejszy. Mogło z łatwością pomieścić 15 tysięcy więźniów.

Nasz kontakt pracował dla Pierwszej Pomocy i znał bardzo dobrze Bagdad. Zajął się ciężarówkami, które przyprowadziliśmy. Pojechaliśmy za nim do miasta, bo mieliśmy koczować w szpitalu ochranianym przez Amerykanów. Musieliśmy pomylić drogę, bo wkrótce tablice zaczęły sygnalizować, że jesteśmy na drodze do Basry. Postanowiliśmy zrobić w tył zwrot.

W tym momencie zobaczyliśmy kolumnę amerykańską w sile pięciuset ludzi poruszającą się w odwrotnym kierunku. Jechaliśmy z prędkością około trzydziestu kilometrów na godzinę. Zaczynało się ściemniać. Słupy czarnego dymu unosiły się z wypełnionych ropą naftową rowów podpalonych przez ludzi Saddama jeszcze zanim abdykował, potęgując grozę i zatruwając powietrze. Panowała wyczuwalna fizycznie nerwowość. A my manewrowaliśmy na drodze, by zawrócić. Idealny scenariusz dla pomyłki wojskowej. Czułem, że ściska mi się żołądek. Widziałem już pocisk prujący w naszym kierunku. Ale nic z tych rzeczy… Odjechaliśmy bez szwanku.

Wreszcie odnaleźliśmy naszą drogę. Cały czas towarzyszył nam ten smród spalonej ropy. Samochody jechały z niebezpieczną prędkością. Zapadł zmrok. To był Bagdad. Bagdad nazajutrz po wojnie.

Dotarliśmy do szpitala. Centrum pediatrii, przed którym stał marine. Naprawdę po to, by je ochraniać? Miałem wrażenie, że Amerykanie szukali tylko parkingu dla swoich czołgów. Zmusili nas, żebyśmy zostawili naszą ciężarówkę za ogrodzeniem. W środku, w przypadku ataku, przeszkadzalibyśmy w rozmieszczaniu ich Abramsów, czołgów uważanych za królów pojazdów opancerzonych, zabezpieczonych przeciw atakom NBC

– nuklearnym, biologicznym i chemicznym – i odpornych na ostrzał pociskami przeciwpancernymi. Dziwna ochrona, gdzie chroniony jest nieosłonięty, podczas gdy chroniący siedzi sobie bezpiecznie w ciepełku.

Nazajutrz rano dostaliśmy depeszę od ekipy Pierwszej Pomocy, która wyruszyła trzy dni wcześniej do Basry na południowym wschodzie Iraku i sygnalizowała ogromne potrzeby w regionie. Zapewniała, że nasze środki byłyby bardzo pomocne. Postanowiłem wynająć irackie ciężarówki, pozwolić odjechać Jordańczykom i zawieźć nasze zapasy do Basry. Przejeżdżając przez al Kut i Nasiriję. Cel: szpital dziecięcy w Basrze, który miał rozdzielić całość pomiędzy małe ośrodki zdrowia.

Ale nie mogłem opuścić Bagdadu bez ponownego obejrzenia miasta.

Można było to wziąć za początek westernu. Chodzi mi o scenę z facetem, który siedzi sobie spokojnie w swoim domu. Nagle ktoś dobija się gwałtownie do drzwi. Gdy mija moment zaskoczenia, człowiek wstaje, by otworzyć... Taki obraz przedstawiał Bagdad. Spadło na niego sporo bomb, nim zrozumiał tak naprawdę, co mu się przydarzyło. A teraz, gdy ustały już bombardowania, ludzie zaczynali wychodzić, by się czegoś dowiedzieć. Mieszkańcy Bagdadu byli jeszcze ogłupiali. Nie tylko z powodu widoku Amerykanów dumnie paradujących w swych czołgach po głównych ulicach. Ale także z powodu braku instytucji ich państwa. Nie było policji, nie było oczywiście partii. Ale nie było także Saddama.

A przede wszystkim, co za tempo! Dwadzieścia cztery godziny przed upadkiem Bagdadu, iracki minister informacji obiecywał noc długich noży, której Amerykanie zawsze będą żałować. A teraz nie było nic.

Brakowało też informacji. Nie działały telefony. Podobnie jak telewizja i radio. Ludzie jeszcze nie wiedzieli, kto poległ na froncie. Kto wróci? Kto co robi, gdzie i jak? Wielkie miasta południa, jak Basra i Nasirija nie dawały znaku życia. Północ też nie.

Ludzie zaledwie zaczynali zapuszczać się na drogi. Powoli dowiadywali się, że Mohammed nie żyje. Leila również. Hamed był w takim to a takim szpitalu. Ale Kamal wyszedł z tego cało.

Kończyły się wielkie chwile ucztowania i grabieży po obaleniu Saddama. Ludzie powoli budzili się ze strasznym kacem. I uczuciem rozgoryczenia. Nie wiedzieli jeszcze wobec kogo.

No i ta trudna codzienność. Brak wody i prądu. Jedna rozgłośnia, radio Sawa będące w rękach Amerykanów, zaczynała nadawać, ale robiła to w sposób tak stronniczy, że nie mogła nikogo zmylić.

Przeciętny Irakijczyk, bez względu na uczucia, jakie żywił wobec Saddama Husajna, czuł się przede wszystkim upokorzony. Nikt nie rozumiał, dlaczego dysponując takimi możliwościami technologicznymi, Amerykanie nie zdecydowali się na wciągnięcie w zasadzkę Saddama i jego dwóch synów Udaja i Kusaja, ale skazali cały kraj na nową wojnę. Na wyeliminowanie jedynego realnego zagrożenia. Na odebranie mu machiny władzy i jej wyprostowanie. Aby dać do zrozumienia Irakijczykom, że nikt na nich nie najechał, że mogą decydować o swej własnej przyszłości. W ten sposób nikt nie utraciłby twarzy, a poczucie godności tego tak dumnego narodu pozostałoby nienaruszone. Bagdad nie zostałby upokorzony. To symbol. Jak Paryż dla frankofonów czy Londyn dla Anglików. Symbol został tymczasem zbrukany, splamiony, ośmieszony.

Irakijczyk poczuł się zgwałcony. Dlatego tak trudno mu docenić gesty miłości, jaką próbuje mu okazywać Ameryka. Gwałt nie zaciera się tak szybko w pamięci ludzi. To się wie. Spojrzenie Irakijczyka na okupanta nie jest przesiąknięte szaloną miłością.

Na tym się nie kończy. Są jeszcze Kurdowie, naród bez ojczyzny, lud gór i cierpień. Po wojnie w 1991 roku zdołali sobie wykroić bezpieczne terytorium. Dziś, w nowym Iraku, mogą wszystko to stracić. Ich autonomia zostanie utopiona w wymuszonym małżeństwic, które Amerykanie narzucą wszystkim grupom religijnym i etnicznym, aby – jak mówią – zachować integralność Iraku. A jeśli Kurdowie okażą się łakomi, kto tym razem ich powstrzyma? Czy ktoś będzie w stanie przeszkodzić Turcji, która ma własną mniejszość kurdyjską, w przyłączeniu się do tańca w imię stabilności jej terytorium? A jeśli Turcja wmiesza się do bijatyki, dotknie to całą Europę. Tak robią ci, którzy mnożą konflikty, myśląc, że je rozwiązują. Niech żyje Ameryka!

Dumny i nadal w pionie, Bagdad stracił niestety swą niegdysiejszą świetność. Wydaje się biedniejszy, bardziej zgrzybiały i zniszczony niż podczas mojej pierwszej wizyty w 1991 roku. Jest kilka różnic: w 1991 roku mosty i infrastruktura wyleciały w powietrze podczas amerykańskich nalotów, tym razem tak się nie stało. Inna różnica: obecność cudzoziemców. Byli we wszystkich dużych hotelach miasta. Nie pozostawiało to najmniejszych wątpliwości: Bagdad został podbity. Stosunki z Irakijczykami też były inne.

Amerykanie nie robili niczego, by zmniejszyć tę możliwą do przewidzenia nienawiść. Zmiażdżyli stolicę tysiącami ton bomb. Zaminowali ją, tak jak Wietnam, z tym że miny zastąpiły bomby kasetowe.

Spotkałem sporo amerykańskich żołnierzy. W Nasirii, w Bagdadzie. Średnia wieku za workami z piaskiem? Dwadzieścia dwa czy dwadzieścia trzy lata. Inaczej mówiąc, rzemiosłem śmierci parały się dzieciaki! Trzy czwarte zaciągnęło się, by wydostać się z zapyziałych dziur w głębi Ameryki, a ci, którzy pochodzili z dużych miast, byli rekrutowani w najbiedniejszych dzielnicach. Armia to była dla nich robota, szansa na otrzymanie dyplomu, ale także jedyna okazja do wydobycia się z klanu *losers*[56] i zabawienia się w Rambo, choćby tylko na czas jednej wojny.

Na ulicach irackiej stolicy w dobrym tonie była arogancja. Przypominam sobie tego dżipa amerykańskiej armii, który bezczelnie przeciął nam drogę. Z tyłu był napis: „IF YOU DON'T LIKE MY DRIVING, GO FUCK YOURSELF" (Jeśli nie podoba ci się mój sposób prowadzenia, p... się).

Sposób na wyjście z kryzysu? Będzie ono prawdopodobnie makiaweliczne. Amerykanie pozwolą miastom się wyniszczać i pójdą chronić szyby naftowe na pustyni. Bardzo łatwe do pilnowania; z daleka widać, jak

---

[56] *Losers* (ang.) – Przegrani.

nadchodzi intruz. Powiedzą wówczas: „Wyzwoliliśmy Irak, a kiedy kraj będzie w stanie sam zarządzać swoją infrastrukturą, oddamy mu jego szyby!" Następnie wywołają zamieszki, żeby się upewnić, że społeczeństwo nigdy nie będzie na to gotowe.

Sytuacja humanitarna jest w Iraku złożona. Kryzys nie rzuca się w oczy, jak powodzie w Indiach. Nie jest to również typowy scenariusz Afrykanina umierającego z głodu czy na cholerę. Ale jest nie mniej dramatyczny.

Do największego wybuchu społecznego dopiero dojdzie, i to niedługo, kiedy cały ten lud, ogłupiony przez dziesięciolecia wojen, wyjdzie z letargu. Kiedy zacznie się objawiać potraumatyczny stres. Kiedy z sierot wyrosną brutalni i nieobecni rodzice. Kiedy zgwałcone kobiety najdzie ochota na samobójstwo. Kiedy dzieci wojny zechcą pobawić się prawdziwą bronią. Ta katastrofa czeka nas za parę lat, za parę miesięcy, a może za kilka dni.

Na większą skalę, ta nowa wojna, ta nowa tragedia humanitarna dość szybko dotknie Liberyjczyków, Kongijczyków, Somalijczyków, Sudańczyków i inne ofiary katastrof humanitarnych, które zdechną z głodu, ponieważ cała przeznaczona dla nich żywność zostanie skierowana do Iraku z powodu rzekomego kryzysu, którego można było uniknąć.

Ale jest też jedna pozytywna rzecz: Irak ma niezbędny know-how i doświadczony personel ratowniczy. Kraj nie będzie potrzebował pomocy humanitarnej ani NGO w rodzaju MSF. Trzeba mu wyłącznie materiałów i sprzętu. Ministerstwa Zdrowia. Odbudowania struktury zaopatrzenia. Odtworzenia kartotek, spisów chorych, itp. Zarówno szpitale, jak ośrodki zdrowia, wszystkie noszące imię Saddama Husajna, zmieniły nazwy. Trzeba więc zmienić pieczątki, by mogły składać zamówienia. A także ustalić zakres odpowiedzialności administracyjnej.

Przykro jest wracać z Iraku i odnajdować społeczeństwo zachodnie, które nie chce zrozumieć, co się tam dzieje.

Media, mimo że się ich namnożyło, nadal nie są w stanie lepiej zgłębić wszystkich tych konfliktów.

Przypominam sobie reportera z telewizji Fox znajdującego się w okopie, z którego siły amerykańskie właśnie wykurzyły Irakijczyków. Stał przy zwłokach jakiegoś Irakijczyka i pokazywał ze wstrętem maskę gazową. „Dlaczego czują się w obowiązku noszenia tych masek, jeśli nie po to, by chronić się przed własną bronią masowej zagłady?". Wydawał się oburzony. Ale wystarczyłoby mu się odwrócić w kierunku własnych żołnierzy, by zdał sobie sprawę, że również oni są wyposażeni jak jakieś Robocopy. Ale to jakby mniej mu przeszkadzało. Tak czy inaczej dziś wiadomo, że broń masowego rażenia istniała tylko w wyobraźni „jastrzębi". Amerykanie szukali zwady z Syryjczykami, zarzucając im, że wysłali Irakijczykom noktowizory. A przecież wyposażeni są w nie wszyscy amerykańscy żołnierze.

Jednak niektóre media odwaliły kawał dobrej roboty. Czy to z politycznego wyrachowania, czy ze szczerego, humanitarnego zatroskania, znaczna część prasy europejskiej była po tej samej stronie co antywojenni manifestanci, którzy opanowali ulice wielkich stolic. Także prasa francuska potępiła wojnę. Bo Francja ma doświadczenie z kolonii i wie dobrze, że to się nigdy nie udaje.

Sarajewo w 1993 roku to była wyjątkowo brutalna wojna. Przeżyłem tam najgorsze bombardowania w moim życiu. Ale w Sarajewie wszystko było jasne. Obowiązywały ustalone reguły gry. Pozycje stron walczących były dokładnie wyznaczone. Jednak i tak przez jakiś czas w Sarajewie panowała anarchia z powodu nadmiaru bośniackich dowódców wojennych i rozpanoszenia się czarnego rynku. To było paskudne. A to samo właśnie grozi Irakowi. Kiedy zacznie funkcjonować gospodarka, oportuniści dostrzegą w tym doskonałą okazję do robienia interesów. Tak jak w Rosji będą to dawni aparatczycy, ci, którzy przestawali z upadłą władzą. Tylko oni będą mieli wystarczający kapitał, by przyspieszyć start. Powróci hierarchia społeczna sprzed wojny. To spowoduje urazy. Będą donosy. Następnie wyciągnie się podziały religijne, klanowe i etniczne. I to będzie początek apokalipsy.

Nie można tego porównać nawet z Afganistanem talibów. Tam również było ciężko. Represje wobec kobiet i naruszanie swobód raniły nasze umysły ludzi Zachodu. Ale reguły były ściśle określone. Bez względu na to, czy się one komuś podobały, czy też nie, wiadomo było czego się trzymać. Mieliśmy wybór między pozostaniem, by pomóc nędzarzom, albo ich opuszczeniem pod pretekstem, że kobiety zmuszano do noszenia burek. W Iraku niepokoi brak struktur ustalających reguły. A także ryzyko zrujnowania całego regionu. I rozmnożenia się kandydatów na męczenników. W 2005 roku czterdzieści osiem procent ludności irackiej miało mniej niż osiemnaście lat. Ta ludność także marzyła o przepychu, wielkich fortunach i promiennej przyszłości. Co zrobi jutro, jeśli spotka tego Amerykanina, który uczynił ją sierotą? Jak zdoła oprzeć się presjom mistrzów terroryzmu, którzy obiecają jej raj za śmierć tego wielkiego Amerykanina? Teraz to ona zechce sięgnąć po kamienie, jak to robią Palestyńczycy. Ale w przeciwieństwie do tych ostatnich, Irakijczykom nie brak broni. Mają jej cały asortyment. Dynamit do samobójczych zamachów i karabiny, by wyszkolić przyszłych snajperów.

Traktowano ich jako nawiedzonych, kiedy atakowali wojskowych. Ale bardzo szybko celem bandytyzmu na wielką skalę, goniącego za pieniędzmi, stali się pracownicy humanitarni i cywile. I teraz musimy stawiać czoło tym tragicznym przypadkom brania za zakładników dziennikarzy i pracowników organizacji humanitarnych. Jak w Czeczenii.

Nie chcę być przez trzynaście miesięcy zakładnikiem jednej z tych grup bez czci i wiary. A jeśli mój kraj i moja organizacja mają zapłacić 100 tysięcy dolarów, żeby mnie uwolnić, wolę, by ta suma została zainwestowana w innym zakątku świata i posłużyła realizacji projektu, z którego będzie mogła skorzystać cała lokalna wspólnota.

Nie kraczę jak te ptaki zwiastujące nieszczęście. Wiem, że zawsze znajdą się NGO, które pomyślą, że mimo wszystko można coś zrobić. Zwłaszcza Amerykanie są przekonani, że aby nauczyć się pływać, trzeba skoczyć do jeziora, a żeby pracować w Iraku, wystarczy tam pojechać. Myślą, że nauczą Irakijczyków pławić się w demokracji i poszanowaniu praw człowieka. A pomoc humanitarna i okupacja amerykańska miały być fajką do nurkowania. W wyborach z 2005 roku widzieliśmy odwagę i determinację

Irakijczyków. A mimo to nadal mają głowy pod wodą. Jak długo jeszcze to wytrzymają?

Nie neguję potrzeby zwiększenia pomocy humanitarnej dla Iraku. Jest potrzebna temu krajowi, jak każdemu innemu. Nawet w Montrealu tysiąc naćpanych i zdesperowanych młodych ludzi śpi na ulicy. Nie o to chodzi. Prawdą jest, że pierwsza pomoc, jakiej potrzebują dziś Irakijczycy, to bezpieczeństwo i przywrócenie prawa.

Nie mam już dziś ochoty jechać do Iraku.

To nie jest kwestia strachu fizycznego, nie odczuwam niczego takiego od czasu, gdy byłem nastolatkiem. Ale nie jestem samobójcą. Nie jedzie się tam dla telewizyjnego show. Jest się tam, by ratować życie, choć to sformułowanie o wydźwięku mesjanistycznym trochę mnie razi. Także życie naszych. Boję się o moich kolegów, którzy jeszcze tam są i realizują wspaniałe projekty modernizacji szpitali i innych placówek. Wkładają w to mnóstwo serca i dobrej woli. Mam nadzieję, że się mylę, i że w końcu wszystko się dobrze dla nich skończy.

ROZDZIAŁ DWUDZIESTY PIĄTY

Sen

Wojna w Iraku, ta ostatnia, wojna Busha juniora, pozostawiła mi posmak goryczy. Powiedzmy to jasno: jestem szczęśliwy, że Saddam Husajn już nie jest u władzy. Tym bardziej że go znałem. Wiem, co zrobił swemu ludowi. To nie są rzeczy usłyszane w telewizji, widziałem je na własne oczy. Ale Saddam Husajn to tylko jeden z dziesiątków dyktatorów sprawujących rządy. Przeszkadza mi nie jego odejście, ale cena, jaką kazano zapłacić Irakijczykom, a teraz żołnierzom amerykańskim, aby osiągnąć ten rezultat. Ilu ludzi zostało szybko pogrzebanych, zgodnie z tradycją muzułmańską i nikt się o tym nie dowiedział?

Nie należy też zapominać o sankcjach. O tej masakrze cywilów zinstytucjonalizowanej i zaakceptowanej przez wszystkich, bo odbywającej się z błogosławieństwem Narodów Zjednoczonych. Dlaczego nie przeprowadzono tej wojny dziesięć lat wcześniej albo nie powstrzymano żołnierzy amerykańskich, którzy szli na Irak w 1991 roku? Dlaczego dopuszczono do tego, by cywile cierpieli dwanaście lat kalwarii?

Dzisiejszy terroryzm różni się od ówczesnego. Jest mniej idealistyczny, bardziej desperacki, a więc również bardziej szkodliwy. Nic go nie powstrzyma. Cóż może być straszniejszego od wizji kamikadze wysadzających się w powietrze, by pociągnąć za sobą w tę swoją hałaśliwą śmierć niewinne ofiary?

Czuję gorycz.

A jednak, mimo całego mojego niepokoju, całej mojej goryczy, płomień nadziei jeszcze do końca nie zgasł. Wstając rano, nadal mam chęć znowu gdzieś wyruszyć, coś rozpocząć, znów pomagać. Kiedy przybywam na miejsce, zawsze kipię energią, wykonując te same, tysiąc razy ponawiane gesty, budując obozy żywieniowe albo obozy dla chorych na cholerę. Bo wiem, że to jest najistotniejsze.

Pojadę więc do Dżibuti, a potem się zobaczy. Być może później przyjmę ofertę przebudowy sierocińca w Rwandzie. To mnie bardzo nęci. W końcu wszystkie bękarty są braćmi.

Nie, nie widzę pomocy humanitarnej w smutnych barwach. Często widywałem śmierć z bliska. Ze śmiercią żyję od dwunastu lat. Znam ją. Otarła się o mnie w Sarajewie, nosiłem ją na rękach, wdychałem w dołach ze zwłokami w Gomie, nienawidziłem jej, kiedy zabierała dzieci w obozach dla chorych na cholerę (był to najgorszy ze wszystkich widoków), budziła we mnie odrazę, kiedy uwzięła się na chorych, których próbował uratować Luc Legrand. Ale ją szanuję.

Wiem też, że pewnego dnia i mnie opuści *baraka*[57]. Nie jestem ani samobójcą, ani pesymistą, ale zachowuję spokój wobec nieuniknionego. Mam tylko nadzieję, że moja śmierć będzie łagodna i że przyjdzie możliwie jak najpóźniej. Błagam o to moją szczęśliwą gwiazdę. Ale wiem także, że szczęście trzeba wesprzeć, pomóc mu, popchnąć je.

Kiedy jestem smutny albo nachodzi mnie chandra, kiedy jestem sam w parku w Berlinie i ogarnia mnie melancholia na widok obejmującej się pary, przypominam sobie, że muszę nadal toczyć przynajmniej jedną walkę – ze śmiercią.

Poza tym pozostało mi kontynuowanie mojego zwykłego, małego życia. Jestem normalnym facetem, zważywszy na to, jakie życie przyszło mi wieść. Zawsze mam walizkę w ręku, to dlatego, że nazywam się Vachon, „przez V, jak valise" – mówiłem zawsze, kiedy byłem dzieckiem. Nie wiem, co szykuje mi moje cygańskie życie. Nauczyłem się nie mówić kategorycznie „nigdy". Mógłbym nawet skończyć jako drobny mieszczanin, żyjący spokojnie na jakimś tam przedmieściu i opiekujący się rodzinką. O mały

---

[57] *Baraka* (arab.) – szczęście, fart.

włos tego nie zrobiłem, takie plany snułem dla Lucrecii umego boku. Pewnie, że Mozambik nie był wtedy Szwajcarią czy Kanadą, ale dziś żyje w pokoju. Moje przedsiębiorstwo budowlane powiększyłoby się i zaowocowało. Być może narobiłbym mnóstwo dzieci.

Niepewność stała się moim stylem życia. To męczące, to budzi strach, ale ja umiem pływać wśród podwodnych raf. Jest ciężko, czasem utknie ci gdzieś głowa, ale można się przyzwyczaić. Traktuję moje życie i pracę jak długą podróż ze wszystkimi jej urokami, zmęczeniem, odkryciami, spotkaniami, pokojami hotelowymi i tymczasowymi mieszkaniami. Przebyta droga uczyniła mnie twardszym. Niebezpieczeństwo nieznanego sprawiło ze stałem się jak czujne zwierzę. Ja, stary wilk. Tak, raczej wilk niż lis, raczej instynkt przetrwania niż sztuczki. W ten sposób idę moją drogą, podejmując to samotne projekty, to znowu stadne przygody. Z wiekiem nauczyłem się rozpoznawać najlepsze klany. Przyjmuję z trochę większym spokojem przemijanie czasu i niepewność, która wytycza moją drogę.

Na razie wytrzymuję.

Starzenie się, to także ta podjęta przeze mnie decyzja o spłaceniu wszystkich moich długów. Chociaż jestem dziś biedny, wiem, że uwolniłem się od wszelkich wierzytelności. O człowieku bez długów mówi się, że jest bogaty. Nie mam pieniędzy, ale nic nie jestem nikomu winien.

Moja matka powiedziałaby: „Dobrze sobie poradził".

Sfera humanitarna poszukuje dziś dla siebie nowej tożsamości, zwłaszcza po tej wojnie w Iraku. W świecie idealnym, organizacje humanitarne nie powinny istnieć. Ludzie nie powinni umierać z głodu ani z pragnienia. Działalność humanitarna jest więc już sama w sobie przyznaniem się do porażki.

Nie mówię, że nie ma już humanitarnych dusz. Jestem od tego daleki. Nadal spotykam osoby zaangażowane, które święcie wierzą w to, co robią. Widziałem dziewczyny i facetów, którzy wciąż tam jeżdżą z ciężkim sercem. I którzy tam powracają przez wiele kolejnych lat. Już z innym entuzjazmem, mniej szalonym, mniej na pokaz, mniej w stylu „a widziałeś mnie?". Kierując się stateczną, zdecydowaną, ale i pokorną wolą.

Są jednak również NGO – zwłaszcza te, które zdobywają prestiżowe nagrody – uzależnione od mediów. Przyciągają one wolontariuszy zabiegających raczej o blichtr i prestiż niż o skuteczność i dyskrecję. To te organizacje wypowiadają się ciągle o wszystkim i o niczym. Dobrze jest ujawniać naruszanie praw człowieka i brak demokracji, ale gdy trzeba zaszczepić dzieci, dostarczyć wody pitnej, zająć się rannymi, to po prostu trzeba tam pojechać. Bez względu na wizerunek rządu, który nas przyjmie. Jesteśmy od pracy humanitarnej. Nie od polityki. Służymy istotom ludzkim, nie sprawom politycznym ani bataliom prawnym. Jeśli można przyczynić się do wsparcia tych spraw, tym lepiej, ale nie kosztem naszego głównego zadania.

W końcu stałym elementem całej mojej drogi była chęć przynależności do rodziny. Psycholog zobaczyłby w tym – być może słusznie – reakcję na opuszczenie mnie przez moich biologicznych rodziców. Począwszy od wszystkich tych rodzin zastępczych, które poznałem w dzieciństwie, aż po tę, którą pragnę kiedyś założyć, należałem do mnóstwa rozmaitych klanów: motocyklistów, pracowników organizacji humanitarnych, kumpli. Chciałbym założyć udaną rodzinę. Spłodzić dziecko. Może dwoje. Upewnić się, że moja córka Jacqueline nadal ma się dobrze. Że kiedyś będę mógł się z nią spotkać, nie wprawiając jej w zakłopotanie. Chciałbym gościć ją u siebie, w Paryżu. Dlatego spłacam moje długi. Żeby być całkowicie w porządku, kiedy ją spotkam.

Poza nią, prawdziwą rodziną jest dla mnie krąg moich przyjaciół. Tych, których miłość opiera się upływowi czasu, na których zawsze będę mógł liczyć. Nie obawiam się z ich strony żadnej zdrady. To najlepsi. To oni pomagają mi iść moją drogą wśród tej większej rodziny: humanitarnej, ludzkości i istot ludzkich.

Przeczytałem właśnie tę opowieść. Pomyślałem o tych, którzy być może wkrótce wezmą ją do ręki. O moim pierwszym dziecku, o mojej pierwszej córce, tej, której nigdy nie poznałem. Czy nie powinienem jej uprzedzić? Prosić, by nie przejmowała się moimi słowami? Cóż bym jej powiedział?

Nalałem sobie kolejny kieliszek wina. Pomyślałem. Powiedziałem sobie, że powinienem zadzwonić do jej matki. Dlaczego nie? Albo nie! A może tak? Miałem ogromną ochotę spłacić również ten dług. Albo jednak nie. Wino zaczęło uderzać mi do głowy. Zatonąłem w marzeniach.

Jak we śnie podniosłem słuchawkę. Zostawiłem wiadomość dla Sophie; jej nazwisko, dość rzadkie, jest łatwe do wyszukania w książce telefonicznej. Nie od razu oddzwoniła. Ale trzy dni później:

– Cześć, tu Sophie.

– Sophie jak?

– Znasz dużo Sophie?

Jakbyśmy ostatni raz rozmawiali wczoraj. Jakby nie upłynęło tyle czasu. Jakbyśmy podjęli rozmowę przerwaną dzień wcześniej. Wkurzające w snach jest to, że czas robi się nienamacalny.

Spotkaliśmy się. Ona nic się nie zmieniła. No dobrze, trochę. Wiek. Reszta pozostała ta sama. Nie widzieliśmy się dwadzieścia pięć lat. Rozmawialiśmy, nie podnosząc głosu. Jak dorośli. Którymi się staliśmy.

Opowiedziałem jej o książce. Uśmiechnęła się. Nie ma do mnie pretensji. To dobrze. Myślę, że dobrze zrobiłem, dzwoniąc do niej.

– Wiesz Marc, jesteś dziadkiem.

Sophie jest zabawna. Rzuca takie teksty, bez żadnego wstępu. Oboje się uśmialiśmy.

Zadzwoniliśmy do mojej córki. Tak, chciała się ze mną zobaczyć. Wreszcie mnie poznać. Wcześniej poszukiwała mnie w Internecie. Wiedziała, kim się stałem. Pracownikiem organizacji humanitarnych. Nie byłem już zgniłkiem. Zresztą matka nigdy nie przedstawiała mnie w złym świetle. W snach wkurzające jest to, że nie wszystko zostaje powiedziane.

Spotkałem się z nią. Wykapany ja. Jest z tego dumna. Zawsze marzyła o tej chwili. Przedstawiła mi swojego chłopaka. Jest w porządku. Są biedni, ale w porządku. Skromni, ale pełni godności. W snach głupie jest to, że przyjaciele twojej córki nie są bogaci.

Moja córka czekała na ten moment dwadzieścia cztery lata. Poznać swojego ojca. Nie po to, by wyrównać porachunki ani po to, by na nowo rozpocząć życie: tylko po to, by wszystko stało się normalne. Wdała się we mnie ta moja dziewuszka; nie przebudowuje przeszłości, przygotowuje przyszłość. Jest w porządku.

Potem powiedziała mi:

– Chodź, pokażę ci!

Otworzyła drzwi do pokoju. Najpierw usłyszałem oddech dwóch małych istnień. Potem zobaczyłem. Były tu moje wnuczki: odprężone, ufne, uśpione. Miałem ogromną chęć się rozpłakać. Ze szczęścia. Byłem naprawdę dziadkiem. W snach niesamowite jest to, że człowiek na nowo uczy się płakać.

Wszystko wraca na swoje miejsce. Zadzwoniła do mnie Karen: „Bądź w pogotowiu; być może wkrótce dojdzie do twojego spotkania z Jacqueline".

No i jest jeszcze Marie-Claude. Ona jeszcze o tym nie wie. Ale jest mi z nią cholernie dobrze. W snach głupie jest to, że wszystko zdarza się na raz.

Zadzwoniłem do Jean-Christophe'a. Był akurat na autostradzie. Przyhamował, ryzykując spowodowanie monstrualnego karambolu. Powtórzyłem mu, że jestem dziadkiem i że jest mi z tym dobrze.

Zadzwoniłem do François Bugingo. Wracał z USA przygnębiony, bo Bush znowu wygrał. Miałem to w nosie. Opowiedziałem mu.

Sny są zabawne: ludzie nigdy ci nie wierzą.

Wszystko wraca na swoje miejsce.

Ale ja wyjadę. Bo ja nigdy nie zostaję. Tym razem jednak nikt nie będzie cierpiał. Już nie zniknę.

A w snach sympatyczne jest to, że czasami są rzeczywistością.

Podziękowania

Rozmowy, które umożliwiły zredagowanie tej książki, zostały przeprowadzone u stóp góry Saint-Julien w Buis-les-Baronnies. Szczyt Saint-Trophime, który mieliśmy naprzeciwko, zasłaniał nam szczyt Ventoux. W tej spokojnej krainie, gdzie jak głosi legenda Bóg wymyślił cykady – nazwane wówczas Tamburyniarzami – aby budziły wieśniaków, którzy mieli paskudny zwyczaj częstego zażywania sjesty, Marc Vachon i François Bugingo byli wspaniale goszczeni przez rodzinę Morardów. Niech będzie więc wolno im tu podziękować. A także wszystkim przemiłym mieszkańcom Buis-les-Baronnies.

Marc Vachon wyraża też wdzięczność gronu prawdziwych przyjaciół, którzy mieli udział zarówno w zainspirowaniu, jak i w przeczytaniu rękopisów. To Christophe i Margie, Jean-Christophe, Geneviève, klan Begkoyianów, Mégot, François, Olivier, Rouletabille'owie, Élisabeth, Bettina, Adrian ze Stolly's, Michel z New Cactus...

François Bugingo dziękuje swojej rodzinie (rodzicom, siostrom i rodzinie żony), Stéphanie Kitembo, Annie Monin – jej mamie, kumplom, kolegom.

Podziękowania dla Nataszy i Élisabeth za poprawki. Dla Jeana-Christophe'a Rufina za rozwianie wszelkich wątpliwości.

Spis treści

Książkę wydrukowano
na papierze Amber Volume 70 g/m²

 Amber
BY ARCTIC PAPER
www.arcticpaper.com

MUZA SA
00-590 Warszawa
ul. Marszałkowska 8
tel. 022 6296524, 022 6295083
e-mail: info@muza.com.pl

Dział zamówień: 022 6286360, 022 6293201
Księgarnia internetowa: www.muza.com.pl

Warszawa 2007
Wydanie I

Skład i łamanie: AVANTI, Warszawa
Druk i oprawa: ABEDIK, Poznań